KB172858

어떻게 살아갈 것인가

어떻게 살아갈 것인가

❙ 논어에서 길을 찾다

한인수 지음

"나를 당당하고 즐겁게 만들어 주는 힘"

『논어』는 삶의 지향점을 알려 준다. 좌회전해야 좋은지,
우회전해야 옳은지를 알려 주는 나침판 역할을 한다.

좋은땅

서문

논어의 핵심 사상은 인(仁)

고전의 특성이 대체로 읽을 때마다 느낌이 다르고 의미 전달이 다르게 다가오듯이 『논어』도 그러했다.

『논어』도 20대에 접했을 때는 상식적인 예의범절과 사람이 지켜야 할 도리에 관한 책이라는 정도는 알았지만, 가슴에 와닿지는 않았던 것으로 기억된다. 수십 년 풍상을 겪고 난 후의 논어는 달랐다. 한 문장 한 구절도 사뭇 느낌이 다르고 울림이 크게 다가온다. 하지만 조용히 생각해 보면 인생 경험의 축적으로 인한 다른 느낌도 있겠지만 살아온 숫자가 근본 원인은 아니고 어떤 환경 속에서 어떤 마음가짐으로 읽느냐의 차이인 것 같다. 핵심은 단 한 줄의 문장이라도 사유와 성찰의 자세로 읽어야 한다는 것이다.

『논어』는 공자 사후에 공자와 제자들이 나눈 언행과 학습식(學習式) 대화를 기록한 책이다.

2500년 전의 공자와 수십 명의 제자가 나눈 어록을 보면 시공을 초월하여 2023년 대한민국 서울에 그대로 옮겨 놓아도 우리의 생각과 별반 차이가 없음을 발견하게 된다.

결론은 동서고금을 막론하고 사람 사는 이치와 도리는 대동소이하다는 거다.

내가 하기 싫은 것은 남에게 시키지 말라든가 내가 하고 싶은 것은 남도 하고 싶으니 남을 먼저 배려하라는 것은 시간이 바뀌고 장소가 다르다고 달라질 수 없으니 말이다.

공자의 핵심 사상과 철학은 인(仁)이다. 인의 덕목은 크고도 넓다.

타인 존중, 배려, 역지사지, 이기가 아닌 이타 정신, 관용, 박애 정신이다. 그래서 인은 누구한테도 양보 불가의 것이요, 인을 실천하는 사람이 군자라고 했다. 공자 '인'의 철학은 세상에 태어나 널리 인간을 이롭게 하기 위한 것이며 세상에서 곤란을 겪는 제민(諸民)을 구제하는 것이다. 우리나라 단군의 홍익인간 정신과 맥을 같이 한다.

군자는 현재의 의미로 환언하면 리더 즉 지도자요, 어른이다. 원래의 의미는 군주나 국가의 지도자급으로 설명했으나 논어를 읽는 목적에 부합하기 위해선 확대 적용이 필요하다. 사람은 누구나 지도자의 위치에 설 수 있고, 어른의 역할이 주어진다. 위치와 역할의 특성과 크기만 다를 뿐이다. 집안에서 아버지와 어머니는 최소 집단의 리더요, 어른이다. 형제지간에서 장남이나 장녀의 위치도 그렇고 5, 6인의 모임에서도 마찬가지다. 그래서 누구나 군자가 되기 위한 노력을 하면 할수록 근접할 수 있다고 믿자. 그래서 죽을 때까지 실천하면 한 만큼, 보람을 느끼고 군자가 돼 가고 있음을 주변에서 알려 줄 것이다.

이 책의 집필 동기와 목적

『논어』를 읽으면서 상식적이고 쉬운 부분도 있지만, 한자(漢字)는 쉬운데 해석과 내용이 이해하기 어려운 부분이 있어 어떻게 하면 누구나 전체적으로 이해하기 쉽고 현실 적용에 유리할까를 고민하게 되었다.

그래서 살아가면서 직접적으로 현실에 적용하고 응용하여 삶을 자유롭고 편안하게 하면서 공자의 핵심 사상인 인(仁)을 실천할 수 있는 책을 만들어야겠다는 강한 열망으로 집필하게 되었다.

필자는 학문 연구를 주로 하고 학생을 가르치는 학자는 아니다. 비교적 대중과 호흡을 같이하는 독서 연구가일 뿐이다. 그래서 학문 연구적 입장을 벗어나 좀 더 논어를 대중의 눈높이에 맞추면서 위에서 말한 집필 동기에 적합하게 만드는 데 주력하였다.

공자는 박학다식하면서도 다재다능하였다. 세계 4대 성인의 한 분이다. 그런데도 사람 냄새가 풀풀 풍기는 우리네 보통 사람과 다를 바 없다는 느낌으로 다가와 더욱 친근감을 준다. 그래서『논어』가 더 가슴에 와 닿는다.

공자는 15세에 학문에 뜻을 두었다(지학: 志學). 지학은 우선적으로

참 인간이 된 후에 학문을 하라는 거다.

인간이 되는 방법은 "집안에서는 효도하고 나가서는 웃어른께 공경하고 모든 사람에게 믿음을 주며 널리 사람들을 사랑하되 자신보다 배울 것이 있는 사람과 친하게 지낸다."이다. 공자가 설정한 지학의 내용이 바로 인의 사상이요, 그것을 평생 생활 그 자체로 삼았다. 이 방법의 실천은 지금 여기에서 독자들이 그대로 실천해도 전혀 무리가 없다. 단 자신이 처한 환경과 위치에서 어떻게 접목하느냐이다.

그래서 『논어』의 문장 해석은 논어를 연구하는 학자마다 다소 풀이가 다른 부분들이 있고 문장의 맥도 달리 해석하는 부분도 있다.

필자는 여러 학자의 견해와 해석을 분석하여 전후 맥락에 어긋남이 없게 하되 현실 적용을 가장 적절하게 하여 독자에게 논어를 공부하는 목적을 달성할 수 있도록 하는데 주안점을 두었다. 현재 시대 상황에 맞으면서도 독자가 긍정적이고 발전하는 데 도움이 되는 방향으로 기술했다.

이 책의 구성과 도움이 되는 역할

『논어』는 삶의 지향점을 알려 준다. 좌회전해야 좋은지, 우회전해야 옳은지를 알려 주는 나침판 역할을 한다. 살아가면서 판단이 어려운 지점을 만날 때 판단의 지혜를 알려 준다. 한두 번 읽고 제쳐 두는 그런 책이 아니다. 수시로 수백 번을 낭독하고 음미하고 곱씹어 보면서 삶의 평안과 지혜를 배우고 익혀 나가는 지침서다.

공자는 합리적 보수주의자이면서 더 많은 부분 진보적이며, 개혁적, 평등주의자이며 실용적 실천적 지식인이었다. 내용도 심오한 면도 있지만, 구체적이며 솔직하고 직접적이다.

이 책의 구성은 총 7장으로,

인(어짊), 의(정의), 예(예의), 지(지혜), 신(믿음), 성(성찰), 학(배움)으로 인(仁) 사상을 정리하였다. 『논어』는 총 20편, 499개 문장으로 되어 있으나 내용상 중복되는 것을 제외하고 꼭 필요한 덕목들을 중심으로 86개 소제목으로 구성하였다.

공자는 널리 세상을 이롭게 하고 구제한다고 했지만, 보통 사람들은 살아가면서 가정과 이웃, 사회에 미약하나마 도움이 되고자 노력할 뿐이다.

삶의 목적이 꼭 필요한 사람이 되어 이웃과 사회에 도움이 되고 마음의 평화를 누리면서 부자는 아니지만 만족할 줄 알고, 겸손하되 당당한 삶이라면 족하지 않을까? 이런 삶을 가능하게 해 주도록 기술하였음을 밝힌다.

그래서 어려움에 닥치거나 허무를 느낄 때 또는 여러 가지 상황으로 인하여 우울증에 빠질 때가 있다. 이럴 때 이 책을 읽으면 도움이 된다. 극복하는 힘이 생기며 지혜를 얻는다.

수기안인(修己安人)이라고 했다.

자신이 수양하여 덕을 쌓아 인을 행하면 다른 사람이 편안하다.

책의 문장을 지속해서 익히고 깨달아 실천하면 수기안인의 양식(糧食)이 되어 준다. 인격의 함양은 이 책을 읽는 목적 중의 하나다.

삶의 여유와 생활의 즐거움을 느낄 수 있도록 해 준다.

공자의 가르침이 그런 것들로 다루어진 문장들이 꽤 많다. 생활 속에서 소소한 행복과 힐링의 역할을 할 수 있는 지혜를 얻게 해 준다. 문제는 독자 스스로 문장 내용을 가슴으로 느껴야 하고 현실에 바로 적용하고 응용하여 내 것으로 체화시킨 후에 실천에 옮겨야 한다. 이와 같은 비슷한 말을 책 속에서 수도 없이 언급하였다. 반복되는 식상함을 무릅쓰고 독자들에게 실천이 몸에 배도록 하기 위해서다.

이 책은 원문과 함께 실려 있으며, 어려운 한자들은 주를 달아 풀이로 도움을 주고 있다. 하지만 한자와 해석을 겸용하면서 독자 스스로 해석해 보면 더 깊이 있는 학습이 될 것이다.

『논어』는 위대한 고전 중의 고전이라 할 만하다. 이 책을 읽는 참된 가치를 발견할 수 있으리라 믿으며 10년 아니 평생을『논어』문장과 함께 생활하고 실천한다면 어느 순간 인격의 함양과 군자의 칭호에 명실상부한 자신이 되어 있으리라 믿는다.

모쪼록 독자 여러분께서 이 책을 통해 기쁘고 즐거운 지성인이 된다면 더없는 보람과 즐거움으로 다가올 것이다.

수안보 그리실 마을 선은재(善恩齋)에서

2023.08 덕계 한인수

/ 목차 /

3장 예의(禮)

4장 지혜(智)

5장 믿음(信)

6장 성찰(省)

7장 배움(學)

1장

어짐(仁)

좋아하는 것은 즐김만 못하다 (好之者 不如樂之者)

좋아하고 즐기는 것을 취미라 한다. 좋아하며 즐길 수 있는 취미가 나의 직업이라 한다면 환상이다. 여기서 주의해야 할 점은 취미가 일이 되면 곤란하다. 예를 들어 등산이 취미라고 하자. 그런데 사장이 500m 산에 올라갔다 오면 돈을 지급한다고 하면 일로 여기게 된다. 중요한 것은 일로 여기든 취미 생활로 생각하든, 그렇게 만드는 주체는 자기 자신이다.

기왕이면 일도 즐거움으로 승화시킬 수만 있다면 최상의 지혜 아닌가?

옹야편 18장을 보자.

> 子曰, "知之者 不如好之者 好之者 不如樂之者"
> 자왈, "지지자 불여호지자 호지자 불여낙지자"

공자께서 말씀하시길, "그것을 아는 자는 좋아하는 자만 못하고, 좋아하는 자는 그것을 즐기는 자만 못하다."

무엇이든 해 보아야 알 수 있다. 직·간접 경험을 통해서 무엇을 좋아하는지 잘하는지, 무엇에 흥미가 생기며 관심이 가는지 일단 해 봐야 알 수 있다.

『논어』를 학습하다 보니, 호기심이 생기고, 삶의 방향이 잡히는 것이 좋아짐을 느낀다.

『논어』가 좋아지다 보니 매일, 학습하고 싶다. 이제는 하루라도 안 보면 보고 싶어 안달이 날 정도라면『논어』라는 학습이 즐기는 상황으로 발전한 거다.

아는 것은 머리로 이해하여 아는 거다. 한 단계 나아가면 좋아하게 된다. 좋아하는 것은 감정의 영역이다. 머리에서 마음으로 즉, 가슴까지 진화한 것이다.

즐긴다는 것은 알고 좋아하여 이를 실천하는 것이다.

좋아하는 단계에서 한 단계 더 나아가면 가슴에서 팔다리까지 내려와 움직일 수 있다. 전신으로 움직여 실천하게 된다. 즐김은 몸으로 행동하는 거다.

지행합일(知行合一)이라고 했다. 앎과 행동은 일치해야 한다는 것. 우리가 배워서 알았으면 실천해야 산지식이 된다. 학습의 최종 목적지는 실천이 아닌가? 남에게 전달하고 가르쳐 주고 현실에 적용하여 나와 세상을 이롭게 하기 위함이다.

그래서 알기만 해서는 산지식이 되기 어렵고 좋아하기만 해도 즐기는 것만 못하다고 했다. 오래가기 힘들다는 말이다.

앞 문장에서 지(之)는 학문이 될 수도 있고 도(道)가 될 수도 있다. 공자가 학문이라 했어도 그 무엇을 지(之)의 자리에 놓아도 무방하다. 공부, 작업, 일상사 등으로 놓고 생각해 보자. 공부와 일을 좋아하고 즐겨하는 사람은 드물다. 우선 힘들고 고통스럽다. 생존을 위하고, 더 높은 곳으로 오르기 위해서 꼭 해야만 되는 필수 사항이기에 그렇다.

기왕 꼭 해야만 되는 상황이라면 생각을 바꿔 보면 어떨까? 어차피 하루, 한 달이라는 시간은 흘러가기 마련이다. 이래도 하루, 저래도 하루다. 힘겹고 짜증 나도 하루요, 즐거워도 하루라면 짜증을 즐거움으로 치환해 보는 연습을 해 보자.

예전 직업소개소를 운영할 때, 아침 일찍 출근하는 2, 30대 젊은이들에게 꼭 한마디씩 해 준 말이 있었다.

"김 군, 어차피 오늘 하루 8시간이 지나가는데 힘든 일이 배당되거나 남들이 짜증을 내어도 자네만큼은 즐거운 마음으로 하루를 보내 보게나! 무엇이든 배워서 후에 써먹겠다는 마음으로 일하면 하루가 금방 지나가고 재미도 있으며 즐거움도 찾아올 거야! 한번 도전해 봐! 그럼 하루가 소중한 시간이 되는 거야."

극도로 가난한 환경 속에서도 삶의 여유를 즐긴 안회를 극찬한 것은 도(道)를 실천하여 삶을 즐길 줄 알았기 때문이었다. 공자가 말하는 최선(最善)의 삶은 즐기는 삶이 아니었나 싶다. 이렇게 하는 것이 나에게 이롭고 지혜로운 삶이기 때문이다.

마라톤을 하는 사람들이 공통으로 하는 말이 있다. 처음 달리고 얼마까지는 참기 어려울 정도로 고통스럽다고 말한다. 그런데 어느 순간 고통을 즐기는 지점이 온다는 거다. 그 고통의 즐거움 때문에 마라톤을 멈출 수가 없단다. 특히나 완주 후 결승점을 통과할 때의 기쁨은 모든 고통이 일시에 사라지고 희열만 남는다고 한다.

피할 수 없다면 즐기라는 말이 있다.

어차피 나에게 다가온 숙명이라면 어쩔 것인가? 마음을 바꿔 긍정적, 낙관적으로 달리 생각하면 뜻밖의 아이디어가 떠오르기도 하고, 하나의 도전을 극복할 투지가 생긴다. '이런 도전의 기회가 흔한 것인가?'라고 말이다.

결코 쉽지 않은 일이지만, 연습해 보고 즐기길 도전해 보는 거다. 이것은 피할 수 없는 최악의 경우다. 보통의 경우 모든 상황이나 일, 일상사(日常事) 일체를 즐기도록 생각을 바꿔 보자. 모든 것은 생각하기 나름이라고 하지 않는가?

말은 쉽게 하는 것이 아니다 (其言不怍 爲之也難)

말과 행동의 상관관계는 밀접하다.

언행일치하기는 매우 어렵다. 말하기는 쉽지만, 그것을 행동으로 옮기기에는 굳센 의지와 극기의 힘이 필요하다. 그래서 작심 3일이란 속담이 나오지 않았을까? 스스로 하겠노라고 자기와 약속했는데, 3일도 못 되어 지키지 못하니 말이다.

언행 불일치한 사람도 많다. 말로는 옳은 말만 하는데, 행동은 반대인 사람이다.

말로 한몫 챙기려는 위선자다. 아니면, 옳은 일이라는 것은 아는데, 실천하기엔 너무 힘들고, 때론 이익과 부합되지도 않기 때문에 행동은 달리하는 것이다.

겉과 속이 다르다고도 할 수 있고 경솔한 사람이라고도 할 수 있다.

그래서 공자께서 헌문편 21장에서 이렇게 말씀하셨다.

子曰, "其言之不怍 則爲之也難."

자왈, "기언지부작 즉위지야난"

공자께서 말씀하시길, "자기가 말한 것이 부끄럽지 않다면 그것을 행하기는 어렵다."

떳떳하고 자랑스러운 말은 실천하기가 어렵다는 말이다. 예를 들어, '나는 인(仁)과 의(義)를 따르는 군자의 삶을 살겠다.'든지, '나는 도덕적이며 이타적인 삶을 살겠다.', '나는 운동을 하루도 빠짐없이 1시간씩 하겠다.'

이런 말은 모두 부끄럽지 않은 자랑스러운 말이다. 그런데 실천하기는 매우 어렵다.

그래서 단정적으로 말하면 곤란하다.

반면, 부끄러운 말은 실천하기 너무 쉽다. 예를 들어, '나는 이기적으로 살겠다.', '나는 쾌락을 탐닉하고 사익 추구만을 하겠다.'

현실적으로 누구도 대놓고 이런 말은 하지 않는다. 이기적이고 쾌락을 탐닉하는 사람도 겉으론 도덕적이고 공동체 이익을 우선으로 한다고 말한다.

그래서 공자는 부끄러운 말이 아닌 자랑스러운 말은 지키기 어렵다는 것이다.

부끄럽지 않다는 말은 이면에 떳떳하고 자랑할 수 있다는 말을 담고 있다.

앞에서도 언급했듯이 욕심 없는 말, 용기 있는 말, 다짐의 말, 도덕적이고 윤리적인 말, 효심이 깊은 말, 남을 이롭게 하는 말, 검약 정신의 말,

세상 좋은 말은 다 갖다 놓아 보자. 이렇게 세상을 이롭게 하고 인의(仁義)와 덕행(德行)을 실천한다는 것이 쉬울 리가 없다.

말을 쉽게 하지 말자. 앞에서는 큰소리치고 과시하듯 말하는 사람을 경계해야 한다. 실천을 하려는 사람은 말에 신중하다. 말을 하면 지켜야 하기 때문이다. 이런 사람은 약속도 쉽게 하지 못한다. 지킬 수 있는 약속만 한다.

공자의 제자 증자가 어린 자녀와의 약속에 관한 일화가 있다.

증자의 아내가 시장에 가려 하자 아이들이 따라가겠다고 나섰다. 증자의 아내가 아이들을 떼어 놓기 위해서 말한다. "얘들아, 집에 있으면 엄마가 장에 갔다 와서 돼지를 잡아 줄게."

증자의 아내가 장에서 돌아오자 증자가 돼지를 잡으려고 준비를 하고 있었다. 이때 아내가 깜짝 놀라 증자에게 말한다. "여보! 뭐 하시는 거예요? 돼지를 정말 잡으려고요? 나는 그냥 아이들 떼어 놓으려고 지나가는 말로 한 것이란 말이에요."

이에 증자가 아내에게, "아이들은 부모의 말과 행동을 보고 배웁니다. 아무리 아이들이고 사소한 것 같은 약속이지만 당신이 약속을 안 지키면 아이들한테 거짓을 가르치는 꼴이 된다오. 자식에게도 믿음을 주지 못하면 누가 우리를 믿겠소!"

증자는 끝내 돼지를 잡아 자식들에게 먹였다.

통상적인 입에 발린 말이 있지 않나? 길에서 만나면 "우리 언제 밥 한 번 먹읍시다."

혹은 전화 통화할 경우 "우리 식사 한번 하자." 등 겉치레 인사인데, 이것도 나쁜 말은 아니나, 차라리 그냥 인사만 나누고 겉치레 약속도 안 하는 것이 좋다. 실천을 염두에 둔 사람들은 이런 말도 하지 못한다.

이인편 22장과 24장에서는 이런 말도 하셨다.

子曰, "古者言之不出, 恥[1]躬[2]之不逮[3]也."

자왈, "고자언지불출 치궁지불체야." (22장)

子曰, "君子欲訥[4]於言, 而敏[5]於行"

자왈, "군자 욕눌어언 이민어행." (24장)

공자왈, "옛날 사람들은 말을 쉽게 밖으로 내뱉지 않았다. 실천하지 못한 것에 대한 부끄러움 때문이었다."

공자왈, "군자는 말을 함에는 더디게 하나 행동은 민첩하게 한다."

맥락은 모두 비슷하다.

말보다 실천의 중요성을 역설한 것이다. 말에 책임을 지지 못하는 것에 대하여 항상 부끄럽게 여긴다면 쉽게 말을 앞세우지 못할 것이다.

---

1) 치(恥):부끄러울 치.
2) 궁(躬):몸 궁.
3) 체(逮):미칠 체.
4) 눌(訥): 어눌할 눌, 더듬을 눌.
5) 민(敏): 빠를 민.

말을 하다 보면 자신을 내세우고 싶고, 더 성과를 자랑하고픈 마음에 부풀린다는 것이 과하게 되면 거짓이 된다. 말과 행동이 엇박자가 나고 실천은 안 보이거나 희미하여 있는 듯 없는 듯하다.

핵심은 언행일치(言行一致)된 삶을 살자. 공자의 눌언민행(訥言敏行)처럼 말은 신중하되 행동은 민첩하게 하자. 말을 할 때는 반드시 실천을 염두에 두고 하자는 말이다.

•

선한 길과 부끄러움을 안다는 것 (善道知恥)

한 나라의 리더라면, 나라에 도가 땅에 떨어져 무도한 자들이 국가를 좌지우지할 때 그들에게 협조하는 것은 그들과 다를 바 없음을 증명하는 셈이다. 이런 부끄러운 선택을 하느니 모든 공직을 사퇴하고 다른 선택을 해야 마땅하다.

태백편 13장에는 무도즉은(無道卽隱)이란 사자성어가 나온다.

> 子曰, "篤信好學 守死善道 危邦不入 亂邦不居 天下有道卽現 無道卽隱"
> 자왈, "독신호학 수사선도 위방불입 난방불거 천하유도즉현 무도즉은"
> "邦有道 貧且賤焉 恥也 邦無道 富且貴焉 恥也"
> "방유도 빈차천언 치야 방무도 부차귀언 치야"

공자께서 말씀하시길, "독실하게 믿고 배움을 좋아하며 선도를 사수해야 한다.

위험한 나라에는 들어가지 않고, 혼란스런 나라에서는 살지 말고, 천하에 도가 있으면 드러내고 무도하면 은거해라.”

“나라에 도가 있으면 빈(貧)과 천(賤)이 부끄러운 일이며, 나라가 무도(無道)한데도 부자이면서 높은 지위는 부끄러운 일이다.”

가정이나 직장, 나라에서 부끄럽지 않게 행동해야 떳떳하다.

공자가 살던 시대는 뺏고 빼앗기는 극도로 혼란스런 전쟁의 시대였다. 혼란한 시대에 어떤 삶을 살 것인지에 대하여 말하고 있다.

첫째, 독실한 믿음으로 배움을 게을리하지 마라.

둘째, 죽음을 각오하고라도 올바른 가치와 원칙은 지켜라.

셋째, 위기에 처한 나라에는 들어가지 말라.

넷째, 질서가 잡혔을 때와 무질서한 혼란의 상황에서 어떻게 할 것인가?

다섯째, 정당한 부와 지위는 얼마든지 취해도 된다. 그러나 부당하고 불공정한 부와 지위는 거절해야 마땅하다.

첫째, 공자께서 위정편 15장에서 사이불학즉태(思而不學卽殆)라고 했다.

생각만 하고 배움이 없다면 위태롭다고 했다. 모든 바탕은 배움이 있어야 한다는 거다. 배움이 있어야 성찰을 하든, 사유를 하든, 제대로 된 성찰과 사유가 된다는 것이다. 그래서 군은 신념을 갖고 배움에 힘쓰라고 한 거다. 기본을 닦아 놓아야 후일을 도모할 수 있다.

둘째, 원칙은 정말 중요하다. 개인 사이에 있어서도 신뢰와 가치를 지켜야 함은 물론이다. 국가의 지도자는 죽음을 불사하고라도 해선 안 되는 일은 해서도 안 되며 지킬 의무는 반드시 지켜 내야 한다. 조선말 대한제국 때 나라의 대신들이 가치를 어기고 원칙을 버렸기 때문에 너무도 쉽게 합병이 되어 버렸지 않은가?

조선시대 사육신은 충절의 가치를 지키기 위해 죽음도 아끼지 않은 충신들이다.

셋째와 넷째, 숨은 뜻은 무도한 자들이 판치는 나라에 들어가 그들과 손잡고 일을 도모해 본들 무슨 결과가 나오겠는가? 차라리 횡포한 자들을 멀리하고 은거하면서 후일을 도모하거나 때를 보라는 의미로 파악하는 것이 합리적 해석이 아닐까 싶다. 이런 불의(不義)한 자들과 손을 잡는 것은 그들의 행동을 합리화시켜 주고 동의하는 것과 같으니 부끄러운 행동을 하는 것이라고 지적하는 것이다.

그래서 다섯 번째의 의미도 부와 영달을 위해서 수치스러운 일을 하지 말란 거다.

나라에 정당한 도가 있어서 합리적이고 공정한 상황이라면, 부를 축적하고 높은 지위에 올라가도 지극히 자연스러운 일이지만 무도한 경우라면 불공정과 몰상식이 지배하는 세상에서의 부와 권력은 정당하고 공정할 수가 없으므로 부끄러운 줄 알아야 한다는 것이다.

자신의 부와 지위를 위해서 인(仁)과 의(義)를 저버리고 부당과 불공정에 편승한다면 그 삶이 부끄럽지 않겠는가? 진정 부끄러움을 안다면 그런 인륜을 저버리는 행동은 나올 수가 없다.

가정에서부터 마을, 나아가 나라에 이르기까지 규모만 다를 뿐 올바른 가치와 도리는 바뀔 수 없다. 각 단위에 걸맞은 인의(仁義)와 도(道)와 원칙을 중히 여겨 행동으로 보여 줘야 함을 잠시라도 잊으면 안 됨을 공자는 강조하고 있다.

•

내 탓이오 (自厚薄人)

자후박인(自厚薄人)과 자박후인(自薄厚人)

23년 초에 방영된 〈대행사〉란 드라마에 나오는 한 장면이 있다.

재벌의 손녀 강한나 상무(손나은)의 책임 추궁에 최창수 상무(조성하)는 자신의 책임이 분명함에도 부하 직원에게 떠넘긴다. 부하를 희생양 삼아 자신이 위기에서 벗어나려 한 얌체 같은 행동이다. 자신의 상사 앞에서 리더라면 부하의 잘못까지도 자신이 책임을 지고 부하는 감싸 주어야 한다. 부하 직원을 잘못 지도한 자신의 책임도 완전히 배제될 수는 없기 때문이며 그것이 상사다운 역할이기도 하다.

자기 체면을 지키기 위해 실책의 책임을 타인에게 떠넘기는 것도 버릇이 된다. 특히 권력자들에게서 이런 모습을 자주 보게 된다.

공자는 이런 몰염치한 자들에게 경고하고 있다.

위령편 14장을 보자.

子曰, "躬[6]自厚而 薄[7]責於人 卽遠怨矣"

자왈, "궁자후이 박책어인 즉원원의"

공자께서 말씀하시길, "자신의 책임은 두텁게 하고 남의 책임은 엷게 한다면 원망이 멀어질 것이다."

남의 떡은 커 보이고 나의 잘못은 안 보인다. 이기적인 마음이 도사리고 있기 때문이다. 명절 때 며느리에게는 하루 종일 손님 밥상을 차리게 하면서 시집간 딸이 오면 손에 물도 안 닿게 하는 시어머니들이 있다. 변명을 듣자면, 딸은 시집에서 밥상을 차리니 친정에선 편히 쉬어야 공평하다는 것이다. 일면 일리가 있는 것처럼 들린다.

이렇게 하면 영영 잘못된 처신은 고칠 수 없다. 닭이 먼저냐, 계란이 먼저냐가 된다.

쿨 하게 남녀 구분 없이 동일하게 형편과 상황에 따라 함께 준비하고 식사하는 분위기를 만들어야 모두가 즐길 수 있다. 여성은 밥 차리는 식모가 아니다.

이런 모순됨은 어디서 나오는 것인가? 나의 며느리는 사돈의 딸이요, 내 아들이 가장 사랑하는 배우자다. 이런 단순한 진리를 왜 모를까?

자신의 책임을 무겁게 여기고 남의 책임은 가볍게 여긴다면 원망 살

---

6) 궁(躬): 몸.

7) 박(薄): 엷을 박.

일이 적다는 것은 굳이 공자님 말씀이 아니라도 쉽게 생각할 수 있는 인간사의 이치다.

'잘되면 내 탓 잘못되면 조상 탓'이라는 속담이 있듯이 어떤 일이 벌어지면 우선 자기는 책임을 회피하려는데 급급하고 다른 곳으로부터 핑곗거리를 찾는 데 골몰하다 보니 더 수렁에 빠지게 된다. 내 탓이 아닌 남 탓하는 풍토! 나도 그렇지 않은지 매일 살펴볼 일이다. 아이들 성적이 떨어지거나 밖에서 잘못을 저질러 문제가 발생하면 내 잘못은 없고 아내한테 책임 추궁을 하는 그대는 누구인가?

나에게 엄격하고 남에게 너그러운 처신을 자후박인이라고 하는데 이와 정반대의 처신을 하는 유명한 분이 계신다. 이분은 하루도 빠짐없이 TV에 나오셔서 전 국민이 다 안다. 언제나 남 탓이고 잘하면 자기 덕, 잘못은 무조건 저쪽 탓이다. 이분은 정치권에 주로 사신다. 바로 '내로남불'이란 분으로 설명이 필요 없는 어른이다.

내로남불은 지구 밖으로 내쫓고 자후박인인 분만을 모셔 오자.

아니다. 우선 나부터 자후박인의 삶이 되고 나서 다음 수순으로 가 보자. 그땐 이미 그분도 자후박인으로 변해 있지 않을까?

불환인지 불기지(不患人之不己知)

자후박인과 비슷한 맥락의 말이 있다.

헌문편 32장을 보자.

子曰, "不患人之不己知 患其不能也"

자왈, "불환인 지불기지 환기불능야"

공자께서 말씀하시길, "남이 나를 알아주지 않는다고 근심하지 말고 내가 남을 알아주지 못함을 근심하라."

내가 열심히 연습을 하여 붓글씨를 멋지게 써서 거실에 걸어 놓으니 마치 구양순이 다녀간 듯하다. 집에 돌아온 아내는 본 듯 안 본 듯 알아주질 않는다. 이때 자랑에 목이 마른 내가 벽을 보라고 넌지시 안내한다.

사람은 종종 자랑하고픈 일이 생기거나 사회적 지위에 대하여 남이 알아주지 않을 때 서운해하며 은근히 옆구리를 찔러 절을 받으려 한다. 그것도 원초적 본능인가 보다. 그래서 본능으로부터 탈피하는 사람이 성숙한 인간이라 했던가?

남 탓을 하지 말고 내 탓을 외치라는 것과 나를 알아주지 않음을 서운해하지 말고 우선 나부터 남을 알아주고 칭찬하면 남도 나를 알아주지 않을까? 먼저 내가 떡을 하나 주면 웬만하면 상대도 나한테 물이라도 한 컵 준다. 물론 뭘 바라고 주면 소인배다. 바라지는 말되, 주면 받는 것도 예의다. 어찌 보면 주고받는 것이라 순서만 바뀐 것인데! 바로 받지 못해도 저축하는 셈 치면 된다. 덕을 쌓아 놓아 나쁠 건 없다.

이것이 배려요, 존중이며 인(仁)의 정신이다.

부모 자식 관계, 친구관계, 동료, 상사와 부하, 연인 관계까지 모든 인간관계에서 상대 우선, 잘되면 상대의 덕, 잘못된 것은 모두 내 탓의 마음가짐으로 내가 먼저 다가가고 상대를 인정해 주는 자후박인(自厚薄人), 선인지(先人知)의 자세로 살아가면 복이 오지 않을까?

•

간사함과 화를 어떻게 다스릴 것인가? (崇德修慝辨惑)

숭덕수특변혹(崇德修慝辨惑)

불쑥불쑥 일어나는 분노를 다스리지 못하여 화(禍)를 입는 경우가 많다. '욱'한다고 하는데, 순간적으로 얼굴을 디미는 이 '욱'이란 녀석을 그대로 두면 100% 후회한다. '욱'을 내치지 못하면 이성과 합리성이 힘을 잃고 흥분과 감정이 앞서게 된다. 그러면 평소 논리적이고 합리적으로 설명을 잘하던 사람도 자신의 의도와는 반대로 비논리적, 불합리적이 되면서 소리만 커지고 겉으론 이긴 듯하지만 패하고 만다. 자신의 인격만 무너진 꼴이다.

흥분이 올라올 때는 잠시 세 번의 호흡을 내쉬거나 잠시 그 장소를 피했다가 냉정을 되찾은 후 돌아오면 욱이란 녀석도 보이지 않는다.

공자는 안연편 21장에서 아래와 같이 마음을 수양하는 법에 대하여 알려 준다.

번지는 계씨 집안의 가신으로 공자 말년에 제자가 되어 수레를 몰았다. 지근거리에서 수행하면서 대화의 기회가 많았던 듯싶다. 『논어』에는 공자와 번지와의 질문과 응답이 많이 나온다.

樊遲從遊於舞雩[8]之下 曰, "敢問崇德修慝[9]辨[10]惑"

번지종유어무우지하 왈, "감문숭덕수특변혹"

제자 번지가 스승을 따라 주유하다가 기우제 지내는 무대 아래에서 묻는다.

"감히, 덕을 숭상하고 간사함을 다스리고 의혹을 분별하는 방법에 대해서 여쭙겠습니다."

子曰, "善哉問 先事後得 非崇德與 攻其惡 無攻人之惡 非
修慝與[11] 一朝之忿 忘其身
以及其親 非惑與"

자왈, "선재문 선사후득 비숭덕여 공기악 무공인지악 비수특
여 일조지분 망기신
이급기신 비혹여"

공자께서 말씀하시길, "좋은 질문이다. 먼저 일을 도모하고 이익은 후에 생각해라. 그것이 덕을 숭상하는 것이 아니겠느냐? 자기의 단점은 공격하고 남의 약점에 대해서는 공격하지 않는 것이 간사함을 다스리는 것이 아니겠는가? 하루아침의 분노로 자기 자신도 잊고 그것이 친지에까지 미칠 것이니 이것이 혹함이 아니겠느냐?"

---

8) 무우(舞雩): 기우제 지내는 무대.
9) 특(慝): 간사할 특.
10) 변(辨): 분별할 변.
11) 非~與: ~이 아니겠는가.

첫째, 덕을 쌓는 일은 우선 맡겨진 일을 완수해야지 이익을 먼저 생각하면 안 된다는 말이다.

일이 우선이지 이익을 먼저 따지면 일 자체가 어그러질 수도 있다. 사안의 본질을 중시하고 본연의 목적에 충실해야 된다. 본질인 일이 성공적으로 이루어지면 이익은 자동으로 따라오게 되어 있다. 선공후사(先公後私)라는 말과도 상통한다.

둘째, 수특(修慝)이다.

간사함을 어떻게 다스릴 것인가?이다.

자신의 단점을 먼저 생각해서 고치려고 노력하고 타인의 약점은 못 본 척하는 것이 간사함을 잘 다스리는 것이라고 설명한다. 반대로 자신의 단점은 아는지 모르는지 상대방의 약점만을 캐고 묻고 하는 사람들이 있다. "가랑잎이 솔잎 보고 바스락거린다고 한다.", "똥 묻은 개가 겨 묻은 개 보고 나무란다." 이래선 안 된다. 자신에게 엄격하고 타인에게 관대해야 한다는 거다. 즉 자후박인(自厚薄人)해야 된다.

셋째, 편혹의 방법이다.

미혹되지 않으려면 화를 잘 다스려야 됨을 말한다.

잠시의 분노 때문에 자신도 망치고 친지도 망친다고 했다. 공자의 제자인 번지도 욱하는 성질 때문에 자주 문제를 일으킨 것으로 보인다. 그래서 순간의 화를 잘 다스리라고 한 것이다.

위령공편 14장에서도 언급했듯이 분노 조절을 적절하게 하지 않으면 백전백패다.

자신만 다치는 것이 아니라 자기로 하여금 자신의 주위 사람들도 화를 당한다.

강원도에서 농사짓던 농민이 농한기를 이용하여 해외여행길에 올랐다가 기내에서 부부 싸움을 한 모양이다. 순간의 분노를 참지 못하고 기내에서 난동을 부리다가 체포되어 이유를 물어보니, 여행 기간 동안 잠도 잘 못 자고 극도로 피곤한 상태에서 부부 싸움하다 흥분을 자제하지 못하여 난동을 부렸단다. 결국은 미국에서 5천만 원의 범칙금에 체류비, 변호사비, 등 손해가 막심했다. 귀국 후 이들 부부에게 어떤 결과를 가져왔는지는 알 수 없지만 이 정도면 가정이 온전할지도 의문이다.

욱하는 성질을 버려야 산다. 잠시만 꾹 참으며, 숨 크게 세 번 내쉬면서 냉정을 되찾아야 한다. 사적인 분노는 냉정하게 처리하여야 하고, 공적인 분노는 사회 발전과 제도 개선의 원동력으로 삼아야 한다. 요즘처럼 국가 권력이 공권력의 이름으로 사유화되어 조직폭력배보다 더 극악무도한 행위를 하면 국민 모두가 공적인 분노를 적극적으로 표출해야 한다. 그러기 위해서는 간직하고 쌓아 두었다가 조직적, 집단적으로 힘을 발휘하여야 효과가 있다. 저항 정신이 국민적 외침으로 하나가 되어 극대화되지 않으면 일시적인 항변으로 머물고 만다. 이 사회는 국민 모두의 것이지 권력 집단 소수의 것이 아니다.

개인적인 분노는 잘 다스리면 개인이 살고, 공적인 분노를 잘 다스리면 사회가 발전하고 개혁의 원동력이 된다.

•

의연하지만 교만하지 않다 (泰而不驕)

자로편 26장을 보자.

> 子曰, "君子 泰而不驕 小人 驕而不泰"
> 자왈, "군자 태이불교 소인 교이불태"

공자께서 말씀하시길, "군자는 태연하지만 교만하지 않고, 소인은 교만하지만 태연하지 않다."

태(泰)는 크고 여유 있는 태도를 말한다. 태연자약(泰然自若)한 태도와 비슷하다. 충격적인 상황 속에서도 태도에 어떤 동요도 없이 평소처럼 침착한 모습을 말한다. 이런 의연한 모습을 보면 태산 같은 묵직함에서 기대고 싶은 믿음이 생긴다.

묵직하고 태연스럽지만, 교만하지 않은 사람이 군자라고 했다. 교만하면서 조금도 참지를 못하고 촐싹대고 양보할 줄 모르고 이기려고만 드는 사람과 대비된다. 소인배란 모욕을 들어 마땅하다.

교만한 사람은 비굴하기도 하다. 이런 사람은 약자 앞에서 강하고 강자 앞에서 약하다. 상대가 자신보다 조금이라도 못나 보이면 멸시하려 들고, 자기보다 낫다고 생각하면 비굴해지거나 시기 질투한다. 상대가 비슷해 보이면 싸우려고 든다. 그래서 이겨야 직성이 풀린다. "지는 것이 이기는 것이다."란 속담을 이해 못 한다. 알량한 자존심만 내세우지만 자존감이 없다. 요즘 사춘기 증상인 중2병은 14~15세의 중학생만 걸리는 것이 아닌 것 같다. 40대 이상의 어른들 중에서도 중2병증을 앓는 사람을 본다. 나이와 상관없나 보다. 자기만 옳고 상대는 다 틀렸다고 억지 부리고 떼쓰는 어른들을 보기 때문이다. 그러니 교만하면서도 가볍게 보인다.

그들은 조금만 어려움에 처하면 조바심에 발을 동동 구르고, 부귀와 영화에 지나치게 연연한다. 그러니 부귀영화에 목숨 걸며, 그런 생활을 하는 사람 앞에서 주눅 들고 한없이 작아진다. 이런 자들을 소인배라 부른다. 듬직하고 의연한 군자와 완벽히 대비된다.

항상 의연하고 태연하며, 평정심을 유지할 수 있으려면 어떻게 해야 할까?

자기와 타인을 비교하는 의식이 없어야 한다. 누구나 똑같다는 평등의식이 있어야 하고, 때와 장소에 따라 사회적 예의는 차리되 상하 또는 우열감을 배제시켜야 한다. 태어날 때의 알몸뚱이의 모습, 현재 그대로의 모습만 보려고 노력해야 한다. 상대가 재벌이든 구멍가게 주인이든, 지위가 높든 낮든, 그것은 허상일 뿐이다.

나와 주변인들을 대하는 태도가 그의 현재 모습이니, 태도와 행동을 통해서 내면의 원초적 모습을 파악해야 한다. 마음이 인자(仁慈)하고 여유가 있어 인간의 향기가 풍겨 오는 사람이 군자의 자질을 갖고 있다. 어린아이 같은 어른을 어리석은 사람이라고 하는데, 소인의 행동은 언제나 어리석다. 자신은 똑똑하게 행동했다고 우쭐할지 모르지만, 교만과 으스댐이 보인다. 그래서 소인이다. 죽을 때까지 어린이에서 벗어나지 못한다.

군자다운 의연한 모습은 위령공 편 21장에도 나온다.

子曰, "君子 矜而不爭 群而不黨"
자왈, "군자 긍이부쟁 군이부당"

공자께서 말씀하시길, "군자는 긍지를 가지되 다투지 아니하고, 사람들과 어울리면서도 편을 가르지 않는다."

군자는 인의(仁義)가 확실히 확립되어 있어서 그 기준에 따라 생각하고 행동하기 때문에 긍지를 갖고 있다. 그러니 일희일비하지 않는다. 어떤 불리한 상황이 발생해도 어느 정도 시간을 갖고 기다릴 줄 안다. 항상 부끄러운 행동을 하지 않았기 때문에 당당하고 공명정대(公明正大)하다. 그렇기 때문에 쉽게 다투지 않는다.

사소한 것으로 다툴 필요를 못 느끼는 것이다. 상대가 다투려고 언성을 높여도 이쪽이 그럴 의지가 조금도 없으니 싱겁게 혼자 붉으락푸르락하다가 만다. 싸움도 상대가 같이 덤벼야 붙게 되는 법이다. 한쪽이 신경을 전혀 쓰지 않으면 풍선 바람 빠지듯 된다.

군자는 여러 사람들과 어울리지만 편을 만들어 같이 한편이 될 필요도 느끼지 못한다. 이편이나 저편이나 비슷하게 보이기 때문이다.

그러나 현실은 대부분 사람들이 모이면 내 편, 네 편으로 갈리어 다툰다. 소집단에서부터 나라나 세계에 이르기까지!

자기 위주로 생각이 집중되기 때문이다. 상식적 생각 같지만 결국은 자기주장이 옳다고 끝까지 주장하면 그것이 아집이 된다. 너도 나도 모두 아집이 되면 편을 만들어 싸울 수밖에 없다. 매우 비생산적인 싸움이 된다. 군이부당(群而不黨)하고 화이부동(和而不同)하는 정신을 실천하면 소모적이고 비생산적인 싸움이 대폭 감소된다.

좀 멀리 보고 상공에서 보면 미권(微權)과 소리(小利)에 불과하다. 그것을 쟁취해 본들 정말 별거 아니다. 대승적 견지에서 보자. 미친한 욕망이 불러들인 개미들의 아귀다툼일 뿐이다. 뜻이 맞는 사람들끼리 동호회 만들어 인생을 즐기듯, 편당(片黨)이 아닌 상생과 조화의 합창단 같은 모임으로 발전시킨다면 즐거운 삶이 되지 않을까?

타인이 알아주지 않아도 괘념치 않는다 (人不知而不慍)

사람은 근본적으로 자신의 자랑스런 행동이나 장점에 대하여 알아주기를 바라는 존재다. 타인이 말해 주기를 속으로 간절히 바란다. 타인이 말할 때까지 모른 척하며 인내하는 것도 쉽지 않다. 자연스레 그것에 초연할 수 있다면 보통 사람은 아니다. 그래서 공자는 이런 사람을 군자라고 하였다.

학이편 3장을 보자.

"人不知而不慍 不亦君子乎"
"인부지이불온 불역군자호!"

다른 사람이 알아주지 않아도 화를 내지 않으면 이 또한 군자가 아닌가!

타인에게 도움을 준다거나, 선한 행동을 한다거나, 자랑스런 성과를 내면 알리고 싶고 칭찬받고 싶은 것은 인간의 본능이다. 주변 사람들이 자기의 이런 선행을 알면서도 아무 말도 하지 않으면 서운해한다. 알아주지 않으니 섭섭하다. 대부분의 사람이 이렇지 않을까 생각된다.

그래서 공자는 남들이 알아주지 않아도 화를 내지 말아야 군자(리더)라고 했다.

남이 보든 안 보든 할 일이 있으면 하는 것이고, 알아주든 알아주지 않던 마땅히 해야 할 일을 했으니 그것으로 그만인 거다. 모든 것의 주체가 자기 자신이다.

하수(下數)는 자기가 공을 세웠으면 남들이 알아주기도 전에 참지 못하고 먼저 나서서 떠벌린다. 이를 공치사라고 하는데, 이렇게 되면 자기의 공을 모두 날린다.

100의 공을 세웠는데 허무하게 날리고 잘못하면 음수가 되기도 한다. 안 하니만 못하게 된다. 공은 아는데 경솔한 사람이라고 비난을 듣는다. 도움 주고 욕먹는 경우다.

중수(中數)는 남이 평가해 주길 어느 정도 기다린다. 참고 참았는데, 아무도 말을 안 하니 자신이 나서서 간접 방식으로 전달한다. 오래 기다린 대가로 공의 반은 가져온다. 비판까지 받지는 않는다. 보통은 이럴 수 있으니까!

노자는 공수신퇴(功遂身退)라고 했다. 공을 이루었으면 물러나 조용히 있으라고 했다. 먼저 떠벌리는 순간 그걸 보는 타인들로부터 질투심을 유발한다. 적을 만드는 결과를 가져온다. 시간이 흐르면 다 알게 되어 있다.

상수(上數)는 어떤 선행을 하고도 알아주든, 알아주지 않든 아예 무신경이다. 그런 것에 연연해하지 않으니 공을 끝내자마자 잊는다. 잊었으니 기다릴 필요도 없다. 타인의 평가나 알아주는 것에 대하여 의미를 부여하지 않는다. 자기가 알아서 해야 될 일이면 하는 거고, 누가 보든 안 보든, 하지 말아야 할 일은 하지 않는다. 욕먹고 비판받는 것에 구애받지 않는다. 그러니 자기가 삶의 주인공이다.

남의 눈치 볼 이유도 없다.

하수(下數)는 평가에 연연해하니 타인의 부속품이 된다. 언제나 칭찬을 받을까 비난을 받을까 노심초사다. 그러니 공을 알아주지 않으면 불안해서 먼저 나서서 떠벌리게 된다. 타인의 평판에 휘둘리면 중심을 잃게 되며 자기 소신을 잃어버린다.

이런 사람은 자신보다 능력이 부족하거나 실패한 사람을 보면 무시한다. 자신보다 못나 보이는 사람 앞에서는 우월감을 느끼고 반대의 상황 속에서는 열등의식을 가진다. 즐거움과 행복을 자기가 끌고 가는 것이 아니라 타인에 의해 좌우된다.

상수는 리더의 자격이 있다. 이같이 지도자가 되려면 알아주지 않아도, 평가에 인색해도 의연하게 자기 소신대로 행하는 거다.

어느 전직 장관 출신의 퇴직자가 전원 마을에 들어왔다.

그런데 A라는 후배가 매번 장관님 장관님 하면서 예우를 깍듯이 한다. 반면 같은 마을 B와 C라는 비교적 젊은이들은 그 장관을 전혀 모른다. 6개월 만에 장관직에서 물러났기도 하고 보통 무관심한 사람들은 장관을 모른다. 더구나 전직 장관을 어찌 알랴! 그래서 B와 C는 아저씨라고 불렀다.

그런데 그 전직이 화를 냈다고 한다. 장관이라고 부르지 않고 아저씨라고 불렀으니 화를 냈다는 거다. 자기를 몰라주고 평범한 아저씨라고 화를 낸 것이다. 현재는 평범한 아저씨 맞다. 언젠가 어쩌다가 장관의 자리를 차지했는지 모르겠지만, 아주 못난이다. 소인배라 칭하면 정확히 맞는 말이다.

중요한 것은 전직이 아니고 현재 내가 무엇을 하고 있으며 어떤 위치냐는 거다. 그는 마을의 주민 1인이다. B와 C의 입장에서는 마을 주민 아저씨로 보일 뿐이다.

그의 언행을 통하여 존중과 존경을 받을 수도 있고 멸시를 당할 수도 있다. 김 전 장관이 대접을 받으려고만 한다면 조롱과 멸시를 당할 확률이 매우 높다.

현재의 언행을 통하여 예우받는 사회가 정상적인 사회다.

즐거움과 행복을 만들어 가는 주체는 남이 아닌 나 자신임을 잊지 말자.

•

의(義)로움과 이(利)로움
(君子 喩於義 小人 喩於利)

원칙은 사회 질서를 위한 기본적인 규칙으로 지키는 것이 마땅하다. 지역 공동체와 국가 공동체를 원만하게 유지하기 위해서 법과 원칙, 규칙과 각종 제도로 뒷받침하고 있다. 그런데 이익을 쫓기 위해서 규칙과 법을 위반하는 것은 옳음에 어긋난다.

부정한 방법으로 이익을 취하다 보니 각종 인적, 물적 사고로 이어진다.

이득을 우선하고 취할 때 최소한 타인에게 피해를 주지 않는 조건이라면 이해할 만하다. 하지만 그런 경우는 거의 없다. 한쪽이 이익을 취하면 다른 한쪽은 피해를 보기 마련이다. 정의와 이익이 충돌하면 묻지도 따지지도 말고 정의 편에 서야 한다.

너무도 간단하고 쉬운 일인데 그것을 못 한다. 욕심이 눈을 가리기 때문이다.

당장 피해가 눈에 보이지도 않고 향후 언젠가 사고로 이어질 가능성만 예견되기에 이익만 보이고 사고는 먼 훗날 일이요, 남의 일로 치부하는 안일한 사고(思考)가 대형 참사로 이어진다. 다리 공사에 철근 10mm 규격에 100t을 투입해야 하는데, 7mm에 80t을 쓰고 장부에는 10mm와 100t을 투입한 것처럼 기재한다.

공자가 정의와 이익에 대하여 충고를 하고 있다.
이인편 11장과 16장을 보자.

子曰, "君子懷德 小人懷土, 君子懷刑 小人懷惠." (11장)
자왈, "군자회덕 소인회토, 군자회형 소인회혜."

공자께서 말씀하시길 "군자는 덕을 가슴에 품지만 소인은 땅을 품는다. 군자는 형벌을 생각하지만, 소인은 혜택만 생각한다."

子曰, "君子 喩於義 小人 喩於利" (16장)
자왈, "군자 유어의 소인 유어리"

공자께서 말씀하시길, "군자는 의로움에 기뻐하고 소인은 이익에 기뻐한다."

덕을 지킬 것이냐, 이익을 택할 것이냐?

군자는 같은 조건과 같은 상황에서 늘 덕을 생각하고 소인은 땅의 획득 즉 돈을 버는 일에 주력한다. 덕은 정의와 유사하고 땅은 부의 상징으로 이익과 부합된다.

덕은 봉사하고 베푸는 것으로 베푸는 사람과 받는 사람 쌍방 모두 즐거움을 느낀다.

봉사하는 분들은 베푸는 즐거움과 보람에서 그 재미를 찾기에 오랫동안 쉬지 않고 행한다. 사실 내가 선행을 하고 베풀었으면 상대보다 내가 더 즐겁고 행복함을 느낀다. 군자는 덕을 실천하고 진리를 터득하여 널리 세상을 이롭게 하는 것에 최고의 만족을 얻지만, 소인은 단지 부귀영화가 목적이다. 그러기 위해서는 끊임없이 이익 추구에 몰두해야 한다. 재산의 탐욕에는 끝이 없다. 많을수록 좋아한다. 중도에 멈춤 없이 질주한다. 그러니 땅만 생각하는 거다.

군자는 왜 형벌을 생각하고 소인은 무엇 때문에 혜택받을 일만 생각할까?

죄를 지었으면 마땅히 죗값을 치르는 것이 상식이다. 빠져나가겠다는 생각은 도둑의 심보다. 군자도 실수를 안 할 수 없다. 고의가 아닌데도 어찌하다가 법을 어긴다거나, 불가피한 상황으로 범법 행위를 했다면 법대로 처벌받고 나오면 된다. 변명하고 핑계 대고 학연, 지연 총동원하여 은혜를 받으려는 행위는 소인의 태도다.

그래서 군자가 형벌을 생각한다는 말은 자신이 잘못했으면 시인하고 벌을 받게 되면 원칙대로 벌을 받으라는 의미다. 구차하게 변명하고 면제받으려는 생각을 버리라는 거다.

대통령부터 장·차관에 이르는 고위 공직자들의 군자다운 태도가 너무도 아쉬운 오늘날이다. 50억, 500억의 서민은 꿈도 못 꾸는 부정한 돈을 취하고도 처벌을 받지 않는다. 법을 다루는 당사자들도 같은 범죄를 짓고 있는 소인배들이기 때문이다.

정의냐, 이익이냐?

평범한 귀하는 정의와 이익 중 선택하라면 무엇을 취하겠는가?

바보스러운 질문인가? 대부분은 이익을 취한다. 말로는 정의를 외치지만!

정의를 택하는 것은 매우 어렵다. 단순히 선택하는 것에서 그치지 않고 자신과 자기 가족의 안위까지 희생될 수도 있기 때문이다. 피해자를 돕기 위해 정의에 편에서 증언 한마디 하기가 쉽지 않다. 반대편의 가해자로부터 받을 보복이 두렵기 때문이다.

그렇지 않고 손해가 발생하지 않더라도 의를 선택하면 이익이 소멸하거나 귀찮은 행동을 부가해야 하기 때문이다.

보통 사람들은 평범한 삶을 살아간다. 그렇다고 보통 사람들이 나쁘다고 할 수 없다. 인간의 본능과 본성이 그러하다. 필자도 보통 사람이다. 다만, 고전의 말을 본보기 삼아 군자 흉내를 내려고 부단히 힘을 쏟고 있을 뿐이다. 군자가 되는 삶은 내가 바라는 인생의 지향점이기 때문이다. 그러나 되도록 우리가 모두 즐거운 삶이 되려면 군자가 되는 길에 가끔은 발을 디뎌야 하지 않겠느냐고 공자는 우리에게 살아가는 방법을 알려 주고 있다.

우리는 행운아들이다. 이렇게 안전하고 나름 즐기면서 살 수 있는 것은 수많은 의인이 보이지 않는 사회 곳곳에서 수시 때때로 이익을 버리고 자신의 희생을 무릅쓰면서까지 의로운 일들을 감내해 왔기 때문이다. 수많은 애국열사, 독립운동가, 철로에 떨어지는 시민을 구한 영웅, 각종 참사 때 자신의 몸을 던져 타인의 목숨을 구한 이름 없는 의인들, 독재자의 총칼 앞에서 시민들을 구하고 정의를 위해 목숨을 바친 수많은 5·18 의인들! 이들이야말로 아름다운 사람들이며 군자의 모습이다.

•

말을 잘한다는 것 (不以言擧人)

인재 등용의 기준은 다양하다. 학벌, 정직성 여부, 해당 업무능력, 신뢰도, 성실성 등이다. 예전에 신언서판(身言書判)이란 인재 등용법이 있었다. 인재를 고를 때나 사람을 사귈 때 표준으로 삼는 네 가지 조건을 말한다. 신(身)은 겉으로 드러난 용모로써 첫인상이다. 두 번째가 언(言)으로 말 잘하는 능력이다. 단순히 화려하고 유창한 언변술보다는 얼마나 진지하고 공손하며 정확하게 의사를 전달할 수 있느냐를 보는 것이 중요한 것이다. 언변에서 합격점을 받았다고 해서 그의 모든 것을 신뢰하는 것은 무리가 있다. 공자는 일찍이 말 잘하는 사람 중에 어진 사람이 드물다고 하여 교언영색한 사람을 조심하라고 한 바 있다. (巧言令色 鮮矣仁 교언영색 선의인)

위령공편 22장에 인재 판별에 관한 내용이 나온다.

> 子曰, "君子 不以言擧人 不以人廢言"
> 자왈, "군자불이언거인 불이인폐언"

공자께서 말씀하시길, "군자는 말로써 사람을 추천하지 말 것이며, 사람이 아니라고 해서 그의 말까지 버리지는 말아야 한다."

즉 언변술이 뛰어나다고 해서 사람을 등용해서는 안 되고, 사람이 문제가 있다고 해서 그의 귀감 삼을 말까지 버려서는 안 된다고 한 것이다.

말로 사람을 현혹하는 경우가 많다. 말로 한두 번 정도는 사람을 쉽게 속일 수가 있어서 처음 만나 유창하고 진정성 넘쳐 보이는 화법에 속을 수가 있으니 인재 추천의 신중성을 강조한 것이다. 반면, 사람이 나쁘다고 해서 그가 하는 말까지 모두 무시하면 안 된다는 거다. 사람은 문제 있을지 모르지만, 그가 하는 말이 옳고 귀담아들을 수 있는 것이라면 수용하여 자기 것으로 만들라는 말이다.

사람 됨됨이와 말의 능력은 별개이기 때문이다.

여기에서 공자가 강조하는 핵심은 말만 듣고서 모든 판단을 성급하게 내리지 말라는 것이지, 말 자체를 도외시해서는 안 된다는 말이다.

이런 차원에서 말을 잘해서 신뢰까지 얻으려면 어떤 조건을 갖추어야 할까?

말과 언어 습관은 매우 중요하다. 예나 지금이나 말을 잘못해서 화를 당하거나 곤란을 겪는 경우가 허다하다. 말 한마디로 천 냥 빚을 갚는다는 속담도 있지 않은가?

속담으로 풀어 보자.

첫째, '입은 삐뚤어져도 말은 바로 해라.'

정직하게 말을 하라는 거다. 말에서 진실이 묻어 나와야 한다. 비록 유창하지 못하여 조금은 더듬고 어눌할지라도 그가 하는 말의 속뜻이 사람을 감동하게 하고 진실이 배어 있다면 사람들에게 믿음을 준다.

둘째, '호랑이도 제 말 하면 온다.', '밤말은 쥐가 듣고 낮말은 새가 듣는다.'

당사자가 없다고 함부로 험담하면 안 된다. 쥐가 듣고 새가 듣는다. 항상 신중하고 타인의 단점은 말하지 말 것이며, 어떤 비밀이나 단둘이 한 말도 상황이 바뀌면 발설될 수 있다는 사실을 명심해야 한다.

셋째, '가는 말이 고와야 오는 말이 곱다.'

말은 상대가 있는 법이다. 어떤 상황에서도 흥분하지 말고 이성과 냉정을 유지하여야 한다. 이렇게 되면 긍정의 언어와 밝은 말이 상대에게 전해질 수 있다. 상대 역시 험한 말을 하려다가 후퇴하고 긍정의 언어로 화답한다.

싸움의 일보 직전에서 화해의 분위기로 변한다.

넷째, '말하기 전에 두 번 생각하고 오늘 생각하고 내일 말을 해라.'(서양 속담)

신중히 말하라는 거다. 말이라고 하는 것은 자신의 뇌에서 명령하는 대로 말이 나오지 않을 때도 있다. 즉 본의와는 다르게 말이 툭 튀어나와 나 스스로 아차 싶을 때가 있다. 그래서 "생각과 사고가 그러하니 네가 그렇게 말하는 거 아니냐?"라는 논리는 완전히 맞는 말은 아니다. 그 사람을 평소 알고 지낸 사이라면 "그 사람이 그런 말 할 사람이 아닌데?"

라고 말이 꼬였거나 일시적 실수였을 것이라고 이해하는 것이 올바르다고 본다. 그러나 자주 그런 실수가 반복되면 그건 실수가 아니라 진심이 된다.

다섯째 '군말이 많으면 쓸 말이 적다.'

중언부언하는 것은 아닌지, 며칠 전 또는 얼마 전에 한 말을 두 번 세 번 반복하는 것은 아닌지 상대에게 확인을 요구하는 과정이 필요하다. 정말 몇 번을 들어도 재미있는 이야기나 듣기 좋은 말이 아니라면 청자들이 싫증과 지루함을 수반하기 때문이다. 칭찬도 두 번 들으면 싫증 난다고 했다. 분위기를 보아가며 말해야 한다. 지금 내가 하는 말이 집중을 안 하고 듣기 지루해하는 분위기면 화제를 바꾸어야 한다.

말은 유창한 것보다 내용과 진실성을 갖춘다면 누구라도 경청하려 할 것이다. 아무리 사소한 대화일지라도 항상 분위기를 부드럽고 재미있게 하며 내용을 갖추려 노력하면 조금씩 발전할 수 있다.

참된 사람은 뛰어난 화술로 상대를 매혹시키지 않고 심신일체의 언어로 사람을 감화시킨다.

•

말을 아끼고 참는 사람이 인자 (仁者 其言也訒)

여러 사람이 대화나 잡담을 나눌 때도 예의를 지켜야 한다. 어떤 사람은 혼자만 독차지하고 말을 하려는 사람이 있다. 말하기를 좋아하지 않고 듣기만 하는 사람이 있는가 하면 미안하다는 말도 없이 중간에 말을 가로채거나 끼어드는 경우가 있다.

말을 하고 싶은데 상대를 배려해서 참고 말을 아끼기가 쉽지만은 않다. 말을 빨리하고 싶은 순간에는 참는 것 자체가 고통이기 때문이다.

안연편 3장을 보자.

司馬牛 問仁 子曰, "仁者 其言也訒[12]"
사마우 문인 자왈, "인자 기언야인"
曰, "其言也訒 斯謂之仁矣乎"
왈, "기언야인 사위지인의호"
子曰, "爲之難 言之得無訒乎"
자왈, "위지난 언지득무인호"

---

12) 인(訒): 과묵하다, 말을 함부로 아니하다, 말을 아끼고 참다.

사마우가 인에 대해 묻자 공자께서 말씀하시길, “인자는 말을 아끼고 참는다.”

사마우가 다시 말하길, “말을 아끼고 참는 것을 인이라 할 수 있습니까?”

공자께서 말씀하시길, “그렇게 하는 것이 어려우니 말을 할 때 조심해서 할 수 있겠는가?”

공자는 제자가 인에 관하여 물었을 때 상황에 대비하여 다양하게 설명한다. 인은 매우 넓고 포괄적으로 해석을 하는 것이다. 여기선 인자(仁者)가 말하는 법에 관해서 설명하고 있다. 대체로 질문을 한 제자에 대하여 충고하거나 비유를 통해서 질책하며 설명을 하고 있다. 사마우는 말이 많고 성격이 급했다고 한다. 말꼬리 잡기를 좋아하고 끼어들기를 좋아했나 보다. 공자는 사마우의 질문을 받아 그의 잘못된 행동을 지적하고 있다. 그래서 사마우에게 공자는 이렇게 말한 것 같다. 공자로 빙의해 본다.

“사마우야 너는 말을 할 때는 신중히 생각해서 말을 줄이고 조심성 있게 말을 해야 한다. 타인을 배려하는 것과 존중하기 위해선 타인의 말을 경청하는 습관이 중요하다. 인자는 남이 말을 할 때 경청하고 상대방의 말이 다 끝났을 때 말을 이어가야 하고 만약 불가피하게 중간에 끼어들 때는 상대로부터 양해를 구하거나 적어도 ‘미안한데’라고 미안함을 표시하는 것이 예의다. 말조심하고 참는 것이 너는 어찌 생각할지 모르지만 쉽지 않은 일이다. 말할 때 항상 조심성 있게 말해야 하느니라. 그래야 인자(仁者) 소리를 듣는다.”

우리는 사마우에 대한 공자의 지적에 대해서 타산지석으로 삼아 대화의 예절과 언어 습관에 대해서 배우고 실천하는 것에 중점을 두는 것이 중요하다.

그렇다. 대화할 때 핵심을 벗어나 엉뚱한 방향으로 끌고 가는 것은 그의 의도가 다른 목적일 가능성이 있겠지만, 의도가 선의여야 한다. 그렇지 않으면 환영받지 못한다. 가장 힘든 것은 타인이 말하고 있을 때, 반박할 내용이나 궁금한 점이 있어서 말을 하지 않으면 잊어버리거나 타이밍을 놓치게 될까 봐 참기가 힘든 경우다.

그런 경우는 양해를 구하거나 미안함을 표시하고 잠깐 물으면 된다. 그러나 자기가 독차지하고 끌어가면 안 된다. 가로채는 꼴이 되기 때문이다. 말꼬리를 잡고 늘어진다거나, 말을 너무 많이 하다 보면 실수가 나올 가능성이 커진다.

대화할 때 항상 강조하는 것이 경청이다.

상대방의 말을 경청해야 정확하게 상대의 의도를 파악할 수 있고 답변을 할 수 있다. 경청을 안 하면 상대방의 기분이 언짢아지고 동문서답이 되기도 한다. 상대의 말을 이해하지 못하다 보니 엉뚱한 답변을 하게 되는 것이다. 다른 생각을 하고 있다거나 내가 해야 할 말을 준비하다 보면 상대방의 말을 경청할 수 없다. 그러다가 이어지는 대화의 흐름과 엉뚱한 삼천포로 빠지게 된다. 그래서 대화를 잘하는 비결이 경청이라고 하지 않는가? 흐름과 분위기를 타고 가야 한다.

경청에 이어 상대방의 말에 긍정적인 피드백 즉, 호응해 준다면 대화는 더욱 부드럽고 재미있게 흘러간다. 셋 이상이 있을 때는 당연히 앞에서 언급한 끼어들기나 가로채는 대화는 지양해야 한다. 그러면서 상대방의 대화 내용과 좀 상반되더라도 인정하는 태도로 이어 가는 습관이 중요하다.

예를 들어 "네 생각이 일리가 있다고 보지만 나는 조금 각도를 달리해서 생각해 보았다."라는 식으로 상대의 말을 존중하는 태도를 보이면 반대되는 내용일지라도 불쾌하지 않거나 긍정적으로 대화를 이어 갈 수 있다.

기본적인 대화법은 이렇게 정리하고 언어의 습관을 알아보자.

공자가 자주 강조하는 것으로 말은 실천을 염두를 두고 하라고 했다. 언행일치 정신이다. 말과 행동이 일치해야 신뢰가 생긴다. 그런데 말이 앞서다 보면 본인의 의도와는 달리 불필요한 말을 하기도 하고, 말에 책임을 지지 못하는 결과를 가져오기도 한다. 그래서 신중하게 말을 하라는 것이다. 말을 아낀다는 표현도 같은 맥락이다.

이인편 24장에서 공자는 말은 어눌해도 행동은 민첩해야 된다고 했다.

> 子曰, "君子 欲訥於言而敏於行."
> 자왈, "군자 욕눌어언이민어행."

예를 하나 든다면 고객이 주문하고 언제까지 완성될 것이냐는 질문에 예상되는 시간보다 좀 늦추어 답변하는 것이 신뢰를 줄 수 있다. 즉 내일 오후 4시면 완성이 될 수 있다고 해도 답변은 모레 오후 2시경이 된다고 답변한다. 예상대로 완성되었지만, 고객 처지에선 예상보다 하루 당겨서 완성된 결과이니 고객으로부터 신뢰를 얻게 된다.

말은 다소 어눌하게 해도 내용이 충실하고 행동이 뒷받침되는 것이 중요하다.

말로 금방 하겠다. 문제없다 장담해 놓고 실천하지 못하면 상대의 불만은 고조된다. 불가피한 사유가 있어도 믿지 못한다. 그건 그쪽 사정이다. 그런 불가피한 사유까지 예상하고 약속이나 말을 해야 한다. 그래서 눌언민행이다. 말은 하기 쉽다. 우선 급하니 약속해 놓고 후일을 보자는 것은 위험하다. 아무리 급해도 시간 내 지킬 수 있는지를 파악하고 답을 해야 한다. 그것이 신뢰를 지키는 일이다.

성인지미와 소통 (成人之美)

성인지미

안연편 16장에 보면 타인의 장점을 키워 주는 내용이 나온다.

子曰, "君子 成人之美 不成人之惡 小人 反是."
자왈, "군자 성인지미 불성인지악 소인반시."

공자께서 말씀하시길, "군자는 다른 사람의 장점을 키워 주고 단점은 덮어 준다. 그러나 소인은 이와 반대로 한다."

주인공이 없는 자리에서 그를 칭찬하는 것이 칭찬의 효과가 가장 크다고 한다.
물론 주인공 앞에서 칭찬해도 좋다. 칭찬은 칭찬의 내용과 적절히 어울려야 칭찬받는 사람도 지켜보는 사람도 흐뭇하다. 지나치면 아부로 보이고 어색하다.

어쨌든 칭찬은 고래도 춤춘다고 하니 좀 지나쳐도 비난보다는 낫다.

단점은 장점이 될 수도 있고 장점이 어떤 면에서는 단점으로 작용하기도 하니 기왕이면 타인의 단점이라고 여길 수 있는 부분까지도 장점으로 치환하여 칭찬해 주면 장점으로 바뀔 수도 있다. 양면성이 있기 때문에 어떻게 보느냐에 따라 긍정적인 부분이 보이기도 하고 부정적인 면만 보이기도 한다. 예를 들어 말수가 매우 적은 사람이 있다고 치자. 비난조로 말하면 "그 사람 너무 말이 없어서 답답하고 불편하더라. 무슨 생각을 하는지 도대체 알 수도 없고 재미없어!"

장점을 부각시켜 말해 보자. "그 사람 과묵하고 진중해. 그래서인지 든든하게 보이고 믿음직스러워!" 같은 사람을 두고 상반된 입장이 나온다.

반면에 만나기만 하면 상대방을 깎아내리고, 단점만을 부각시켜 말하고 비난하는 사람이 있다. 말 자체로만 들으면 정말 그 사람이 나쁜 사람 같다. 이런 사람을 만나면 부담되고 불편하다. 왜? 이 사람은 내가 없는 다른 장소에서 똑같이 나를 비난하지 않을까에 대해 의심되기 때문이다. 타인을 나와 같이 생각하여 아끼고 사랑하면 배려하게 되고 장점은 더 크게 보이고 단점은 작게 보이거나 안 보인다. 고슴도치도 제 자식이 가장 멋있다고 하지 않던가? 온몸의 뾰족 털도 엄마 눈에는 예쁘게 보이는 법이다. 그래서 군자의 마음은 타인도 나처럼 여기는 마음이라고 했다. 다른 사람도 내 자식처럼 여기고 내 애인처럼 생각하면 무엇을 해도 예쁘다. 좀 실수하고 단점이 보여도 덮어 주고 싶고 장점은 더 크게 보이니 키워 주고 싶다.

내 자녀를 보면 바로 답이 나온다. 하지만 소인의 마음은 평소 내 눈에 찍힌 미운 오리 새끼를 바라보는 눈이다. 그러니 단점은 더 커 보이고 장점은 안 보인다. 무엇을 해도 맘이 안 드니 트집만 잡게 되고 문제점만 보인다. 콩쥐 계모가 콩쥐를 바라보는 눈이다.

군자처럼 상대를 내 자식으로 치환시켜 장점을 부각시키고 키워 주면 더 높은 수준으로 성장하게 된다. 작은 장점을 키워 주니 춤을 못 추는 고래가 춤을 추는 기적으로 답한 것이다. 자기 능력 이상을 발휘하게 된다. 반대로 꾸짖고 비난하면 본래 능력의 절반도 발휘하기 어렵다. 칭찬의 효과가 얼마나 큰지를 말해 주는 증거다.

좀 부족한 사람일수록 칭찬과 장점을 부각시켜 자존감을 키워 주는 사람이 군자다.

소통이란!

아래 자장이 공자에게 묻는 장면을 보면 유명해지고 싶은 욕망이 강했던 듯싶다.

연예인처럼 어딜 가나 환영받고 박수 받고 원활하게 소통하고 싶은 욕망을 드러낸다.

안연편 20장을 보자.

子張問, "士何如 斯可謂之達矣"
자장문, "사하여 사가위지달의"
子曰, "何哉爾 所謂達者" 子張對曰, "在邦必聞 在家必聞."

자왈, "하재 이소위달자." 자장대왈, "재방필문 재가필문."

子曰, "是聞也 非達[13]也. 夫達也者 質直而好義 察言而觀色 慮以下人 在邦必達
在家必達 夫聞也者 色取仁而行違 居之不疑 在邦必聞 在家必聞."

자왈, "시문야 비달야 부달야자 질직이호의 찰언이관색 여이하인 재방필달
재가필달 부문야자 색취인이행위 거지불의 재방필문 재가필문."

자장이 묻기를, "선비가 어떻게 하면 통한다고 할 수 있겠습니까?"

공자께서 말씀하시길, "네가 말하는 통한다는 것이 무엇을 뜻함이냐?"

자장이 대답하여 말하길, "나라에 있어도 반드시 소문이 나고 집에 있어도 반드시 소문이 나는 것입니다."

공자께서 말씀하시길, "그것은 소문이지 통하는 것이 아니다. 대저 통한다는 것은 바탕이 정직하고 의로움을 좋아하며, 말을 살피고 얼굴빛을 자세히 보며 타인에게 낮추어 배려하는 것이니 나라에 있어도 반드시 통하게 되며 집에 있어도 반드시 통하게 된다. 소문이란 것이 얼굴에 어진 빛을 띠고 행위는 어긋나며 그러면서도 생활에 안주하면서 회의하지 않는 것이다. 이런 것도 나라에 반드시 소문이 나고 집에 있어도 반드시 소문이 난다."

많은 사람의 관심을 받고 싶다면 무엇이든 가리지 않고 하는 사람을

---

13) 달(達): 4통8달의 어디로 가나 통한다는 길을 의미.

요즘 말로 관종(관심 종자)이라고 한다. 관심받는 것이 인생의 최대 목적인 것처럼 관심을 받지 못하면 안달이 나는 사람들이다. 이런 사람은 일종의 질병에 가깝다. 사회에 해악을 끼치고 혼탁하게 만든다.

또 다른 부류는 보통 사람들로서 자장이 원하는 것처럼 유명해져서 어딜 가나 환영받고 환대받고 모든 사람이 나를 알아주기를 바라는 사람들이다. 이것은 인간의 기본 심리에 해당하니 자연스럽다.

정치인과 연예인들은 활동하다 보면 유명해진다. 연예인 심리다.

여기서 공자가 자장에게 준 가르침은 유명한 것과 소통은 다르다는 것이다. 유명해지려고 하지 말고, 누구하고든 소통이 원활한 사람이 되라는 거다. 즉 어딜 가나 환영받는 연예인은 그 사람의 내면이 아름답고 소통을 잘해서가 아니라 유명하므로 단지 익숙해져 보고 싶은 것일 뿐이다. 유명한 사람은 가까이서 보고 싶은 호기심이 생기기 때문이다. 유명인들은 얼굴빛과 외양만 인(仁)의 모습을 하고 있으면 된다. 자칫 인한 겉모습이 속 모습까지 인하다고 착각에 빠지다가 불인한 사실이 들통나면 망신을 당하기도 한다. 그래서 유명인들도 내적으로 정직과 의로움의 덕성을 간직하고 실천해서 내(內)와 외(外)가 일치할 때 진짜 소통이 된다. 겉치레만 소통이 아니라 속마음까지 소통이 되어야 오래간다.

그래서 소통을 잘하려면 자신을 낮추고 상대를 배려하며 존중하고 정직성을 유지하고 의롭게 행동하여야 한다. 이러한 인(仁)이 생활 속에서 자연스럽게 구현되면 어디에 있든 누굴 만나든 소통이 잘되어 환영받는다. 겉으로만이 아니라 기쁜 마음으로 오랜 친구를 반기듯 맞아 준다.

•

무명의 주인공 (吾執御矣)

활이냐, 말고삐냐?

한 편의 드라마가 완성되기까지에는 주연과 조연 단역, 그리고 작가와 수많은 스텝진이 있다. 이들 중 어느 한 부분만 빠져도 완성도가 떨어진다. 특히 조연과 기술 스텝진이 없다면 드라마는 세상에 나오지도 못한다. 신체의 기능 하나하나가 생명체를 완성하듯 보잘것없어 보여도 소중하지 않은 것 하나도 없다.

자한편 2장을 보자.

> 達巷黨[14]人曰, "大哉 孔子 博學而無所成名[15]."
> 달항당인왈, "대재 공자 박학이무소성명."
> 子聞之 謂門弟子曰, "吾何執 執御[16]乎 執射[17]乎 吾執御矣."
> 자문지 위문제자왈, "오하집 집어호 집사호 오집어의."

---

14) 달항(達巷黨): 달항이라는 마을 이름의 고을로 당(黨)은 500가구로 구성되는 지역 단위다.
15) 성명(成名): 명성을 날리다.
16) 어(御): 말을 몰다.
17) 사(射): 활을 쏘다.

달항당 사람이 말하길, "대단하네요. 공자님이여! 많이 배웠지만, 명성이 없도다."

공자께서 이를 듣고 문하의 제자들에게 말씀하시길, "내가 말고삐를 잡겠는가? 화살을 잡겠는가? 나는 말고삐를 잡겠다."

달항이라는 마을 사람이 공자가 박학다식하다고 소문은 났는데, 무엇 하나 제대로 이룬 것이 없다고 비꼬는 말이다. 공자는 전쟁에 나갈 때 말고삐를 잡는 마부도 필요하고 적을 섬멸시키는 화살의 주인공인 전투병도 필요하다고 말하며 자신은 기꺼이 스텝진인 마부가 되겠노라고 제자들에게 비유하여 말하고 있다.

요즘이야 책을 많이 읽고 연구하는 학자가 진출할 분야가 다양하지만, 옛날 호랑이 담배 피우던 시절이야 어디 당장 필요한 분야가 있었겠는가? 더구나 공자처럼 철학을 하고 인과 덕을 주고받으며 선문답이나 하는 사람들의 성과가 눈에 보일 리 없었을 게다. 지금도 어떤 면에서는 예술이나 뒤늦게 박사 학위를 받을 정도로 학문을 하는 학자들이 실리 면에서 유사한 비꼼이나 조롱을 당하는 일도 있다. 인문학 분야는 더더욱 학문적 성과가 보이지 않는다. 필자가 대학에 입학하던 사십 몇 년 전에 철학과 학과장님이 강당에서 인문 계열 1학년 학생들에게 철학과의 미래 비전에 대하여 열변을 토하시던 장면이 생생하게 떠오른다. 졸업 후 먹고사는 데 걱정 없으니 많이들 신청하라고 홍보하던 모습이다.

이 문장에서 주목할 필요가 있는 부분은 말고삐를 잡느냐, 화살을 잡느냐의 문제다.

모든 사람이 도시로 도회지로 나가면 소는 누가 키우는가?라는 말이 있다. 모두에서 언급했듯이 각자의 역할이 있다. 분야별로 적절하게 분담이 되어야 모두가 살아가는 데 불편함이 없다. 그러하듯 한 분야에서도 역할이 세분된다.

전쟁이라는 국방 분야에서도 전투병, 기병대, 조리병, 기술병, 공병대 등 어느 한 분야만 빠져도 삐걱거린다. 공자는 유명해지고 스포트라이트를 받는 분야가 아닌 아무도 알아주지 않지만, 꼭 필요한 역할을 하겠다고 한 것이다. 화살을 잡는 것은 유명세를 치르고 주목받는 분야지만, 말고삐는 무명의 주인공인 셈이다. 주연이 아니라 보이지 않는 곳, 아무도 알아주지도 않는 곳에서 묵묵히 자기 역할에 충실한 무명의 주인공들이 자랑스럽다.

농사는 농부가 짓는 거다

철학 하는 공자가 성과물이 없다고 비난받았듯이 맹자도 농사를 짓지 않는다고 제자백가의 하나인 농가학파(農家學派)로부터 비난을 받았다.

농가학파인 진상(陳相)이란 학자로부터 '현자라 하더라도 직접 농사를 지어 먹고살아야지 놀고먹으면 안 된다.'라는 힐난을 받았다. 이는 백성을 학대해서 자기 배를 불리는 것이라고 비판하며, 훌륭한 지도자라 할 수 없다는 거다. 중농주의(重農主義)를 주장하는 농가학파인 허행의 이론에 흠뻑 빠진 진상(陳相)이 유학자의 길을 포기하고 농가학파의 길로 가게 되었다. 그는 중농주의 이론에 함몰되어 전체를 바라보지 못하는 편협론자가 되어 버렸다. 그러나 의기양양하게 맹자를 찾아가 훌륭한 지도자에 대하여 따져 물은 것이다.

이에 대하여 맹자의 답변을 빙의하여 자의적으로 전달해 본다.

"세상을 다스리는 일은 유독 농사와 병행할 수 없다. 지도자의 일이 있고 일반 대중의 일이 있는 법이다. 인간 한 명이 살아가는 데는 온갖 기술자들이 만든 수많은 종류의 물건이 필요하다. 만약 모든 것들을 스스로 만들어 써야 한다면 온 세상 사람들이 이리 뛰고 저리 뛰며 정신없이 일해야만 되는 노동 지옥으로 몰아넣는 셈이 된다. 그래서 분업이 필요하다.

또 사람에게는 사람의 도리가 있다. 배불리 먹고 따뜻하게 입고 편히 살면서 가르침이 없어 도리가 없다면 금수에 가까워진다.

그러므로 인간의 도리를 가르쳐 인간다운 생활을 해야 질서도 유지되고 사회가 안정된다. 그런 역할을 하는 사람이 직접 농사지을 겨를이 있겠는가?"

공자는 요즘으로 하면 정치인이자 학교 선생 즉 대학교수이자 철학자였기에 맡은 역할 하기도 숨이 벅찰 지경인데, 굳이 농사까지 지을 여유가 있었을까?

•

스승에게도 양보할 수 없는 것 (不讓於師)

양보하지 않는 것

위령공편 34장과 35장을 보자.

> 子曰, "民之於仁也 甚於水火 水火吾見蹈而死者矣 未見蹈仁而死者也"(34장)
>
> 자왈, "민지어인야 심어수화 수화오견도이사자의 미견도인이사자야."
>
> 子曰, "當仁 不讓於師."(35장)
>
> 자왈, "당인불양어사"

공자께서 말씀하시길, "인에 대하여 백성들이 얻는 것은 물과 불보다 더 크다. 나는 물과 불을 가까이하다가 죽는 것은 보았으나 인(仁)을 가까이하다가 죽었다는 사람은 본 적이 없다."

공자께서 말씀하시길, "인을 행함에는 스승에게도 양보하지 않는다."

물과 불은 사람이 살아가기 위한 필수 요소다. 물과 불이 없이는 얼마 살지 못한다. 그러나 물이 과하면 홍수가 되어 물에 치여 죽고 불이 커지면 불타 죽기도 한다.

물과 불이 신체에 꼭 필요한 필수 요소라면 인(仁)은 사람에게 꼭 필요한 정신적 요소다. 사람의 몸에 꼭 필요한 물과 불은 넘치면 사람을 다치거나 죽게 하지만 인은 아무리 넘쳐도 다치기는커녕 이로움만 증가한다. 그래서 35장에서 인은 누구에게도 양보할 수 없는 덕목이라 한 것이다.

인(仁)은 공자 철학의 핵심이다. 타인 존중, 배려, 사랑, 인의 실천은 자신은 물론이요, 상대방에 대한 최대한의 배려이기 때문에 제자들이 인이 무엇이냐는 질문에 매번 다르게 설명해 준다.

공자의 수행비서인 번지가 수레를 몰면서 세 번의 질문을 하는데 매번 답이 다르다.

첫 번째 질문에 집에서는 공손하고 나가서는 경건하며 진실하게 행동하는 것이 인이라고 했다. 가족들에게 큰소리치지 말고 공손해야 인을 실천하는 것이다. 밖에서는 조용한 사람들이 집에 들어와서는 큰소리로 가족들을 윽박지르고 폭력을 행사하는 사람들은 불인한 사람들이다. 나가서는 경건하며 진실하게 행동하라고 했다.

두 번째 질문에는 목민관으로서의 인해 대하여 설명한다.

책임 있는 공직자라면 선공후사 정신을 한시도 잊지 말고 어려운 일을 당한 백성들의 난제를 먼저 처리해 주고 자신의 돌봄은 맨 후에 챙기라는 거다. 그것이 인을 실천하는 공직자의 자세라고 설명한다.

세 번째 질문에는 오로지 백성을 사랑하는 마음으로 대하라고 한다.

인의 실천은 타인에 대한 무한대의 사랑이므로 스승한테도 양보해서는 안 된다는 것이다. 인의 실천에 걸림돌이 발생한다면 비록 스승일지라도 승복하지 말고 설득을 하든, 안 되면 극복하고 인을 실천해야 한다는 것이다.

지금이야 검색만 하면 거의 궁금한 모든 것을 기계가 알려 주는 세상이라 스승의 권위가 많이 사라졌지만 불과 50, 60년 전만 해도 선생님의 권위는 지대했다. 그러니 공자 시대에 옳은 일을 행하려(인의 실천) 할 때는 스승이 반대해도 물리치고 행하라는 말은 당시로서는 가히 혁명적인 발상이라 할 만하다. 그래서 부모님의 명령이라 할지라도 옳지 않을 때는 순종하지 않는 것이 효라 한 것이다. 공자의 사상은 매우 합리적이고 진보적임을 알 수 있다.

스승에게도 양보할 수 없는 덕목이 인의 실천이기에 스승이라도 인을 뛰어넘을 수 없다 한 것이다.

인의 실천 덕목

양화편 6장을 보면 인의 실천 덕목이 나온다.

子張問仁於孔子, 孔子曰 "能行五者於天下爲仁矣.", "請問之." 曰 "恭寬信敏惠. 恭則不侮, 寬則得衆, 信則人任焉, 敏則有功, 惠則足以使人."
자장문 인어공자, 공자왈, "능행오자어천하위인의.", "청문지." 왈 "공관신민혜, 공즉불회, 관즉득중, 신즉인임언, 민즉유공, 혜즉족이사인."

자장이 인에 대하여 공자에게 묻자 공자께서 말씀하시길, "천하에서 다섯까지를 행할 수 있으면 인을 하는 것이다.", "그것이 무엇입니까?" 묻자 말씀하시길,

"공손함, 관대함, 믿음, 민첩함, 은혜로움이다. 공손하면 무시당하지 않고, 관대하면 대중들의 마음을 얻으며, 신뢰가 있으면 사람들이 신임을 얻게 되고, 민첩하면 공을 세우게 되며, 은혜로우면 족히 사람들을 부릴 수 있다."

인의 정신은 상대를 배려하고 존중하며 포용하고 사랑하는 것이라 했다.

그러기 위해선 겸손해야 하며 너그럽게 행동하고 남을 돕는 일에 솔선수범해야 한다. 남에게 역지사지하여 배려하면 믿음이 생기며 은혜를 베풀면 스스로 알아서 할 일을 하며 부탁하면 잘 들어준다. 그래서 지도력에 탄력을 받게 된다는 거다.

지도자가 앞 다섯 가지 가운데 국민에게서 믿음을 얻으면 국정을 펼

치는 데 큰 어려움은 없을 것이다. 하지만 국민의 70% 이상으로부터 신뢰를 잃으면 어떻게 될까? 믿음은 국방이나 민생고보다 더 중요하다고 했다.

다섯 가지까지 바라지도 않는다. 제발 국민에게 공손하고 믿음만이라도 주는 우리나라의 수장(首長)을 보고 싶다.

2장

정의(義)

•

편법과 꼼수는 가라 (出不由戶)

옹야편 15장을 보자.

子曰, "雖能出不由戶, 何莫由斯道"

자왈, "수능출불유호 하막유사도"

공자 왈, "어느 누가 문을 거치지 않고 밖으로 나갈 수 있겠는가? 그런데 어찌하여 마땅한 도리를 행하지 않는가?"

좀 더 쉽게 풀이하자면 비정상적인 방법으로 세상을 어지럽히지 말고 마땅히 인간의 도리를 지키며 살아가라는 의미다.

공자는 문(門)과 도(道)를 말하고 있다.

건물에서 나가려면 반드시 문을 통과해야 나갈 수 있다. 그런데 문을 통하지 않고 어디로 나간단 말인가? 여기서 호는 출입문으로 정문이나 후문을 말함이다. 이 문을 통하지 않고 나갔다면 창문으로 뛰어내리거나 쪽문으로 나갔다는 말이다.[18)]

---

18) 혹자는 창문도 해당한다고 한다. 글의 맥락상 창문이나 쪽문은 제외하는 것이 맞겠으나, 창문의 해당 여부가 그렇게 중요하다고는 생각하지 않는다. 공자가 말하는 핵심은 왜 문을 통하지 않고 비문(非門) 즉 부정한 방법으로 세상을 어지럽히느냐 이기 때문이다. 논어와 같

이런 식으로 나가는 사람은 십중팔구 도둑이나 강도 혹은 그와 유사한 잘못됨을 스스로 알고 도망가는 사람일 거다. 당당하고 정상적이라면 출입이 쉬운 정문을 이용하지 왜 위험을 무릅쓰고 창문으로 뛰어내리거나 좁디좁은 쪽문으로 몰래 빠져나갈까?

정상적인 대문이 아닌 편법, 불법, 사악함, 부도덕, 불륜 등 세상의 온갖 불온한 것들이 쪽문을 통해서 출입한다. 왜 그럴까? 부당한 사익을 추구하고 공익이 목적인 국가 권력을 사유화하기 위함이다. 그러니 공자가 아무리 인간의 도리를 지키라고 꾸중을 해도 이들의 귀에 들어올 리 없다. 일반 직원은 자기의 권한이 미칠 수 있는 범주 내에서, 임원이나 고위공직자는 그들의 권한 안의 범위에서 당길 수 있는 최대치의 부정품(不正品)을 챙긴다. 그러니 공자의 처지에서 탄식하지 않을 수 없었다.

공자는 널리 세상을 이롭게 하고 이상적인 사회 건설을 위해 평생 동분서주했으나 대부분 군주와 권력자들이 수용하는 데 주저했다. 그래서 뜻을 펼치는 데 한계를 느끼고 자주 한탄하는 장면을 볼 수 있다.

그런데도 공자는 길지 않은 시간 동안 노나라에서 소사구를 거쳐 대사구(지금의 법무부장관)라는 공직을 수행하면서 국가의 기틀을 마련하고

은 고전은 현시대 상황에 가장 적절하게 해석하여 현재 우리에게 던지는 메시지가 무엇이냐를 파악하고 어떤 의미로 다가오는지가 중요하다고 생각한다. 그래서 논어는 2천 년 동안 변화 발전되어 왔고 시대에 따라 또는 학자에 따라 약간은 달리 해석된다. 중요한 것은, 독자인 나에게 가장 도움이 되는 방향으로 적용해 자기 삶을 편안하고 행복하게 변화시킨다면 그것이 고전을 읽는 최대의 목적이 아닐까?

공직자의 기강을 바로잡는 등 자신의 명성에 부합하는 성과를 이루었다. 또한 자기 제자들을 천거하여 각국의 고위 관료에 기용되어 간접적이나마 뜻을 펼치는 기회로 삼았다.

사마천의 사기에 공자가 대사구 시절 이룩한 성과가 나오는데 아래와 같다.

첫째, 거리를 지나가는데 남녀가 유별하고 치안과 질서가 잡혔다.

둘째, 거리에 물건을 떨어뜨려도 주워 가는 사람이 없었다.

셋째, 성안에 들어와 업무를 보는데 관리들에게 뇌물이나 배경을 쓰는 사람이 없었다.

공자가 대사구에 임명되어 소정묘라는 대신을 죽음을 면치 못할 다섯 가지의 죄목을 들어 처벌, 일벌백계로 삼아 관료들의 기강을 바로잡았다고 한다.

하지만, 공자는 세상을 바로잡으려는 목표가 워낙 지대했기에 자신이나 제자들의 역할로는 성에 차지 않아 위와 같은 한탄조의 대화가 나왔을 것이다.

예나 지금이나 당시에는 제대로 된 평가를 받지도 못하고 영향력도 미미했지만, 후대에 이르러 점차 각광을 받고 빛을 발하는 경우가 많지 않은가?

위와 비교할 때 공자는 당시에도 영향력이 미미하다고 볼 수는 없었다.

일부 군주들이 그의 박학다식함과 고매한 인품에 매료되어 존경하고 예우를 했지만, 등용하여 세상을 바꾸는 일에는 꺼렸다. 임금 앞에서도 임금이 임금답지 않으면 임금이 아니고 일개 필부에 불과하다고 큰소리 칠 정도의 기상이 있었으며, 오직 백성을 위한 군주가 되기를 역설했으니 임금 된 도리에서 아무리 공자의 말이 옳다고 해도 선뜻 손을 잡기가 쉽지는 않았을 것이다.

그나마 현인을 알아보는 일부 군주들이 그를 기용하려 했으나 뜻을 이루지 못한 이유를 정리하자면 대략 이렇다. 오늘날에도 대동소이하지 않을까 싶다.

첫째, 최고 권력자의 처지에서 다루기가 버거운 존재라 불편하기 때문.

둘째, 공자의 정치철학과 사상을 실천하기 위해선 자신의 권력과 편이를 대폭 양보하거나 기득권을 내려놓아야 하기 때문.

셋째, 재상의 위치에 있는 관료들의 질시와 지위가 흔들릴 것에 따른 반대 때문.

넷째, 재상의 위치에 있는 관료와 정치철학이 상반될 때.

넷째에 해당하는 대표적 인사가 제나라 재상 안영인데, 경공이 공자를 정치적 고문(스승)으로 임명하려 하자 안영이 다섯까지의 불가한 이유를 들어 뜻을 이루지 못했다. 사실 안영은 영공, 장공, 경공을 55년간이나 모신 재상으로 탁월한 정치가로 존경을 받은 인물이었다고 한다. 사마천의 『열전』에 두 번째로 나오는 그는 사마천이 한 말을 보면 짐작이

간다.

"이 사람이 살아 있다면 이분의 마부 노릇이라도 하고 싶다."

어쨌든 안영이 일반적인 관료의 반대 이유인 질시나 지위 등을 두려워해서 공자를 반대한 것 같지는 않고 정치철학이 공자와는 맞지 않았던 듯싶다.

공자는 50대 후반부터 제자들과 중국 전 지역을 돌며 함께 뜻을 펼칠 군주를 찾아 주유천하에 들어간다. 하지만 결정적인 기회가 오지 않자, 자신이 이루지 못한 뜻을 후대에 이루길 희망하며 후학 양성과 고문헌 정리에 진력한다.

세계 4대 성인의 하나로 일컬어지는 공자의 사상과 철학은 전 세계로 전파되고 있으며 끊임없이 발전하고 전해질 것이기에 참으로 다행스럽다.

출불유호 하막유사도를 다시 한번 곱씹으면서 생각에 잠겨 본다.

젊은 시절 어느 날인가 밤늦게까지 주님(?)과 벗하느라 귀가할 때 대문이 아닌 쪽문을 따고 들어왔었지? 안방의 그분께서 주님을 싫어하시기 때문이다.

A라는 지인은 성실맨으로 정평이 나 있었는데 한때 도박 빚으로 10여 년을 고생하고 이혼의 위기까지 몰린 적이 있었다. 평소 아내로부터 근면 성실 훈장을 받았던 터라 훈장 반납으로 가정 해체의 위기로부터는

벗어났다.

개인이든 국가든 편·불법으로 길이 아닌 길로 가려다 자신도 망치고 사회에 큰 해악을 끼치게 된다. 유혹은 잠시 달콤하지만, 순간만 지나면 악마가 되어 괴롭힌다는 사실을 명심해야 한다.

•

하늘과 자연은 말이 없다 (天何言哉)

학습에는 여러 가지 방법이 있다. 선생님의 가르침으로부터 배우고, 홀로 자료를 찾고 연구하며 배우고, 타인의 행동을 보고 배우기도 한다.

그러나 고대로부터 대표적인 배움이라 일컫는 것은 스승으로부터 가르침을 받는 것으로 교육이라 불러 왔다. 우리나라에서는 오로지 일류 대학 합격을 목표로 학습을 진행하다 보니 초등학교부터 고등학교에 이르기까지 주입식이 주(主)가 되었다. 여기서도 경제 원칙이 적용된다. 최소의 시간으로 최대의 효과를 얻는 방법이면서 효율성이 높은 방식이기 때문이다. 그러나 주입식 교육의 폐단이 거론되면서 대학 입시 방식도 바뀌고 연쇄적으로 학교 교육도 창의적이며 토론식으로 변화됐다고는 하는데, 변화의 질과 양의 크기는 의문이다.

가장 바람직한 학교 교육이 무엇이냐에 대하여 논하자면 몇 날 며칠을 토론해도 결론을 내기에 쉽지 않다. 다만 지금 여기서 말하고자 하는 핵심은 교육 방식과 관련된 공자님 말씀을 참고로 하면서 평생교육 시대에 가르치고 배우는 방식에 대하여 함께 고민하는 시간을 갖고자 함이다.

『논어』 양화편 19장에 공자와 제자 자공의 대화 장면이다.

子曰, "予欲無言"

자왈, "여욕무언"

子貢曰, "子如不言 則小子何述焉"

자공왈, "자여불언 즉소자하술언"

子曰, "天何言哉 四時行焉 百物生焉 天何言哉"

자왈, "천하언재 사시행언 백물생언 천하언재"

공자께서 말씀하시길, "나는 지금부터 말을 하지 않겠다."

자공이 대답하길, "선생님께서 말씀을 안 하시면 저희는 어떻게 펼쳐 나갈 수 있겠습니까?"

공자께서 말씀하시길, "하늘이 무슨 말을 하는 것 들었느냐? 사계절 스스로 운행하고 만물도 스스로 자라나는데 하늘이 무슨 말을 하더냐?"

공자도 제자들을 가르치면서 여러 방법을 사용해 본 바 어느 날 문득 말하지 않고 스스로 배우고 깨우치는 것을 보고 싶었나 보다. 일종의 문답식 교육에서 탈피하여 학생들 스스로 고민하고 연구하면서 깨닫게 하는 방식을 시도해 본 것이다.

문답식이라곤 하지만 스승인 공자 자신이 말을 많이 할 수밖에 없었을 거다.

어느 순간 문답식도 아니고 주입식이 되어 버린 학습 광경에 공자 자신이 놀란 듯하다. 제자들이 오로지 자기 말만 듣고 외우고 생각 없이 배우는 모습을 보며 '이건 아닌 것 같은데?' 하는 생각에 말을 하지 말아 보자고 제자들에게 작심하고 말을 하는 장면이 읽힌다.

선생 혼자 말을 너무 많이 하다 보면 일종의 주입식이 되어 버린다. 가능하면 주제만 던져 주고 학생들 스스로 문제를 해결하도록 훈련을 쌓는다면 문제 해결 능력이 향상될 것은 분명하다. 스스로 꼬인 실타래를 찾아내려면 수고스럽고 힘이 들며 머리를 짜내야 한다. 고된 시간 끝에 찾아낸 자기만의 깨달음이라면 잊히지도 않을 뿐더러 실질적이고 살아 있는 학습법이 될 것이다. 철학 사상이나 순수학문은 특히나 그러하다.

꼭 학교 교육만이 아니고 일상의 사회생활에서 말 없는 가르침을 통해 상대방을 설득하거나 자기를 따르게 할 수 있다. 삼라만상의 변화나 이치를 통해서 배우는 것이 말 없는 가르침이 아닌가?

말 없는 가르침이 되면 학생이 자발적이고 자율적인 주체가 된다. 때론 학생 자신이 선생이 되기도 하면서 독립적인 책임의 주체로 등장하게 한다. 자신이 배움의 주인공임을 실감한다. 당연히 언제나 자신이 배움의 주인임에도 피동체로 가르침을 받기만 하면 주인공임을 잊게 된다.

공자의 말 없는 가르침 즉 노자가 말한 불언지교(不言之教)가 같은 방식인데, 자식 교육에 매우 효과적이다. 자식한테나 부하 직원한테나 말을 아끼라고 했다. 훈계나 충고 또는 선생의 입장에서 가르칠 때 반사적으로 혼을 내게 되고 가르친 바가 이행되지 않을 때 반복적으로 말을 많이 하기 쉽다. 말을 아끼라는 의미는 최대한 말을 하지 말아야 한다라는 거다. 말을 반복적으로 하면 할수록 말의 권위가 떨어지고 듣는 상대방은 잔소리가 되어 버린다. 잔소리는 교육 효과 제로다.

부모는 던져 주기만 하고 먹는 것은 자녀 스스로 먹도록 해야 한다. 조급해하면 말을 하게 되니 조급증을 버리고 멀리서 차분히 지켜보기만 해야 한다. 이때 자녀에 대한 믿음이 중요하다. 믿고 맡겨 보는 거다. 잔소리는 노파심에서 나오는 구체적인 지시 행위가 된다. 아이들로선 짜증이 난다. 그러니 일이 다소 어긋난다 싶어도 큰 틀에서 참고 기다리면 스스로 시행착오를 겪으면서 답을 찾아낸다. 이때 자녀도 부모를 믿게 되며 부모의 권위가 살아난다.

이런 방식이 자리를 잡게 되면 자녀들 스스로 삶의 주도권을 갖게 되고 주체적으로 행동하게 되며 자연히 자발성 자율성이 뒤따라온다.

특히나 어린 아이들은 부모의 언행을 보고 배우지 않던가? 말보다 부모의 솔선수범이 중요하다는 사실을 모르는 사람은 없을 것이다. 행동을 보고 따라 하므로 아이들 앞에서 행동에 신중하여야 함은 물론이다. 모든 부모의 언행이 교과서이기 때문이다.

하기사 어른도 훌륭한 인품을 지닌 분들을 보면 보고 배워야 한다. 사람 심리가 시키면 배우기 싫어진다. "아 배울 만하다. 배우고 싶다."라고 스스로 느껴서 배우는 것이다. 그래서 말없이 가르치고 배운다고 한 것이다. 이와 관련 속담 하나 패러디해 본다.

"하늘은 말을 하지 않아도 스스로 배운 자를 돕는다."

의로움만 따를 뿐
(義之與比)

의인편 10장에 나오는 말이다.

子曰 "君子之於天下也 無適也 無莫也 義之與比"
자왈 "군자지어천하야 무적야 무막야 의지여비"

공자께서 말씀하시길 "군자는 모든 세상일에서 적합하다는 것도 없고, 부적합한 것도 없다. 오로지 의만 좇아서 하면 될 뿐이다."

여기서 잠깐! 아래 해석을 덮고 5분 동안 독자 스스로 무슨 말일까를 해석해 보는 시간이 필요하다. 자기만의 풀이를 해 보는 거다.
공 선생께서 무슨 말씀을 하시려는 걸까?

좀 더 쉽게 풀이하자면 이건 이러니까 해야 해! 저건 저러니까 하면 안 돼! 이렇게 자기만 옳다며 일방적인 주장을 하지 말고 그때 그 상황을 보고 오직 무엇이 옳으냐를 기준으로 판단하여 행동하라는 말이다. 그때 그때 자기에게 오는 느낌으로 생각하라는 것. 그것이 자연스럽고 의로운 판단이 된다. 고정관념, 선입견, 편견이 일을 그르치고 한 개인과 사회를 파멸시키고 멍들게 할 위험이 있음을 경고하고 있다.

김 모 선생의 확고한 주장과 박 모 기자의 기사를 보고 거기에 휩쓸리지 않는다면 선입견과 편견에서 벗어날 수 있다.

세상의 가치는 고정불변 절대적이지 않다. 한 개인이 '그르다'라거나 '옳다'라고 여기는 것일 뿐 그것이 의(義)롭다는 근거나 증거가 없는 한, 참고만 할 뿐 흘려보내야 한다. 시대적 상황과 가치 기준은 변할 수 있기 때문이다.

그럼 각자가 옳다고 느끼고 주장하는데 같은 사건을 보고 갑(甲)이 내린 의(義)와 을이 내린 의(義)가 상치될 때 어찌할 것인가?라는 질문이 나온다면!

부화뇌동하지 말고 스스로의 느낌과 판단에 근거해서 결론을 내리면 그만이지만, 각자의 의와 의가 심히 충돌하여 사회적 혼란으로 비약되는 사례가 빈번하여 혹시 도움이 될까 하여 첨언해 본다.

예를 들어 보면 지난 10·29 참사 당시(이태원 참사) 희생자분향소 설치 시 초기에 위패(명단 비공개) 없이 분향소를 설치했었다. 며칠 후 한 시민단체가 명단을 입수하여 일부를 제외한 대부분의 위패를 올려놓고 분향소가 설치되자 언론을 비롯한 진·보수 간에서 양극단의 논쟁이 이어졌다. 유족 동의 없는 명단 공개가 웬 말이냐? 아니다, 당연히 명단을 공개하여 위패를 모신 분향소 설치가 옳다. 한동안 사회적 혼란으로 이어졌다. 이런 유사한 예는 최근 한국 사회에서 쉽게 찾을 수 있다.

의(義)는 대부분 보편타당성, 상식선에서 절대다수가 동의하여 사회적 합의가 이미 이루어진 것을 토대로 한다. 그런데도 동의 못 하시는 분들이 있다면 아래 『진보를 연찬한다』의 작가 이남곡 선생이 정의한 의를 판단하는 기준과 형성 과정을 살펴보자.

> "의는 공의(公意)로 형성된다. 공의를 형성하는 과정은 연찬(研鑽) 같은 것이다. 연찬이란 단정하거나 주관에 사로잡히지 않고 끝까지 '의란 무엇인가'를 탐구하는 방식을 의미한다. 공의로 형성된 의는 무타협(無妥協)의 세계다. '누가 옳으냐'를 서로 다투는 것이 아니라 '무엇이 옳은가'를 함께 탐구하는 과정이기 때문에 굳이 타협이나 비타협이 필요 없다. 모든 지식과 정보를 광범위하게 받아들여 최선의 결론을 도출한다. 결론이 나왔다 하더라도 고정된 것이 아니어서 시대와 사회가 변하면 새로운 공의가 형성되어 또 다른 의(義)가 도출된다."

한 문장으로 정의하면 앞서 말한 대로 '당시 시대 상황에 알맞고 절대다수가 동의하고 사회적 합의에 따른 것'이다.

편견이나 선입견에 휩쓸리지 말라고 했다.

이것들은 학교, 출신 지역, 고향 등만으로 판단하여 선입견과 편견이 된다.

영·호남 갈등이 심한 우리나라의 경우 오판의 늪에 빠지기 쉽다.

게다가 일류 대학 출신이면 모든 면에서 우월하고, 다 잘 알 것이라는 선입견도 작용한다.

소문만으로 A라는 사람이 나쁜 사람으로 평이 나 버리면 고정관념이 되어 버려 제대로 평가받기까지 오랜 세월이 걸리거나 아예 나쁜 사람으로 끝나 버릴 수도 있다. A는 실제론 인(仁)과 의(義)를 겸비한 훌륭한 인품의 소유자라고 하자. 그런데도 그와 직접 면(面) 대 면으로 겪어 보지 않으면 그를 모른 채 A는 누명을 벗지 못한다.

문제는 훌륭한 인품임을 알면서도 어떤 이익 집단의 반대편에 서 있을 때 그를 제거하기 위한 수단으로 영향력이 막강한 주요 언론을 이용하여 몇 날 며칠을 소문을 내게 되면 사회적으로 매장당하고 파멸에 이르는 예도 있다. 그래서 신문에 났다고 무조건 믿지 말고 상황을 정확히 파악하여 실상을 볼 줄 아는 안목을 가져야 한다고 공자께서도 역설했다. 언론이 죄 없는 한 사람과 가족을 파멸시키고 사회적으론 막대한 부작용을 초래하게 만든다. 맹목적인 믿음과 군중 심리가 만든 비극이 자신에게도 다가올 수 있음을 명심해야 한다. 무지몽매한 것만으로도 무고한 사람을 해치는 큰 죄가 될 수 있다는 사실을 알아야 한다.

온 세상 사람들이 나쁜 악인이라고 매도해도 한 번쯤 정말 나쁜 사람일까? 의심해 보는 것도 필요하다. 그래야 실상을 알아내는 실마리를 찾게 되고 보게 된다.

모두가 무막(無莫)하다(옳다)고 떠들어도 '진실일까?'라고 대중과는 비판적 입장을 가져 볼 필요가 있다. 그래야 진실에 다가갈 수 있다. 사실일 수도 아닐 수도 있기 때문이다. 자기가 믿고 지지하는 개인이나 단체라 해도 열 번 중 한 번쯤은 재고해 볼 필요가 있다. 고의는 아니겠지만 부지불식간에 실수가 생길 수도 있고 오판할 수도 있기 때문이다.

그러기에 공자께선 이런 말을 했다.

"衆惡之 必察焉, 衆好之 必察焉"
"중오지 필찰언, 중호지 필찰언"

"대중들이 미워해도 반드시 그를 살피며, 대중들이 좋아해도 반드시 그를 살펴보아야 한다."

쉽게 말을 옮기지 말라
(道聽塗說, 德之棄)

뉴스의 홍수 시대다. 예전부터 있었던 TV, 신문, 방송에서부터(레거시 미디어) 인터넷으로 대표되는 페이스북, 트위터, 유튜브 등 형태도 다양하다.

30여 년 전에는 "신문에 나왔어!", "라디오 뉴스에 나왔는데?" 하면 기정사실로 받아들였다. 뉴스를 제공하는 매체가 매우 제한적이었고 공적인 인쇄물이나 방송 뉴스라고 하는 그 자체로 맹목적인 믿음이 있었다.

'설마 방송이나 신문에서 거짓말을 하겠어?'라고 하는 근거 없는 믿음에서였다.

일반 대중들의 민도가 낮은 이유도 있었을 테고 그 뉴스가 사실이 아닐 수도 있다는 비판적 입장에서 의심을 하는 소비자는 극히 드물었기 때문이다.

그러나 요즘은 TV 방송만 해도 수십 개 채널에 인터넷 신문은 수백 종이다. 게다가 개인이나 단체가 운영하는 유튜브 채널과 기타 인터넷을 도구로 생산되는 뉴스는 헤아리기조차 힘들다. 제공된 뉴스나 언론을 그대로 믿고 행동했다간 낭패를 당하기 쉽다.

가짜 뉴스가 남발하고 공영 방송에서조차 있는 그대로 믿기가 어려운 시대가 되었다.

그럼에도 불구하고 인터넷 포털에 게재되는 뉴스의 영향력은 여론을 형성한다.

그렇다면 이런 각종의 신문 방송에서 제공되는 뉴스를 어디까지 믿어야 할 것이며 어떻게 정확도를 판별할 것인가? 이런 무분별한 소식을 어떤 방법으로 전달하는 것이 지혜로운 처신인지를 알아야, 실없는 사람이 되지 않는다.

이와 관련 양화편 14장에서 공자는 이렇게 말한다.

子曰, "道聽而塗說, 德之棄也"
자왈, "도청이도설, 덕지기야"

공자가 말씀하시길, "길에서 들은 말을 길에서 말하고 전달하는 사람은 덕을 포기한 사람이다."

길에서 들은 소문만으로 바로 타인에게 옮기는 사람은 덕을 버리는 사람이라는 거다. 길에서 들은 말은, 사실일 수도 진실일 수도 거짓일 수도 있다. 사실, 왜곡, 거짓, 과장, 축소, 조작, 심지어 지어낸 말 중 어느 하나다. 요즘 뉴스에서 전해지는 소식이 그러하다. 매체의 신뢰도와 타당도, 특성에 따라 차이는 있겠지만 대부분의 방송과 언론에서 방출되는 내용에 저 위의 것이 모두 포함되어 있다.

그러므로 단지 뉴스를 접했다고 또는 지인이나 사람들한테서 직접 들었다고 할지라도 고민과 성찰 없이 바로 전달하는 사람은 문제가 있는 사람이다.

그래서 쉽게 쉽게 말을 옮기는 사람을 입이 싸다고 하지 않는가? 이런 사람은 신뢰를 잃어버린다. 오죽하면 덕을 포기한 사람이라고 하지 않았는가? 덕을 포기했다고 하는 것은 인격을 포기한 것이다.

공자가 경고하는 도청도설은 요즘 시대의 언어로 확대 해석하면 길거리 소문뿐 아니라 위에서 언급한 다양한 매체에서 쏟아지는 모든 정보와 이야기들을 포함한다.

누구나 스마트폰을 갖고 있어서 전달하기도 매우 쉽고 신속하다. 몇몇 사람이 핸드폰으로 전달하면 며칠 만에 전 국민이 알게 된다.

근거 없는 뉴스와 정보들을 검증과 사유 없이 마구마구 퍼 나르고 전달하면 막대한 사회적 피해와 비용을 양산한다. 본인은 별생각 없이 사실이라 여기고 전달한 내용들로 인하여 유망한 기업이 파산하기도 하고, 무고한 연예인이나 뉴스의 주인공이 극단으로 세상을 뜨는 일도 발생한다. 결과적으로 엄청난 범죄를 저지른 셈이다.

때론 이렇게 퍼 날라진 뉴스와 정보들이 다시 근거와 검증 없이 다량으로 재생산되어 전해진다. 이런 가짜, 왜곡, 과장된 이야기들이 진실처럼 둔갑하여, 세상을 혼란에 빠트리고 사회를 어지럽힌다. 사람들의 말초 신경을 자극하고 열독률이 높은 이점을 이용하여 더더욱 가짜 뉴스와 선정적인 소식들이 극성을 부린다.

옛날 기성 매체만 있을 때보다 인터넷의 발달로 훨씬 위험하다.

무심코 퍼 나른 SNS 글로 인하여 한 가족이 파멸에 이르고, 사회가 극도의 혼란으로 변할 수 있다는 사실을 안다면 소식을 전달할 때 신중에 신중을 기해야 한다.

자신의 인격만 포기하는 선에서 끝나지 않고, 상상할 수 없는 사회적 피해가 발생한다.

기왕 말이 나온 김에 가짜 뉴스나 과장, 왜곡하는 뉴스들은 어떻게 진위를 판별할지 알아보자.

가령 인지도가 높은 공중파 방송이나 종편 방송들에서도 가짜 뉴스, 왜곡, 허위, 과장된 내용들이 뉴스란 이름으로 마구 송출된다. 뉴스 생산 주체들은 언론사 사주에 의해 조종될 수밖에 없는 구조를 갖추고 있다. 그래서 이들은 가짜라는 사실을 알면서도 경제적, 정치적 이득을 위해서 상대 진영 혹은 반대편에 서 있는 집단에 치명적 피해를 줄 악의적 목적으로 언론을 이용한다. 가장 경계해야 할 대상이 바로 규모가 가장 큰 매체들이다. 영향력이 크기 때문이다. 그들을 굳이 언급하지 않아도 다 알 것이다.

혹자는 방송심의위나 방통위, 기타 여러 기관에서 제재하지 않느냐고 반문할지도 모른다. 그러나 제재와 처벌이 솜방망이다. 그러니 끊이지 않고 자신들의 목적 달성을 위해 가짜 성 뉴스들을 내보내는 것이다.

첫째, 출처가 어디인지, 작성자가 누군지를 파악해야 한다.

둘째, 사진, 영상과 기사와 어떤 연관성이 있는지 살펴야 한다.

셋째, 왜곡, 과장, 축소는 아닌지 파악해야 한다. 기사에는 1년간 혹은 연간 평균 수치라 해 놓고 특정 몇 개월 만의 통계는 아닌지, 지역적으로 부분만을 가져다 놓고 전체인 양 일반화하는 것은 아닌지, 다양하게 의도에 따라 사실 왜곡, 편집으로 독자와 시청자들을 속인다.

넷째, 관점이 상반된 언론사의 같은 기사와 교차 검사한다.

다섯째, 의문이 생기면 기관의 공식 창구가 어디인지를 확인한다.

여섯째, 기사 내용이 추측성, 감정 이입된 기사거나, 주관적이 아닌지 살펴야 한다.

예를 들어 말미에 '~라고 한다. ~에 따르면 ~으로 알려졌다. ~으로 유력하다 ~가능성이 있다. ~전해지고 있다. 등이다.' 이런 것들은 반드시 확인 작업이 필요하다.

일곱째, 기사 내용의 결과 수혜자가 누구인지 살펴보면 어느 정도 추측이 가능하다.

그밖에 방법은 많다.

다시 한번 강조하지만, 공자가 말씀하신 도청도설은 단순히 자기의 인격만 무너지는 것이 아니고 범죄자가 될 수 있다는 사실로부터 출발해야 한다.

언론의 영향으로 바보가 되거나 영혼이 저당 잡혀 그들의 노예가 되는 것은 자신도 모르는 사이에 범죄자가 된다는 사실을 명심해야 한다. 범죄의 피해자이며, 가해자가 될 수 있다.

•

하늘에 죄를 지으면 도망갈 곳이 없다 (獲罪於天, 無所禱)

세상을 살아가다 보면 명분과 실리 속에서 판단을 내려야 할 때가 많다. 대체로 명분과 실리라는 두 마리의 토끼를 다 잡을 수는 없다. 그럴 때 다수의 사람은 명분보다는 실제 이익을 선택한다. 당장 눈앞에 닥친 현실적인 이익이 우선하기 때문이다. 그러나 아무리 현실 앞의 이익이 중요하다 할지라도 도리에 역행하고 양심을 속이면서까지 이익을 좇는 것은 인간으로서 할 일은 못 된다.

팔일편 13장을 보자.

王孫賈問曰, "與其媚[19]於奧[20] 寧媚於竈[21] 何謂也"
왕손가 문왈, "여기미어오 영미어조 하위야."
子曰, "不然, 獲罪於天, 無所禱[22]也"
자왈, "불연, 획죄 어천 무소도야."

---

19) 미(媚): 아첨목할 미.
20) 오(奧): 아랫목 오.
21) 조(竈): 부엌 조.
22) 도(禱): 빌 도, 기도 도.

왕손가가 물어 말하길, "안방 아랫목 신에게 아첨하느니 차라리 부엌 신에게 아첨한다는 말이 있는데 어떤 의미입니까?"

공자가 말씀하길, "그렇지 않습니다. 하늘에게 죄를 지으면 기도할 곳이 없습니다."

왕손가는 위나라 신흥 귀족으로 잘나가는 대부였다. 위나라 영공을 만났다는 소식을 듣고, 당시 속담을 빗대어 공자에게 떠보는 질문을 한 것이다. 아랫목 신은 존엄하기는 한데, 주인이 아니어서 실리가 없다. 하지만 부엌 신은 비천하지만 제사를 주도적으로 행사하는 위치에 있어서 실리가 있다. 따라서 이 속담은 명분은 있으나 실리가 없는 아랫목 신을 택하는 것보다는 실리가 있는 부엌 신을 택하는 것이 낫지 않느냐는 일종의 제안이었다.

왕손가의 속뜻을 옮기자면, "공 선생께서는 위나라의 재상이 되려면 명분만 있는 임금에게 잘 보이는 것보다는 실세인 나한테 잘 보여야 뜻을 이룰 수 있으니 나한테 붙는 것이 상책입니다. 맨날 원칙과 의와 인만 강조해선 실익을 찾을 수 없습니다."

그러자 왕손가의 속뜻을 간파한 공자가 단호하게 대답한다. 당시로 돌아가 공자로 빙의해 보자.

"그렇지 않소. 대의명분을 잃는 것은 하늘에 죄를 짓는 것과 같소이다. 하늘에 죄를 짓는 일은 양심을 파는 것과도 같습니다. 내가 나를 속이는 것인데, 이는 어디 가서도 누구한테도 용서받지를 못합니다. 양심을 속이면서까지 자리를 얻고 싶은 생각은 추호도 없소이다. 내가 나를 용서 할 수 없기 때문입니다."

공자의 정치철학과 거리가 먼 왕손가와 손을 잡아 재상이 된다 한들 자기 뜻을 펼칠 수 없을 바에는 안 하는 것이 낫다고 판단한 것이다. 공자는 재상이라고 하는 자리가(권력) 중요한 것이 아니고, 그 자리가 주는 합법적인 공권력으로 제도를 개선하고 법을 정비하는 등 제세구민(濟世救民)의 세상을 만들 기회가 중요하다고 생각했다. 자리보다는 역할이 우선한 것으로 생각한 것이다. 개인적인 실리보다는 명분이 앞설 수밖에 없는 공자다운 답변이다.

정치권을 보노라면 명분보다는 출세에 눈이 멀어 배신과 의리를 저버리는 일이 비일비재하다. 국회의원 한 번 더 하기 위해서 민주 진보 진영에서 활동하다가 진보를 지지하는 유권자들의 지지를 얻어 당선된 자가 반대편에 서서 자기가 먹던 밥에 침을 뱉는 행위를 자연스럽게 한다. 국회의원 한 번 더 하는 것이 권력을 쥐고 자리를 보존한다는 측면에서 실리라고 할 수 있겠지만 대의명분으로 보면 창피하고 치욕스러운 양심을 파는 배신행위 아닌가? 진보 진영에서 진보의 가치를 위하는 활동을 한 것도 결국은 자신의 권력 획득을 위해 유리한 상황이었기 때문에 한 것으로 추측할 수밖에 없다. 배신행위의 대가로 자리를 얻은 것이 실리라고 할 수 있을까?

가치라는 명분과 실익 사이에는 충돌이 일어나는 경우가 많다.

예를 들어 고속도로를 건설하기 위해서는 산을 허물고 강 위에 대교를 설치해야 하므로 생태 환경이 일정 부분 파괴될 수밖에 없다. 모든 건설 사업이나 개발이 그렇다. 대신에 생활의 편익과 기업의 이익이 발생한다. 선진국 대열에 진입한 대한민국은 이미 웬만한 개발이나 편의는 다 갖추었다. 그런데도 개발이익을 도모하려는 기업들과 국가기관이 협작(協作)하여 명분보다는 이익이라는 실리에 집착한다.

기업 논리에 빠지는 한 환경 파괴는 전 세계적으로 이루어진다. 무분별한 개발 사업은 환경을 파괴하기 때문에 장기적 관점으로 보면 이익이 아니라 우리 인류에게 돌아올 재앙이다.

명분과 실리는 시대 상황에 따라 명분보다는 실리 추구에 대다수의 동의를 얻을 때도 있다. 1970년대 박정희 독재 시대에는 경제 성장이란 실리 앞에서 자유, 인권이란 가치는 가볍게 무너졌다. 70년대 박정희 대통령이 독재한 것에 대하여, 아마 지금 여론 조사를 해도 경제 성장을 위해선 인권과 자유를 무시해도 어쩔 수 없다는 의견이 과반을 넘을 것이다. 그렇다고 해도 대의명분보다 실리 추구가 옳다고 할 수는 없다. 다만 시대적 상황이 용인했을 뿐이란 점이다.

직업을 선택할 때도 일의 내용과 가치는 자신이 추구하는 이상과 근접하는 데 소득이라는 실리는 턱없이 적을 때가 있다. 이럴 때 갈등이 깊어진다.

삶에서 무엇이 더 중요한 가치인가를 생각하면 한쪽은 감수해야 한다.

공자는 현재를 살아가는 우리에게 충고한다.

공익적 가치를 목표로 하는 공직자들은 절대적으로 공익적 가치와 명분 앞에서 실리적 사익을 내세우지 말라! 죽을 정도의 고통과 극단적 상황이 아니라면 실익보다는 대의명분을 선택하라! 그러면 인생이 당당하고 즐겁다. 실익이 주는 대가는 구차함이 따른다.

부유하지만 구차스럽게 살 것인가? 아니면 덜 부유해도 당당하게 살 것인가?

•

길이 사람을 지배할 수는 없다 (人能弘道 非道弘人)

어떤 공무원도 국민 위에서 군림해선 안 된다. 그런데 주객전도 현상이 점입가경이다. 국가의 주인은 주권자인 국민인데 말이다. 공무원을 공복(公僕)이라고 한다. 즉 공공의 종이란 의미니, 주인이 시키는 대로 해야 한다. 그런데 특히 임기제 공무원이 주권자 위에서 군림하려 들고 제 맘대로 주인의 허락 없이, 아니 주인이 하지 말라고 엄명을 해도 듣지 않고 오히려 주인 행세를 하고 있다. 2023년 대한민국의 어느 고위직 공무원이 그렇다. 임기 5년의 어느 공무원은 몇 년 전에 그렇게 하다가 쫓겨났다.

주객이 바뀌듯 사람과 도(道)가 바뀌어도 안 된다. 도리라는 것은 사람 관계에서 더욱 사람답게 살기 위해서 인간이 인위적으로 만든 수단 방식이다. 인간이 도리를 다하는 것은 매우 중요하고 필수적이지만 도가 사람 위에서 군림한다거나 지배하면 보편적 질서가 무너진다. 주객이 전도되거나 본말이 전도되면 세상이 무너진다.

그래서 공자는 위령공편 28장에서 이를 지적한다.

子曰, "人能弘道 非道弘人"

자왈, "인능홍도 비도홍인"

공자께서 말씀하시길, "사람이 도를 넓혀 나가는 것이지 도가 사람을 넓히는 것이 아니다."

내가 가야 갈 길은 내가 정하는 것이지 길이 나를 끌고 갈 수도 없으며 그렇게 될 수도 없다. 길은 처음부터 있었던 것이 아니다. 수많은 사람이 수천 번 다니다 보니 길이 만들어진 거다. 그래서 사람들의 필요에 따라 길을 확장하기도 하고 다른 사잇길을 만들기도 했다. 사람(人)이 주(主)고 길(道)은 종(從)이다.

사람이 중심이어야지, 도가 아무리 중요하다 한들 도가 사람을 구속해서는 안 된다는 거다. 도는 인간이 살아가면서 필요한 수단의 영역에 머물러야지 인간 위에 올라가서 사람을 해치는 권한을 부여해선 안 된다는 것이다.

예를 들어 사회적 교통 법규인 신호등에 빨간불이 들어오면 사람은 멈추고 차량이 움직인다. 이것은 사람이 다치는 것을 막고 통행을 원활하게 하기 위한 수단이다. 즉 오직 사람을 위해서 인간이 만든 편리를 도모하는 도구다.

그런데, 새벽 2시 거리는 사람도 없고 고요한 도로에서 빨간불이 들어왔을 때 횡단보도를 건넜다고 하여 신호 위반으로 질타를 받고 범법자라고 비난을 당하는 것이 합당할까?

열린 마음과 유연한 사고가 도를 확장할 수 있다. 이것이 바로 비도홍인이다.

독재자가 자신의 권력 유지를 위해 어린이와 아무 죄도 없는 제주 양민 몇만 명을 학살할 때, 그 살인 독재자를 처단하는 주체는 주인인 시민들의 몫이 홍도(弘道)다.

회사의 사장이 노동법을 어기고 불법으로 노동자들을 탄압할 때 노동자들이 단합하여 회사를 정상으로 되돌릴 길을 만드는 것이 인능홍도다.

이념이나 사상과 어떤 절대적 지지를 받는 학설도 사람 위에 설 수는 없다.

그것이 인능홍도의 요체다. 조선 후기 당쟁에서 밀린 소론 세력들이 사문난적(斯文亂賊)[23]으로 몰려 매장을 당하는 일이 있었다. 물론 정적 제거를 위한 술책으로 이용했지만, 학풍을 더욱 협소하게 하고 창의성을 말살시키며 학문의 영역을 소극적으로 만드는 부작용을 낳았다.

성리학자들은 자신들만의 학설과 이론만이 정통이고 그와 다르면 이단이라고 공격하여 매장을 시켰다. 지금의 기독교나 특정 종교단체들이 자기들의 교리와 다르면 이단이라고 공격하는 것과 무엇이 다른가? 자신만이 옳고 다른 이들은 틀리다고 주장하는 것이 독선과 아집이다.

---

23) 사문난적(斯文亂賊): 사문(성리학)을 어지럽히는 학설을 주장하는 학자. 사문난적이라는 굴레를 쓰고 사형을 당하기도 했다.

어떤 사상이나 이념도 시대가 바뀌고 상황이 변하면 재조정될 수 있다. 오로지 사람이 중심이 되어야 한다고 공자는 인능홍도라 한 것이다.

최근에 챗GPT라는 인공지능 대화 시스템이 인기 절정이다. 질문을 던지면 의도와 취지까지 파악하여 사람처럼 대답한다고 한다. 자칫하다간 사람의 머리 위에서 작동하여 기계에 의해 지배당하는 주객전도의 상황이 되지 않을까 두렵다.

인간과 현실을 도외시한 어떤 이념과 사상도 배제되어야 한다.

위정이덕 (爲政以德)

정치란 무엇인가?

미국의 정치학자 데이비드 이스턴은 정치를 "가치의 권위적 배분"이라고 했고, 독일의 법률가이자 사회학자인 막스 베버는 "국가의 운영 또는 이 운영에 영향을 미치는 활동"이라 했고, 어떤 학자는 국가를 운영하는 총체적 역할이라 했다.

학자마다 나름대로 정치의 정의를 말하고 있다. 그런데 말이 어렵다.

나무위키에서 정의하는 정치가 그래도 가장 쉽고 가슴에 와닿는다.

"정치란 주권을 가진 정치인들이 그 나라와 국민을 다스리는 일을 뜻한다."라고 되어 있다. 그래도 내 맘에 안 든다. 가장 쉽게 설명해 보자. 학문적 용어 말고 생활 언어로 말해 보자.

정치란 '집단을 이루는 크고 작은 모든 공동체에서 사람답게 살며, 잘 먹고 잘살게 하는 모든 행위'를 말한다. 이것이 내가 말하고 싶은 정치의 정의(定義)다. 이런 관점으로 보면 사람 사는 모든 영역에 정치 활동 아닌 것이 없다. 한 집안에서 가장(家長)의 가장 큰 역할은 무엇인가? 가족이 잘 먹고 잘살게 하는 것이다. 잘산다는 것은 건강을 유지하고 즐겁고 행복하게 살아가는 것이다.

규모를 확대한 것이 지역 사회 즉, 시, 군, 구의 살림살이다. 더 확대하면 광역자치단체며 국가가 된다. 즉 국민을 건강하고 인간다운 생활을 할 수 있는 조건으로 경제적 풍요를 누리게 하고 행복하게 살 수 있도록 하는 일체의 활동이 정치다.

공자는『논어』에서 올바른 정치에 대하여 조금씩 다른 맥락으로 다양하게 설명하고 있다. 모든 설명을 압축하면 모든 백성이 인격체로 대접받고 잘 먹고 행복하게 해 주는 활동으로 정의된다.

그중 여기에선 덕의 정치를 참고해 보자.
위정편 1장과 3장을 보자.

子曰, "爲政以德 譬如北辰 居其所 而衆星 共之" (1장)
자왈, "위정이덕 비여북신 거기소 이중성 공지"

子曰, "道之以政 齊之以刑 民免而無恥 道之以德 齊之以禮 有恥且格" (3장)
자왈, "도지이정 제지이형 민면이무치 도지이덕 제지이례 유치차격"

공자께서 말씀하시길, "정치는 덕으로써 해야 한다. 비유하자면 북극성이 그 자리에 있으면 주위 별들이 모여서 북극성을 중심으로 함께하는 것과 같다." (1장)

공자께서 말씀하시길, "사람들을 이끄는 데 법령으로 하고 사람들을 가지런히 하는 데 형벌로 다스리면 백성들은 법과 형벌을 면하기에 바쁘고 부끄러움도 없다. 덕으로 다스리고 예로 가지런히 하면 부끄러움도 느끼고 격조가 있게 된다." (3장)

북극성은 가만있어도 빛을 발하여 주위 별들이 자발적으로 모여들어 공생을 추구하는 것이다. 정치도 지도자가 덕을 베풀면 모든 사람이 하나둘 모여들어 지도자를 중심으로 공동의 목표를 위해서 함께 움직인다.

밝은 날 밤하늘의 별을 자세히 보면 북극성은 가만히 있는데 수많은 별이 북극성을 중심으로 돌고 있다. 덕이 있는 사람은 저절로 그 덕인(德人) 주위로 사람들이 모여든다.

그 덕인 옆에 있으면 즐겁고 좋은 일이 생길 것 같으니까! 덕의 정치는 인(仁)의 사상을 행동에 옮기는 것을 말한다. 백성을 존중하고 사랑하고 배려하는 애민 정신이 몸에 배어 백성을 가족처럼 사랑하는 마음으로 대하는 것이 덕치다. 그러니 인자(仁者) 주변으로 사람들이 모여드는 것은 당연한 이치다. 북극성을 중심으로 뭇별들이 모여서 하나의 공동체를 이루어 가는 것처럼 말이다. 1장과 3장은 덕치로 연결된다.

덕이 없으니 각종 규제와 법으로 사람들을 묶어 놓아 법을 어길 수밖에 없도록 만들어 놓고 법을 어기면 형벌로 제재를 하며 사람들을 노예화한다. 이렇게 하면 사람들은 법망을 피해 가는 방법을 총동원한다. 피하게 되면 능력자가 되고 범법 행위를 하고도 부끄러움이란 게 없다. 형벌을 피해 가기만 하면 되니 부끄러움을 느낄 겨를이 없다. 이것이 위력의 정치다. 독재자들이 총칼로 위력의 정치를 일삼았다.

지금은 총칼보다 더 교묘하고 야비한 방법으로 국민을 옥죄고 있다. 법이란 미명하에 검(檢) 공화국을 만들어 백성을 말살하려 하고 있다. 덕치와는 정반대다.

국민에게 지지를 받지 못하니 최하수(最下數)인 법에만 의존하는 격이다. 그것도 법을 적용하는 기준은 엿장수 맘대로다. 그러니 신뢰와 권위는 바닥이다. 국방과 식량과 신뢰 중에서 가장 중요한 것이 신뢰라고 했다. 국민에게서 신뢰를 잃으면 모든 것을 잃는 것이다.

법과 형벌 대신 인의(仁義)로 다스리고 백성들에게 예를 갖춘다면 잘못을 저지르면 부끄러움을 느끼고 스스로 올바르게 행동한다. 예는 공손함과 겸손으로 웃어른을 대하듯이 국민을 섬기는 것을 말한다. 공직자는 이런 자세로 국민을 대하여야 한다.

그러나 덕치(德治)만으론 불가능하다. 덕치를 우선으로 하되 덕치에 따르지 않거나 악용하는 사람들도 분명 있다. 이들을 위해 필요한 것이 법치다.

법치는 효율적이다. 그래서 덕치와 법치를 적절히 사용할 줄 알아야 한다. 사고 나기 전 예방이 중요하듯이 덕치는 예방의 성격을 띠고 있다.

복잡한 현대 사회에서 법치는 불가피하다. 현재에 맞게 덕치를 해석하면 법은 어차피 존재하는 것이니 덕을 기본 정신으로 가지고 법치를 하면 법의 권위가 서서 국민에게 신뢰받을 수 있다는 말로 해석할 수 있다.

현대판 덕치의 중요한 수단의 하나로 법 집행과 사법 판단의 잣대가 공정성, 객관성, 형평성에 어긋나지 않도록 조정 능력을 발휘하는 것이다. 유전무죄(有錢無罪) 무전유죄(無錢有罪), 유권무죄(有權無罪) 무권유죄(無權有罪)라는 사자성어가 사라지는 것이 상식 사회로 가는 길이다. 그러나 안타깝게도 사라질 가능성은 요원하기만 하다.

•

돈이냐, 이상이냐 (君子謀道)

가장 이상적인 삶은 무엇일까에 대한 답변은 저마다 다를 것이다.

각자가 추구하는 이상이 다르고, 가치관이 다르기 때문이다. 정답은 없다.

먹고 사는 돈을 우선으로 할 것인가? 아니면 이상을 우선으로 할 것인가? 둘의 경계를 어디쯤 두어야 할 것인가가 늘 고민거리다.

취직을 눈앞에 둔 취준생의 입장이든, 결혼 후 경제를 책임져야 할 가장의 입장이든 자기가 추구하는 꿈과 이상이 있고 다른 한편으로는 당장 시급한 먹고사는 문제가 있다. 어느 정도 경제적 활동을 하는 장년에 이르러서도 상황은 크게 달라지지 않는다. 이 고민으로부터 탈피한 사람은 돈으로부터 완전히 자유로울 정도의 부를 축적한 사람일 것이다. 하지만 재산이 최상위 1%에 이르는 사람들도 부(富)의 종속품이 되어 끌려다니는 것을 보면 도대체 돈의 위력이 어디까지길래 저럴까를 상상하게 된다.

이 고민에 대한 나름대로 해법을 위령공편 31장에서 제시하고 있다.

子曰, "君子謀道 不謀食 耕也 餒[24]在其中矣 學也 祿[25]在其中矣 君子憂道 不憂貧"
자왈, "군자모도 불모식 경야 뇌재기중의 학야 녹재기중의 군자우도 불우빈"

공자께서 말씀하시길, "군자는 도를 도모하지, 밥 먹는 것을 도모하지 않는다. 밭을 갈면 그 가운데 뇌가 있고 배우면 그 가운데 녹이 있다. 군자는 도를 걱정하지, 가난을 근심하지 않는다."

위 문장은 학자에 따라 해석이 다르다. 어떤 이는 "밭을 갈면 밥이 나오고, 배우면 벼슬을 하게 된다. 그렇지만 삶이란 것이 밥을 해결하고 벼슬을 하는 것에만 목적이 있는 것이 아니고 도를 추구하는 것에 목적이 있다."라고 하여 진리 추구가 가장 큰 삶의 목적이라고 해석한다.

어떤 학자는 "밭을 갈아도 굶주릴(뇌) 수 있으나 배우면 그 안에 녹(즐거움)이 있다. 군자는 도를 근심하지, 가난을 근심하지 않는다. 그래서 삶의 목적은 도의 추구에 있다."라고 해석한다.

결론은 둘 다 진리의 추구로 동일하다.

해석은 자유다. 전자로 해석해도 말이 되고 후자로 해석해도 자연스럽다. 그러나 필자는 후자의 해석에 동의한다. 왜냐? 공자가 늘 호학(好

---

24) 뇌(餒): 굶주림, 식량.
25) 녹(祿): 녹봉, 벼슬, 행복, 결과물.

學)을 강조했고 배우고 익히는 것을 인생 제1낙으로 여겼기 때문에 배우면 그 안에 즐거움이 있다고 해석하는 것이 비교적 타당할 것이다. 농사를 짓다 보면 열심히 해도 홍수나 자연재해로 굶을 정도로 힘든 상황이 올 수 있으나 배우게 되면 벼슬도 할 수 있고 즐거움도 찾을 수 있다는 것이다. 먹고사는 문제보다는 진리의 추구 즉, 자기가 추구하는 이상을 위해 살아야 후회가 없다고 결론을 짓는다.

공자 시절에 군자의 삶의 방식에 대하여 말한 것이니 군자가 가난을 걱정하면 구차스럽고 그에 따라 소인의 방식을 택하게 될 것이니 가난해도 진리 추구를 향한 열정만은 지키라는 것이다. 또 한편으로 군자는 나라의 벼슬아치로서 재물이나 탐낸다면 소인배나 진배없이 된다는 점을 강조함으로써 벼슬하는 자의 태도를 말한 것으로 보인다.

이 문장을 현재 우리에게 가져와 접목을 시켜 보자.

대부분 사람들은 경제적으로 안정된 삶을 추구한다. 그러기 위해선 돈은 필수다.

안정된 삶이 아니라, 생존을 위해서도 돈이 필수다. 나아가 인간의 본능인 부의 추구를 위해 불철주야 뛰다 보면 '왜 살지?'라는 의문이 들 때가 있다. '나는 무엇을 위해 살고 있으며 가장 이상적으로 추구하는 가치는 무엇이며 그것의 달성을 위해 무엇을 해야 하나?'라는 근본적 질문에 직면한다.

모두(冒頭)에서 돈과 이상에 대하여 언급했고, 돈의 위력이 어디까지길래 사람보다 돈이 우선시되는 사태에 이르렀는지 우려를 표한 바 있다.

취준생인 청년이나 가족을 책임져야 하는 가장의 입장에서 돈과 이상 사이에서 줄타기해야 한다. 취직 처를 결정할 때 오로지 당장의 연봉을 우선할 것인지, 자신의 이상을 실현할 수 있는지를 놓고 고민할 것이다. 고려 사항은 여러 가지가 되겠지만, 먼 미래를 보고 자신의 이상과 현실에서 적절히 균형점을 찾는 일이 중요하다. 이러한 균형점을 찾는 과정은 살아가면서 수시로 조정을 해야 한다. 그래야 시간 낭비를 줄이고 후회를 감소시킨다.

문제는 직장 생활을 하든 자영업을 하든, 빡빡한 경제 속에서 대안이 없으니 비굴함과 참기 힘든 모욕을 감내해 가면서 하루하루를 버텨야만 하는 현실이 비참할 때다.

이럴 때 무슨 이상을 추구할 겨를이 있을까? 그런데도 현실에 충실하되 이상만은 간직하고 때를 기다리거나 기회를 만들어야 한다. 그래야 내 인생이 불쌍하지 않다. 희망의 끈을 놓는 순간 합리적, 이성적인 인간으로부터 멀어진다.

앞에서 최상위 1%에 해당하는 부자임에도 불구하고 돈 앞에서 한없이 작아지는 사람들이 있다고 했다. 왜 그럴까? 돈을 바라보는 태도와 삶을 살아가는 가치관과 철학의 문제다. 세속적 욕망인 권력욕, 명예욕, 부귀 안락의 욕심을 절제하지 못하면 죽는 날까지 돈의 노예가 되며 수백억이라도 그로부터 자유롭지 못하다. 그들은 수백억이 있어도 가난하고 자기 철학과 소신이 뚜렷한 사람은 물질은 풍요롭지 못하지만, 마음은 부자다. 자기만의 기준을 정하고 기준에서 넘치는 부는 기부하겠다는 절제력을 실천하면 행복을 찾아올 수 있다.

돈은 살아가는 데 불편함만 없으면 된다. 불편함이 없는 기준도 각자 다르다. 건강을 위해서는 적당한 노동력도 필요하고 참을 수 있을 만큼의 불편함은 감수하는 조건이어야 되겠다. 때로는 살아가는 방식과 생활의 방향이나 수단도 달리하면 적은 돈으로도 즐거움과 행복을 추구할 수 있다. 그것이 지혜다. 가치관과 삶의 철학을 바꾸면 된다.

어떤 조건에서도 삶의 기준이 분명하다면 공자님이 말씀하신 진리의 추구는 가능하다.

불가탈지(不可奪志)라는 말이 있다.

> 子曰, "三軍可奪帥也 匹夫不可奪志也"
> 자왈, "3군가탈수야 필부불가탈지야"

전군(全軍)의 장수를 생포할 수는 있지만 필부의 의지를 꺾을 수는 없다는 말로 사람이 무너질 수 없는 최후의 한계점까지(기개, 의지) 빼앗지는 못한다는 말이다.

아무리 힘들어도 인간으로 가져야 할 마지막 자존감은 가지고 있어야 한다. 당장은 불가피하게 모욕을 당하고 수모를 겪을지라도 나의 이상 추구에 대한 열망과 실천은 죽기 전까지는 누구도 막을 수 없다는 불가탈지의 의지만 있다면 무엇이 두려우랴!

•

불념구악
(不念舊惡)

불념구악(不念舊惡)

지금 여기서(here)의 일만을 갖고 따지면 간단히 끝날 일도 과거가 소환되면 일이 커지고 해결은커녕 확산된다. 설령 과거에 잘못을 했어도 이미 지난 일이다. 칭찬할 만한 일이나 과거를 소환하여 상대에게 고마움을 표시하는 일이라면 긍정적 효과를 가져오니 상관없다.

또한 과거의 일을 거울삼아 앞으로 두 번 다시 실패하지 않도록 지렛대 역할을 한다면 좋은 일이다. 그러나 구악을 가져와 좋아할 사람은 하나도 없다.

공야장편 22장을 보자.

子曰, "伯夷叔齊 不念舊惡 怨是用希"
자왈, "백이숙제 불념구악 원시용희"

공자께서 말씀하시길, "백이와 숙제는 과거의 잘못을 염두에 두지 않았기에 원망하는 일이 드물었다."

백이, 숙제는 절개와 지조의 상징이다. 백이와 숙제는 기원전 은나라 말기 고죽국의 두 왕자로 왕위를 서로 양보하다가 이웃 나라인 주나라로 들어갔다. 주나라 서백의 아들 무왕이 부친의 상중(喪中)에 은나라를 치려 하자 도리가 아니라며 만류하다가 강태공의 중재로 간신히 살아남았다. 주나라 무왕이 무도한 정치를 하자 주나라의 곡식을 거부하고 수양산에서 고사리만 캐 먹다가 굶어 죽었다.

주나라 곡식을 먹느니 차라리 굶어 죽겠다는 절개의 고사성어인 불식주속(不食周屬)이 여기에서 나왔다.

불의에는 목숨을 걸고라도 지키는 의(義)를 실천한 백이와 숙제는 지나간 잘못된 과거사는 문제 삼지 않았다고 한다. 현재 벌어진 일만을 가지고 논하니 원망하는 사람이 적을 수밖에 없다.

특히 정치권은 수십 년 전 상대방의 온갖 실수나 잘못을 가져와 공격하는 소재로 써먹는다. 여야가 마찬가지로 매일 소모적인 싸움에만 매몰된다. 그러니 정치인의 혐오만 증가된다.

다음은 위 문장과 맥은 좀 달리하는 경우지만, 짚고 넘어갈 필요성이 있어 제기한다. 과거의 잘못이 아닌 평범한 일상이 소환되어 오는 경우로 세 가지 종류가 있다.

첫 번째는 일상적인 대화를 하면서 기억력의 한계로 인하여 자주 발생하는 일로 나이가 들어감에 따라 비례하여 증가한다. 화자는 처음 하는 것으로 착각하여 이야기하는데 청자에게 “아빠! 이번이 세 번째인데요?”

라는 응대가 돌아온다.

두 번째는 본인이 기억을 못 해서 소환하는 것이 아니라, 과거 일이 현재 일로 이어지는 현재 완료형 즉, 해당 사안이 과거에서 현재까지 이어지는 진행형으로 스스로 해석하여 말하는 경우다. 본인은 잘 못 느끼지만 동석한 청자들은 지루함을 느낀다. 이것도 말하는 습관으로 굳어지면 고치기 쉽지 않으니 본인 스스로 부단히 노력해야 한다.

세 번째는 본인이 기억하기 싫은 과거 일을 떠올리며 괴로워하고 고통을 겪는 일이다. 법륜 스님의 즉문즉설을 듣다 보면 이와 유사한 사례자들이 고통을 호소하며 해법을 묻고 있다. 이 문제는 본인 스스로 과거의 구악에 갇혀 헤어나지 못하는 어리석은 경우로 누구도 구제할 수 없다. 인간관계 속에서 얽히고설킨 과거의 혐오나 증오심이 불쑥불쑥 튀어나오기 때문에 고통을 겪는다. 현재는 아무 문제없이 살고 있는데 과거의 안 좋은 트라우마(부모, 형제 등 사람 관계에 대한 원망과 증오심) 때문에 고통받고 있어서 힘들다고 호소한다.

법륜 스님의 해법을 옮겨 본다. (뉘앙스만 아래와 비슷한 의미)

“명상하지 말고 현재만을 생각해라. 과거의 영상을 비디오 틀지 말라. 안 좋은 기억을 왜 소환하나? 과거는 영화 속 한 장면일 뿐이다. 아무 의미 없는 것이다. 과거 기억을 떠올리는 일은 백해무익한 영화를 보는 것이니 자기 칼로 자기를 찌르는 어리석은 행위다. 사람에 대한 용서의 의미는 ‘잘못했지만 용서해 준다는 것이 아니고, 그 사람들도 어쩌다가 그 지경까지 이르렀을까?' 하고 불쌍히 여기는 마음이다."

다시 말하면, 나의 현재 상황에 충실하고 만족하며 과거 상황을 긍정적으로 이해하는 방향으로 관점을 바꾸면 미워하는 마음이 사라질 수 있다는 거다. 어릴 때는 원망했던 사람이 내가 어른이 되어 그 사람(부모와 형제 등)의 그 시절로 빙의해 보면 증오 이전에 이해와 측은지심이 생긴다는 것이다. '그 사람이 잘한 것은 아니지만 그도 그 열악하고 힘든 환경에서 그런 행동까지 한 것을 보면 불쌍하고 동정심이 간다.' 이런 식으로 말이다.

과거의 구악 소환은 누구에게도 어떤 경우에도 도움이 되지 않는다.

솔선수범

단체나 조직이 원활하게 돌아가려면 구성원들인 사람 관리를 잘해야 한다.

이때 리더인 조직의 수장 역할이 중요하다. 장(長)이 어떻게 관리하고 처신하느냐에 따라 그 조직이 살아날 수도 있고 무너지기도 한다.

리더의 역할은 앞에서 말했듯이 그 사람의 과거 어떤 오류나 실수도 기억에서 완전히 지워 버리는 것이다. 오로지 지금 여기에서만 시작한다.

그다음엔 자신이 솔선수범하는 것이다. 말보다 실천으로 보여 주는 거다.

자로편 6장을 보자.

子曰, "其身正 不令而行 其身不正 雖令不從"
자왈, "기신정 불령이행 기신부정 수령부종"

공자께서 말씀하시길, "자신이 바르게 하면 명령을 하지 않아도 따를 것이며, 자신이 바르지 못하면 비록 명령해도 따르지 않을 것이다."

리더 스스로 온전한 덕을 행하고, 편벽됨 없이 공평무사하게 일을 처리하고 공사를 분명히 구분하며, 사익보다는 공익을 우선으로 하며 바르게 행동하면서 명령을 하면 따르지 않을 수 없다. 수기치인(修己治人)의 자세다.

만약 상사가 자기는 매번 지각하고 미리 준비도 없이 임박해서야 부랴부랴 검토하고 실수가 잦으면서 직원이 하나라도 실수하면 소리치고 잔소리를 하면 직원들은 뭐라고 생각할까? "너나 잘하세요!" 자기는 욕을 밥 먹듯이 하면서 부하에게 욕하지 말라는 것과 같다. 리더나 어른의 역할은 그만큼 어렵다. 솔선수범하고 모범을 보여야 하니까! 그러나 그런 역할도 습관이 되면 자연스레 행동으로 이어진다. 군자의 습관을 들이면 군자가 된다.

•

허례허식의 기준 (寧儉寧戚)

허례허식

애경사에 대하여 어디까지 참석해야 하고 누구를 초청해야 할 것이며 허례허식의 기준은 무엇일까는 예전부터 논란이 되어 왔던 문제다. 해결되기 어려운 문제다.

이 역시 기준이 딱 "이거다."라고 규정지을 수 없는 성격의 문제로 여러 가지 상황을 종합적으로 고려해야 한다. 사람마다 가치관과 견해가 다르고 상황이 다르기 때문이다. 하여간 인생에 답이 없는 경우가 허다하다. 그래서 지혜가 필요한 것이다. 2500년 전 공자가 살았던 시대에도 이 문제로 제자들과 문답이 오고 가는 장면을 볼 수 있다.

팔일편 4장을 보자.

> 林放問 禮之本 子曰, "大哉問 禮 與其奢也 寧儉 喪 與其易也 寧戚[26]."
>
> 임방문 예지본 자왈, "대재문 예 여기사야 녕검 상 여기이야

26) 척(戚): 슬픔, 근심, 친척, 재촉하다, 친할.

녕척."

임방이 예의 근본이 무엇인지를 묻자, 공자께서 말씀하시길, "질문이 대단하구나! 예라고 하는 것은 사치하기보다는 차라리 검소한 것이 낫고, 상을 치를 때는 절차를 간편하게 하는 것보다는 차라리 슬픔에 젖어 있는 것이 낫다."

결혼식 등 축하 행사를 치를 때 화려하게 사치를 부리기보다는 검소를 강조했고, 장례식 등 슬픈 일을 당했을 때도 절차보다도 상례의 본질인 마음에서 우러나오는 진심의 표현이 더 적합하다고 공자는 말한다.

형식과 절차도 무시할 수는 없다. 그러나 형식과 절차가 주(主)가 되고 내용인 마음이 종(從)이 되어선 안 된다는 것이다. 어디까지나 진실한 마음이 우선되고 마음에 따라 최소한의 형식과 절차를 따르면 되지 않나 싶다.

그러나 현실에서는 예의 본질은 망각하고 남에게 보여 주기 위한 형식에 치중하는 경우가 많다. 옛날에도 그랬기에 이런 대화가 오고 갔을 것이다. 상을 당한 사람한테도 슬픔을 함께하고 위로해 주며 유족이 마음을 추스르고 평온을 찾도록 도움을 주는 것이 올바르다. 조선시대 예송논쟁이 정쟁으로 비화하여 국력을 낭비하고 소모적인 논쟁만 일삼았던 예가 바로 절차 논쟁이었다. 본질은 사라지고 형식인 껍질만으로 죽기살기 다투었다.

체면과 남에게 보여 주기 위한 형식이 허례허식으로 나타난다.

자기 분수껏 예의에 어긋나지 않을 정도의 형식만 갖추면 충분하다. 장례 치를 경제적 능력도 없는 가난한 자가 제단용 꽃을 100만 원짜리 이상으로 하는 것은 사치요, 허례다. 어차피 화환도 품앗이다. 많아 다니고 많이 제공했으면 그에 비례하여 오는 것이다. 주고받는 것이니 화환이 적다고 창피할 이유가 없다.

결혼식 초대와 장례식 부고장을 어느 선에서 마무리할 것인지도 점차 정리해야 할 문제다. 필자의 생각으론 결혼식 초대는 6촌 이내의 친척으로 제한하되 상황에 따라 증감이 있을 수 있겠다. 추가한다면 극소수의 형제같이 가깝게 지내는 지인과 주인공인 신랑, 신부의 친한 친구 정도가 되겠다. 직장 동료나 사회단체 관계 등 모두 제외한다. 그야말로 정말로 알리지 않으면 너무나 서운한 관계나 초대하면 내일 같이 기뻐하며 흔쾌하게 모든 일 제치고 달려올 그런 사람들 위주로만 하는 것이 가장 합리적이 아닐까? 조금이라도 망설여지는 그런 관계는 배제함이 옳다.

거래 관계로 생각하지 말자. 그러면 고지서가 된다. 상례도 정말 애달파 하고 슬픔을 같이 나눌 정도의 깊은 사이라고 판단될 때로 한정하면 된다.

아이들 첫돌 행사와 유사하게 간소화해야 서로 피곤하지 않고 허례허식에서 벗어날 수 있다. 그러면 저녁이 있는 삶은 조금은 더 보장된다.

미풍양속의 전통

팔일편 17장을 보자.

> 子貢 欲去告朔之餼羊 子曰, "賜也 爾愛其羊 我愛其禮."
>
> 자공 욕거고삭지희양 자왈, "사야 이애기양 아애기례."

자공이 초하루에 제사 지내는 희생양을 없애려 하자. 공자께서 말씀하시길, "자공아! 너는 그 양을 아끼느냐 나는 예를 좋아한다."

무슨 말인가?

공자가 살던 시절 마을마다 대동제를 지내면서 마을 사람들끼리 모여서 음식도 나누어 먹고 결속도 다지는 하나의 마을 축제가 있었다. 이때 제단에 올리는 양이 희생양이었는데, 경제적 계산이 밝은 자공이 돈만 많이 들어가고 미신적 요소가 많은 허례허식일 뿐이라며 버리자는 제안을 했다. 어쨌든 마을 사람들 다수가 동의하여 대동제는 사라지고 마을 주민들의 결속력도 그에 비례하여 약화하였다고 한다.

그래서 공자가 돈을 아끼는 것도 좋지만, 사람 사는 인간관계에서 발생할 수밖에 없는 예는 더 중요하다고 강조한 것이다.

한 번 따져 보자. 대동제를 없애는 것이 좋았을까? 살려서 마을 사람들의 화목과 결속을 다지는 축제로 남겨지는 것이 좋았을까? 역시 답은 없다. 당시 대부분 사람은 몹시 곤궁한 생활에서 양 한 마리의 경제적 가치가 더 중요하다고 판단했을 수 있다.

그러나 공자는 대동제를 미풍 양식의 정신적 가치로 판단했다. 따라서 제사에 소용되는 비용의 경제적 가치보다 대동제가 갖는 정신적 가치가 더 컸다고 본 것이다.

대동제를 없애는 효과로 일시적으로 경제적 이득을 누릴 수 있겠지만 결속력의 약화로 마을이 혼란을 가져온다면 경제적 이득 이상의 손해를 볼 수 있다는 생각도 해 볼 여지는 있다.

오늘날 제사 지내는 풍속이며 성묘 다니는 풍속이 점차 사라지고 있다.

조상님께 드리는 제사라는 형식과 절차를 최대로 간소화하되 없애는 것은 문제가 있다고 본다. 얼마든지 구성원들끼리 협의를 통하여 현실에 맞도록 재구성할 수 있다. 음식 준비라든가 형식, 시기 등을 모두가 동의할 수 있도록 하면 된다. 실제로 그렇게 진행하는 가족들도 꽤 있다. 필자도 재구성하여 진행하고 있다.

남에게 보여 주기 위한 사치스러운 가식과 겉치레를 버리라는 것이지, 미풍을 통째로 버리라는 것은 아니다. 간소화하고 현재에 가장 합리적 방식으로 맞추면 정신적 가치도 살릴 수 있다.

정직과 선의
(微生高直)

정직

부정직한 행위의 결과는 타인에게 피해를 주며 부정직한 행위의 범위는 넓다.

단순 거짓말부터 사기, 기만, 조작 등 바르지 못한 모든 행위다.

부정직한 행위의 동기 또한 다양하다. 부당한 이익을 취할 목적이나, 곤란한 상황을 모면하기 위한 술책 등으로 대부분 이기성에 기인하는데 결국은 자기한테는 이익을 가져오지만 상대한테는 이익 이상의 많은 피해자와 막대한 피해를 양산한다. 정직성은 그래서 중요하다. 부정직성은 일반적으로 타인을 향해서 타인이 피해를 보지만, 자신에게 부정직하면 자신이 피해를 당한다. 문제는 그 피해를 느끼지 못하는 데 있다. 자신을 스스로 합리화시킨다. 그래야 마음이 편하기 때문이다.

자신을 속이는 사람은 타인도 속일 가능성이 크다. 자신의 양심을 속이고 부정을 저지르면 결국 타인이 피해를 본다. 어찌 됐든 부정직은 사회악이다. 이런 면에서 보면 위선도 거짓된 선함이니 부정직한 것이다.

위선의 동기 역시 그릇된 사욕에서 나온다.

다음의 공야장편 23장을 보면 정직과 위선, 선행에 대하여 많은 생각을 하게 된다.

> 子曰, "孰謂微生高直 或乞醯[27]焉 乞[28]諸其隣而與之."
>
> 자왈, "숙위미생고직 혹걸혜언 걸저기린이여지."

공자께서 말씀하시길, "누가 미생고를 정직하다고 했는가? 어떤 사람이 식초를 빌리러 갔는데, 자기 집에 없으니 이웃집에 가서 빌려다가 식초를 주었다."

공자는 미생고의 정직성에 대하여 의문을 제기한 것이다. 솔직하지 못하다는 거다.

없으면 솔직하게 없다고 말하고 옆집은 있는 것 같으니 그 집 가서 얻으라고 말해 주면 된다.

이 문장만으론 해석의 여지가 다양하게 나올 수 있다. 얼핏 보면 배려심이 매우 커 보인다. 자기 집에 없으니 옆집까지 가서 빌려다 줄 정도로 친절이 넘친다. 오지랖이 넓은 사람이다. 정직하지 못하다고 비난까지 하기는 어려워 보인다. 빌리러 온 사람은 얼마나 고맙겠는가? 그러나 한 발 더 깊이 들어가 보자.

---

27) 혜(醯): 식초.

28) 걸(乞): 빌리다.

공자가 "누가 미생고를 정직하다고 말했는가?"라고 비난조로 말한 것을 보면 정직하다고 소문이 났던 모양이다. 미생고는 정직하다고 이름 붙여진 자신의 명예를 지키기 위하여 무리한 행동을 한 것이다. 없으면 없다 하고, 있으면 있다 하는 것이 정직한 것이지 없는데도 마치 있는 것처럼 빌려다까지 주는 것은 명예욕에 사로잡혀 있는 사람이다. 공자는 정직하다고 이름난 명예욕을 채우려다 허위라는 행동이 나온 것을 경계한 것이다. 정직에 집착하다 정직을 위반한 결과가 되었다. 위인지학의 태도를 버려야 마음이 편하다.

또 다른 각도에서 바라보면 미생고가 우직하고 융통성이 없다 보니 오직 빌리러 온 사람의 입장만 고려한 것으로 보인다. 이렇게 판단하면 솔직하지 못하다기보단 거절 못 하는 성격일 수도 있다.

이 문장에서는 각자 보는 방향에 따라 얻는 내용이 다를 수 있다.

정직과 위선, 우직 등 가장 바람직한 행동은 무엇일까? 상황에 따라 적절히 대처하되 없는 것은 없다 하고 있으면 있는 그대로 말하고 행하는 것이 정직이지 않을까 생각해 본다.

몰래 하는 선행

선행하되 남에게 알리지 않는다든가, 소리 소문 없이 조용히 선행하는 사람이 있다. 반대로 선행을 하긴 하는데 적극적으로 알리기 위해 노력하고, 소문내기를 좋아하는 부류가 있다. 둘 다 선행을 하는 것에는 박수를 보낸다. 선행이 선행으로 끝나느냐, 아니면 선행을 한 목적이 다른 곳으로 이어져 결과적으로 불선한 것이 되느냐이다. 여기선 순수한 소문 없는 선행을 말해 본다.

태백편 1장을 보자.

子曰,“泰伯 其可謂至德也已矣 三以天下讓 民無得而稱焉.”
자왈,“태백 기가위지덕야이의 삼이천하양 민무득이칭언.”

공자께서 말씀하시길,“태백은 덕이 지극하다고 말할 수 있는 사람이다. 세 번이나 천하를 양보했어도 백성들의 칭찬을 얻지 못했다.”

백성들은 왜 천하를 양보한 사람한테 칭찬을 안 했을까? 양보한 사실을 알리지 않았기 때문이다. 소문내지 않고 양보를 했다. 그래서 덕이 크다고 한 것이다.

태백은 주나라 문왕의 아버지 계력의 맏형이다. 문왕의 할아버지 고공단보에게는 세 아들이 있었는데, 태백, 중옹, 계력이다. 왕위를 막내 계력에게 물려주려 하자 아버지의 뜻을 살핀 태백과 중옹은 주나라를 떠나 오나라로 가서 오국의 사람이 되었다. 나중 고공단보가 죽은 뒤에도 주나라로 돌아가지 않고 계력에게 양보했다.

막내인 계력이 왕위를 순조롭게 이어받을 수 있었던 것은 태백 형제의 우애를 빼놓을 수 없다. 장남인 태백뿐 아니라 동생인 둘째 중옹도 칭찬받아 마땅하다. 태백이 양보하면서 둘째인 중옹에게도 부왕의 뜻을 받들어 막내가 왕위를 계승하도록 도와주자고 하자 중옹도 흔쾌히 동의했다고 한다. 만일 중옹이 욕심을 놓지 않았다면 일은 크게 번졌을지도 모를 일이다.

장남으로 왕위 계승 1순위인데도 아버지의 뜻을 어기지 않고 막내인 계력에게 양보했다. 세 번이나 양보했다는 것은 장남을 옹립하려는 신하들의 뜻을 따르지 않고 양보했다는 말이다. 그러면서도 백성이 알지 못하도록 신하들에게 단단히 일렀을 것이다. 통상적으로 계승 1순위인 자가 세 번씩이나 물리치고 양보했으면 세상에 알리어 칭송받고 싶은 것이 사람 심리다. 그러나 태백은 부왕이 자신이 적임자가 아니라서 막내를 선택했다고 한다면 깨끗하게 양보하고 나라를 떠나 주는 것이 동생에 대한 예의라고 판단한 것이다. 이런 경우 왕위 쟁탈전이 치열하다. 형제간에 살육 전쟁이 벌어진다. 조선 초기 두 차례나 왕자의 난이 있었고, 조카를 죽이고 왕이 된 수양대군(태종)도 있었다. 중국에서는 당태종이 그런 경우다. 그러나 태백은 깨끗이 물러났다. 그래서 공자도 덕이 지극하다고 칭송한 것이다.

매년 연말이면 몰래 행정복지센터에 적지 않은 기부금을 놓고 가는 사람들!

남이 알세라 철저하게 비밀리에 선행하고 혹시 알려지면 끝까지 함구해 달라는 사람들이 성자(聖者)다. 대의를 위해 자기에게 돌아온 권력과 자리를 미련 없이 포기하는 태백과 같은 사람들이야말로 덕자(德者)다. 티끌만큼의 욕심도 없고 이타 정신이 충만한 사람만이 할 수 있는 일이다.

•

자로의 용기와 실천 의지 (片言折獄)

자로의 용기

공자의 제자들 가운데 용기가 가장 뛰어나고 용맹스런 사람은 자로였다.

그러나 용기를 적절히 절제할 줄 알아야 효과를 발휘하면서 화를 면하는데, 자로는 지나쳤던 듯싶다. 그래서 공자는 종종 용기를 발휘할 때, 때와 장소를 가려서 꼭 필요할 때 사용하라고 주문했다. 그럼에도 타고난 성격은 어쩔 수 없었나 보다. 결국 위나라 내란에 끼어들었다가 참변을 당하게 된다. 용기의 자기 통제에 실패한 것이다.

공야장편 6장을 보자.

> 子曰, "道不行 乘桴 浮[29]于海 從我者 其由與" 子路 聞之喜.
> 자왈, "도불행 승부 부우해 종아자 기유여" 자로문지희
> 子曰, "由也 好勇過我 無所取材."
> 자왈, "유야 호용과아 무소취재."

---

29) 부(桴)는 나무로 만든 작은 배를 말한다. 옛목 유(由)는 자로의 이름이다.

공자께서 말씀하시길, "도가 행해지지 않는구나. 뗏목 타고 바다로 떠나고 싶다. 나를 따라올 자는 자로뿐이로구나!" 자로가 그 말을 듣고 기뻐했다.

공자께서 말씀하시길, "유야, 너는 나보다 용기가 뛰어나지만 재목으로 취할 것이 없구나!"

제후들과 대부들이 전쟁만 일삼고 자기 이익에만 몰두하니, 세상이 예는 사라지고 혼란만 가중되고 있으니 작은 배를 타고 육지를 떠나고픈 마음이다.

뗏목 타고 바다를 건너는 일은 매우 위험한 일이다. 그 위험한 동행에 용기를 갖고 따라올 사람은 자로밖에 없다고 칭찬하자, 자로가 우쭐해 한다. 그러자 공자는 자기의 속마음을 알아주지 않고 오직 칭찬의 말만을 생각하며 기뻐하는 단순한 자로를 다시 꾸짖는 장면이다. 여기에서 성균관대 유학과 이기동 교수의 해설을 들어 보자.

"세상이 온통 혼탁하기만 하니 바다로 떠 버리자. 그러면 저절로 꿈에도 그리던 이상향에 가닿을 것이다. 바다로 가는 길은 험하기 때문에 제자들은 따라오지 못할 것이다. 오직 자로는 무술이 뛰어나면서 용맹스럽기 때문에 따라올 것이다. 공자는 그 심정을 토로했다. '유는 따라오겠지.' 하며, 속이 상해서 한 말이다. 자로가 만약 스승의 뜻을 알았다면 "선생님 속이 상하시더라도 참으십시오. 우리들이 함께 있지 않습니까? 도가 실현되는 세상은 오고야 말 것입니다."라고 위로했을 것이다."

그래서 공자는 용기만 있지 쓸모가 없다고 꾸중을 한 것이다.

용기가 과하면 만용이라고 했다. 만용은 용기 없음만 못하다. 만용을 부리다 자로처럼 자신이 화를 입기도 하며 타인에게 피해를 입히기도 한다. 일국의 지도자가 무지와 오판으로 인접 강대국에 대하여 만용을 부리는 발언을 자주 하여 역대 대중무역수지 최대 적자 행진을 이어 가고 있다. 만용의 피해자는 누구인가?

실천하는 용기

공야장편 13장을 보자.

"子路 有聞 未之能行 唯恐有聞."
"자로 유문 미지능행 유공유문."

자로는 들은 바가 있고 아직 그것을 실천도 못 하고 있는데, 또 좋은 것을 듣게 될까 봐 두려워했다.

자로는 실천의 대명사로 불리는 사람이라, 듣고 배운 바를 즉시 실천에 옮기는 사람이었다. 이런저런 이유로 아직 실천을 못하고 있는데 또 실천에 옮겨야 할 과제가 나타나면 과제물이 쌓이게 됨을 걱정한 것이다.

사실 알면서 바로 행동으로 옮기는 것은 용기 없이는 쉽지 않다. 그래서 자로를 실천하는 용자(勇者)라 한 것이다. 대부분 몰라서 못하는 것이 아니다. 용기가 없어서 못하는 거다. 그래서 미인도 용기 있는 자가 취할 수 있다 한 것이다. 이론상 연애학 박사면 뭘 하나? 행동으로 말 한마디라도 걸어 보아야 진도가 나갈 것 아닌가?

머리로 알기만 해서는 소용이 없다고 했다. 배운 것을 실천해야 비로소 안다고 했으니 실천가라면 걱정이 앞선다. 자로의 배우고 알았다면 반드시 실천하겠다는 의지는 지행합일의 철학으로 우리가 지켜야 할 큰 덕목이다.

안연편 12장은 자로의 실천력이 돋보이는 문장이다.

> 子曰, "片言可以折[30)]獄[31)]者 其由也與" 子路 無宿諾
> 자왈, "편언가이절옥자 기유야여" 자로 무숙낙

공자께서 말씀하시길, "편언만 듣고 누가 죄를 졌는지를 판단하는 자는 아마도 유일 것이다." 자로는 승낙한 것을 하룻밤도 지체하지 않았다.

여기서는 자로의 실천하는 용기의 결정판임을 알 수 있다.

약속한 것에 대하여 지체 없이 실행하는 것까지는 칭찬받아 마땅하지만, 중요한 판단을 요하는 문제에서는 성급한 결론을 내리면 큰 실수를

30) 절(折)은 끊을 절로 판결을 의미.
31) 옥(獄)은 소송, 죄의 유무를 결정.

범하게 된다.

특히나 죄의 유무를 가리는 중요한 문제에서는 두루두루 의견을 듣고 알아보고 신중하게 내려야 한다. 빠른 실행력이 요구되는 일과, 단계적으로 차근차근 밟아 가야 하는 일을 구분해서 판단을 해야 한다. 빠르다고 좋은 것은 아니기 때문에 공자께서 기회가 있을 때마다, 자로에게 신중한 일처리를 당부했던 것이다.

한편 좀 다르게 해석할 수도 있다.

편언이 바로 그 부분인데, 한마디 말로 송사를 끝내다는 의미로 몇 마디의 말만 듣고도 충분히 공정한 판결을 내릴 수 있는 실행력과 결단력을 갖춘 사람이 바로 자로라고 칭찬한 것으로 보인다. 그래서 후일 편언절옥(片言折獄)은 공정하고 훌륭한 판결을 비유하는 사자성어로 쓰이게 되었다.

자로의 지체하지 않고 바로 실행하는 용기를 말한 것으로 볼 때 후자의 해석이 설득력을 갖는다.

3장

예의(禮)

본립도생
(本立道生)

논어의 학이편(學而篇)2-2장에 보면 '본립도생(本立道生)'이란 말이 나온다.

"君子務本 本立而道生 孝弟也者 其爲仁之本與."

"군자무본 본립이도생 효제야자 기위인지본여."

군자는 근본에 힘쓰는 사람이다. 근본이 서면 그곳에 길이 생기며 부모에게 효도하고 우애 있는 사람은 인을 행하는 근본이 된다.

뜻인즉슨 '근본이 서면 길이 열린다.'라는 의미다.

본의 의미는 근본, 기초, 기본, 모범, 뿌리로써 모든 사물이 장기간 생존하고 발전하기 위한 최소한의 자질이다. 그러니 '기본이 서 있으면 길이 열린다.'고 하는 것이다.

어찌 보면 너무도 당연한 말이고 누구나 귀가 아프도록 들어본 말이다. 그러나 진리는 바로 내 옆에서 숨 쉬고 있다는 사실을 우리는 망각하고 살아간다. 실천해서 체질화하지 않으면 아무 소용이 없다. 그런 차원에서 한번 "어? 공자님 말씀 별거 아니네?" 하지 말고 진지하게 자신에게 묻고 또 물은 다음 아니거든 실천에 옮기는 기회로 삼는다면 이 글을 읽는 시간이 헛되지는 않을 것이다.

어떤 사람이 인간에 대한 예의가 턱없이 부족할 때 뭐라고 하나? "그 ×× 기본이 안 되었어!"라고 한다. 그렇다. 사람도 기본이 중요하다. 사람으로서 갖추어야 할 기본 자질 말이다. 그래서 인격이란 게 있지 않은가?

운동선수나 예술인들도 처음 시작할 때 기본기를 닦는 데 수개월에서 수년을 연습한다고 한다. 모든 분야가 마찬가지다. 기본기나 기초 없이 순식간에 어떤 기적이나 요행으로 하늘 높이 올라간 사람들 오래 못 간다. 어쩌면 당연한 이치일 터, 기초가 없으니 쉽게 무너진다. 초고층 빌딩을 지을 때 기초 공사에 투여되는 기간이 총 공기의 60%나 된다고 한다. 그만큼 기초 공사가 튼튼해야 위험하지 않고 오래 지속될 수 있기 때문이다.

공부에 재능이 부족한 학생들이 잘하는 비법을 묻자, 선생님이 답을 한다. "기본에 충실하면 잘하게 되어 있다. 공부 역시 수만 가지 재능 중 한 가지에 불과하다." "어쨌든 너무 당연한 것을 답이라고 내놓느냐?"라고 투정하는 학생에게 좀 더 구체적으로 비법을 알려 준다.

1. 수업 시간에 집중해서 경청해라.
2. 모르면 꼭 언제든 질문해라.

3. 수업 전후 예·복습을 철저히 해라.

4. 반복, 또 반복 수없이 반복하여 이해하고 외워라.

집중하여 투자한 시간에 비례하여 성적은 올라간다. 이거 지극히 기본에 충실한 공부법 아닌가? 이렇게 하다 보면 자기만의 독특한 요령이 생긴다. 이것이 비법이다.

국가 지도자나 지자체장, 각종 기관장, 모두가 인간에 대한 기본만 잘 닦여 있어도 60점은 얻고 들어간다. 즉 인(仁)과 의(義) 그리고 공경심(恭敬心, 국민 위에서 군림하는 것이 아닌 섬기는 자세). 이 세 가지의 인간에 대한 기본 예의가 내재화되어 있다면 누구처럼 폭군이 되고 폭정을 할 수 없다. 그러니 위에서 언급한 대로 "그 ×× 기본이 안 된 ×이야." 라고 욕을 얻어 드셔도 싸다.

기왕에 기본을 말하고 있으니 예를 하나 들어 보자. 여기 한 시민단체가 있다. 단체의 구성원들 특히 임원들이 해야 할 기본에 충실한 조건이 뭘까?

1. 회원 확보
2. 단체를 위한 시민 활동이 아닌, 회원 및 인접 시민들과 함께 호흡하고 행동하는 활동
3. 구호가 아닌 실천
4. 집단이기나 지역이기가 아닌 전체 공동체 이익에 주안점을 두는 사

해동포주의 사고

5. 단체를 이끌어 가는 임원진들은 보통 시민들보다 조금 더 도덕성, 윤리성 확보 등등? 지극히 기초적인 조건들! 인, 의, 공경심은 기본 중의 기본

위의 5번은 말이 좋아 기본 중의 기본이지 절대 쉽지 않다. 도덕성, 윤리성, 인과 의, 공경심이 충만하다면 군자라 할 수 있다고 공자께서 말씀하셨다. 현대 사회에서 군자라는 호칭을 받을 수 있는 사람이 얼마나 될까? 부단히 노력할 뿐이다.

그렇다면 소속된 회원이 해야 할 기본은 무엇일까? 각자가 처한 환경이 다르니 각자의 위치에서 생각해 보면 답이 나올 것이다. 사실 공익을 위한 시민단체에 가입하여 회비 내는 것만으로도 사회에 크게 이바지하는 거다. 회비를 냈으니 조금이라도 관심을 두게 될 것이고 그러다 보면 시민 의식도 높아질 것이다.

앞에서 언급한 기본이나 기초 이러한 것들이 꼭 필요한 요소들이긴 하지만 실천하기는 쉽지 않다. 쉽다면 인간 세계가 이렇게 어지럽지는 않을 거다. 하지만 항상 염두에 두고 밥 먹듯이 일상화시킨다면 좀 더 유익하고 즐거운 삶이 되지 않을까!

충고의 지혜
(善道 不可則止)

누구나 한두 번쯤 친한 친구나 가까운 지인들에게 충고해 본 경험도 있고, 들은 경험도 있을 것이다.

그런데 친구를 위하는 선한 마음으로 충고를 했는데, 그 후로 친구와 관계가 멀어지는 경우가 있다. 왜 그럴까? 어떻게 하느냐가 중요하다. 기분이 상할 수도 있고 자존심에 상처를 줄 수도 있다. 그래서 충고를 수용할지라도 방법이 잘못되면 소원해진다. 충고와 관련 공자님과 제자들의 대화 내용을 들어보자.

안연편 23장을 보자.

子貢問 友, 子曰 "忠告而善道 不可則止 無自辱焉"
자공문 우, 자왈, "충고이선도 불가즉지 무자욕언"

자공이 친구와 교류하는 법에 대해 묻자, 공자가 말하기를, "친구에게 충고하여 선한 길로 인도하다가 불가하면 즉시 중지해라. 욕을 먹지 않아야 한다."

이인편 26장을 보자.

子游 曰, "事君數 斯辱矣 朋友數 斯疏矣"
자유 왈, "사군삭 사욕의 붕우삭 사소의"

자유가 말하길, "임금을 모실 때 자주 충언하면 모욕감을 느낀다. 친구에게도 너무 자주 충고를 하면 관계가 소원해질 것이다."

아무리 친한 친구일지라도 선한 방향으로 인도하려는 좋은 의도로 충고를 하되 상대가 받아들이길 거부하면 즉시 충고를 멈추라는 말이다. 친구가 기꺼이 받아들일 자세가 되어 있지 않으면 충고가 아닌 비난이나 지적으로 들리기 때문이다.

충고나 조언은 비단 친구뿐 아니라 가정생활이나 사회생활 하면서 부부간, 형제간, 동료 간, 상사나 부하 간 모든 관계에서 충고성 대화가 오간다. 하지만 충고는 잘해야 본전이고 잘못하면 독이 되어 관계에 금이 가거나 깨지기도 한다.

공자의 제자 자유의 충고에 관한 내용도 본질은 같다.

신하가 임금에게 고하는 충언과 직언은 일종의 충고다. 올바른 신하라면 당연히 임금의 잘못된 국정과 행동에 대하여 충언을 해야 한다. 하지만 효과를 거두려면 충언하는 방법을 제대로 알아야 한다는 거다. 자칫하다간 임금이 모욕만 느끼고 자신은 화만 당할 우려가 크다. 아무리 옳은 말이라고 여겨도 자주 하면 짜증과 화가 나기 마련이다. 인간은 감정의 동물이기 때문이다. 더구나 지존(至尊)이라 여기는 임금 앞에서의 충고는 신중해야 하며 상황에 맞는 기술이 필요하다는 의미다. 상대가 듣지 않으면 바로 중지하라고 했다.

그럼 충고는 어떻게 해야 가장 효과적인지, 방법과 유의 사항에 대하여 알아보자.

첫째, 상대방의 마음을 상하지 않도록 조심해야 한다. 아무리 훌륭한 충고일지라도 상대방의 자존심을 건드리지 않도록 예의 있게 조언해야 한다. 비록 아랫사람이라도 마찬가지다. 그래야 상대가 수용하고 고맙게 여기며 신뢰 관계가 더욱 돈독해진다.

둘째, 마치 선생이 학생에게 가르치듯이 하면 금물이다. 불쑥불쑥
"야! 그렇게 하면 안 돼!"
"이보게! 남들이 욕하네. 다음부터는 그런 행동을 하지 말게." 이런 식이면 반감만 사게 된다.
가령 간접 방식으로 '나 중심' 화법(話法)인데
"나의 경우엔 이렇게 해 보았는데 효과가 있더라. 이렇게 해보면 어떨까? 유효할 수도 아닐 수도 있지만! 밑져야 본전이라고 한번 시도해 봐! 혹시 알아? 의외의 효과가 있을 수도!"
이렇게 하면 거부감 없이 받아들인다. 내용 면에서 충고지만 방법으

로 보면 의견 제시 형식이다.

셋째, 정확한 정보를 바탕으로 한 조언은 올바른 결정을 하는 데 도움이 되지만, 부정확하거나 잘못된 정보에 의한 충고는 오히려 해를 입히게 된다. 명확한 정보를 기반으로 해야 한다.

넷째, 상대방의 성격에 따라 달라질 수 있는데, 속에 있는 것을 훌훌 털어 버리듯 가슴을 열고 터놓고 말할 수 있도록 유도해야 한다. 여기엔 그 누구한테도 전달하지 않는다는 믿음이 있어야 하고 한편으론 경청하는 자세를 가져야 한다.

터놓고 말할 때 스스로 그 안에서 답을 찾을 수도 있고, 충고자도 적절한 조언을 할 수 있다.

다섯째, 가장 효과 있는 충고는 상대가 충고해 달라고 요청할 때다. 상대가 원치도 않는데도 오지랖 넓게 충고를 하면 충고가 아닌 간섭이나 쓸데없는 참견이 된다. 도움은 고사하고 욕만 돌아온다.

마지막으로 당연히 둘이 있을 때만 해야 한다. 다른 사람이 있으면 모욕당하는 기분이다.

꼭 해야 할 필요성을 느낄 때는 한두 마디 꺼내면서 상대가 마음의 문을 열고 기꺼이 받아들일 자세가 되어 있는지를 파악해야 한다. 조금이라도 수용의 자세가 되어 있지 않다면 즉시 중지하고 화제를 돌려야 한다. 위 공자(孔子)와 자유(子游)의 지론이 바로 그것이다.

충고는 될 수 있으면 하지 않는 것이 좋다고 한다. 꼭 해야만 하는 경우는 나와 직접적인 관련이 있어서 하지 않으면 나에게 영향이 미칠 때와, 동시에 상대에게도 효과를 거둘 수 있도록 위 방법들을 동원해야 할 것이다.

어쨌든 충고는 신중해야 한다. 혹 떼려다 혹을 붙이면 되겠는가?

겉모양에 너무 치중하지 말라
(志道勿恥惡衣惡食)

겉모양에 너무 신경 쓰다 보면 일의 본질이 흐려질 수 있다. 외양은 타인에게 무례하지 않으면서 본래의 용도에 충실하면 그만이다. 타인을 의식하다 보면 쓸데없는 외양에 자기를 잃어버리는 중대한 착오를 범한다. 자존감이 충만하면 비록 남루한 옷을 입어도 당당할 수 있고 움츠러들지 않는다. 싸구려 옷을 입어도 소형차를 몰아도 창피하게 여길 이유를 못 찾는다. 그것은 사치일 뿐이라고 생각한다.

논어 이인편 9장을 보자.

> 子曰, "士志於道 而恥惡衣惡食者 未足與議也"
> 자왈, "사지어도 이치악의악식자 미족여의야"

공자께서 말씀하길, "선비가 도(道) 즉, 진리 탐구에 뜻을 두고서 거친 옷과 거친 음식을 부끄러워한다면 그런 사람과는 도를 논의하기에는 부족하다."

좀 더 이해의 폭을 넓혀 보자.

'진리를 탐구하고 의(義)와 인(仁)을 실천하고 배우는 사람이 값싼 옷과 맛없는 음식에 대하여 창피하게 여길 정도의 인물이라면 도를 논하기엔 부족하다.'라는 의미다.

공자는 평생을 인과 의를 실천하면서 도정(道程)은 진리에 대한 깨달음이었다. 제자들의 삶의 지향점도 인간다운 삶이었다. 적어도 선비로서 진리를 향한 여정에 함께하는 사람이라면 옷의 남루함이나 먹을 것의 좋고 싫음에 초연해야 한다는 것이다.

겉치레에 더 많은 관심을 두게 되면, 외양에서 상대보다 차이가 날 때 창피하게 여기게 되고 위축을 느낀다. 이런 사람은 역으로 상대가 자기보다 값싼 외양이라면 무시하게 된다. 일의 본질은 사라지고 겉치레가 주인공이 되는 우를 범한다.

합리적, 실용적 사고의 공자는 현대인들에게 이렇게 충고할 것이다.

"귀하와 마주 앉은 상대가 재벌이든, 고관대작이든 중소기업 대리든, 테이블 위에 놓인 의제는 '의(義)와 인(仁)'이다. 상대가 고급 승용차를 타고 왔으며 고급 브랜드의 비싼 옷을 입고 왔든 귀하가 신경 쓸 일이 아니다. 귀하가 값싼 시장 옷을 입고 있다고 한들 위축될 이유는 없다. 지금의 의제에만 집중하면 된다. 귀하는 인과 의를 실천해 온 군자가 아니던가? 여기서 값싼 옷과 소형차에 위축되고 부끄럽게 여긴다면 군자가 아니고 소인배임을 증명하는 셈이다."

독자들은 누구든 군자가 될 자질이 있다. 군자의 길을 가면 된다. 자기 수양에 힘쓰고 사람답게 사는 도리를 충실히 지키고 살면 군자다. 타인을 배려할 줄 알고 공감할 줄 알며 이웃과 더불어 살아가는 공동체 의식도 갖추고 있으니 군자다.

이런 인격의 소유자라면 상대의 부가 많든 적든, 누구든지 자신의 의지대로 살아가면 그만이다. 차별 없이 대하고 인격자로서 적절한 대응을 하면 되는 거다. 이러니 위축될 이유가 전혀 없다. 외양에 최소한의 예의만 갖추면 된다. 상대가 누구든 전혀 관계없다. 이런 사람이 자존감이 있는 사람이다.

외양이 누추하다 하여 위축된다면 남의 평가에 울고 웃는 타인의 꼭두각시가 되는 거다. 평생을 주인으로 살지 못하고 평가받는 하수인으로 굴종하며 살게 된다.

앞에서 선비는 선비답게 자존감을 느끼고 물질에 초연해야 도를 논할 수 있다고 했다. 공자는 21세기를 살아가는 대한민국의 독자들에게 묻는다.

"귀하가 성직자라면 권력과 멋진 패션을 탐낼 수 있겠는가? 그렇다면 빨리 성직자의 길에서 나와 다른 길로 가시라. 그것만이 귀하가 살길이다."

"귀하가 공직자와 정치인이라면 공직자의 사명은 무엇이며 왜 정치인이 되었는지를 돌이켜 본다면, 돈을 탐내고 권력을 탐낼 수 있겠는가?

탐낸다면 다른 길로 빨리 갈아타야 한다. 그것이 귀하와 나라를 살리는 일이다."

"귀하가 시민이라면 안빈낙도의 삶을 즐긴 공자의 수제자 안회처럼 살아갈 수 있겠는가? 인간다운 삶의 방식을 따르면 당당해질 수 있고 가난해도 여유를 찾을 수 있다. 긍정적으로 사고하고 지속적인 실천을 하면 가능하다."

안회처럼(공자의 수제자) 단표누항이란 즐김의 철학에는 미치지 못한다 해도 기왕이면 있는 지금의 모습에서 즐거움을 찾는 것이 지혜로운 사람의 처신이 아닐까!라고 현재의 방식으로 해석해 보자. 쉽지 않은 일이지만, 삶의 방식도 여유를 찾을 수 있도록 바꿔 보고, 마음도 바꿔보는 훈련을 하면 조금씩 조금씩 변해 갈 수 있다.

외양도 멋지게 가꾸지 말라는 말이 아니다. 멋진 옷을 입고 싶은 것은 본능이다.

옷이 날개라는 속담도 있지 않은가? 다만, 옷이 초라하다 하여 부끄럽게 여기지는 말자는 거다. 내용이 실하면 껍데기는 신경이 별로 안 쓰이는 법이다. 그러니 내용을 먼저 채우자는 의미도 내포되어 있지 않을까?

군자의 길은 내가 가고 있는 길의 바로 옆길이다. 방향을 틀어 그 길을 따라가면 된다. 조금은 힘들지라도, 가다 보면 희열을 맛볼 것이다!

•

이름값
(君君臣臣父父子子)

이름값이란 말이 있다.

부모라는 이름 선생이란 이름, 자식, 제자, 사장, 직원, 학생, 등 이름은 종류가 수만 가지다. 부모는 부모다워야 한다. 부모답기 위해서는 부모의 책임과 의무를 다해야 한다. 자녀에게 모범을 보일 수 있는 행동을 하여야 하고 자녀를 올바른 사회인으로 적응할 수 있도록 키워야 한다.

유교에서는 이런 '~다울' 수 있는 것을 정명론이라고 한다.

모든 사물이나 사람은 이름이 있고 이름대로 행동하고, 명분에 따른 역할과 임무를 완성한다.

안연편 11장을 보자.

> 齊景公問政於 孔子, 孔子對曰, "君君臣臣 父父子子."
> 제경공문정어 공자, 공자대왈, "군군신신부부자자."
> 公曰, "善哉! 信如君不君 臣不臣 父不父 子不子 雖有粟 吾得而食諸"
> 공왈, "선재 신여군불군 신불신 부불부 자불자 수유속 오득이저"

제경공이 정치에 대하여 공자에게 묻자, 공자가 말씀하시길, "임금은 입금다워야 하고, 신하는 신하다워야 하며, 아버지는 아버지다워야 하고, 자식은 자식다워야 합니다."

경공이 말하길, "좋습니다. 임금이 임급답지 못하고 신하가 신하답지 못하며, 아버지가 아버지답지 못하고 자식이 자식답지 못하면, 비록 곡식이 있은들 내가 그것을 먹을 수 있겠습니까?"

공자가 제나라를 방문했을 때 경공이 공자에게 정치적 자문을 구하자, 공자가 답한 말이다.

이름값을 하며 산다고 하는 것은 전혀 쉽지 않은 일이다. 답다는 말은 책임과 의무, 그리고 역할에 충실해야 한다는 것을 의미한다.

임금은 입금으로서의 지켜야 할 책임과 의무가 있고, 신하와 백성에게 지켜야 할 도리가 있다. 그 책임과 역할을 충실히 이행해야 임금의 자격이 있다고 경공에게 말한 것이다. 당시 학식과 덕망이 매우 부족했던 경공으로서는 뜨끔했을 것이다.

가정에서도 남편은 남편의 역할과 아내에 대한 도리를 충실히 지키고 아내도 같은 조건으로 아내다울 때 부부가 화목하게 지낼 수 있을 것이다.

이 문장은 모든 사람과 사물에도 그대로 적용된다.

자녀가 자녀다워지려면 부모에게 효도해야 하고 자식으로 해야 할 도리를 지켜야 한다.

자식이 부모보다 더 많이 배우고 사회적 지위가 높다 해서 늙은 부모를 가르치려 든다거나, 인터넷이 서툴다고 하여 꾸중해서야 자식이라고 할 수 있을까?

아무리 부모가 늙고 볼품없이 보여도 부모는 부모다. 부모 앞에서는 자식의 사회적 위치가 어떻든 부모 자식 관계를 우선할 수 없다. 따라서 부모가 모르는 문제가 있다거나, 서툰 것이 보인다면 공손하게 차근차근 자녀의 예를 갖춰 알려 드려야 한다. 그래도 부모님이 이해를 못 하는 상황이면서 완전한 이해를 구하는 눈빛이면, 이해할 때까지 설명해 드려야 한다. 그것이 자식다운 거다.

2023년 현재를 보자.

대통령이 대통령다운 역할을 하고 있으며 국민에게 약속한 공약을 성실히 지키고 있는지? 국민에게 도리를 다하고 있는지, 국민은 주권자로서 질문을 던지고 따져 볼 자격이 있다. 대통령뿐 아니라, 모든 공직자도 자문해 보아야 한다.

가정에서 "나는 남편으로서 남편다운지? 자식다운지? 형 노릇은 잘하는 건지?" 수시로 질문을 던지며 성찰해야 한다.

직장에서도 마찬가지다. 이사로서 부장으로서, 대리로서 '답다'는 말을 충분히 들을 자격이 되는지? 자문자답해야 한다.

옹야편 23장에서도 이름값에 대한 이와 유사한 대화가 오간다.

子曰, "觚不觚, 觚哉, 觚哉?"

자왈, "고불고 고재고재?"

공자께서 말씀하시길, "네모난 술잔이 네모나지 않으면, 네모난 술잔이겠는가? 네모난 술잔이겠는가?"

고는 배 부분과 다리 부분에 네 개의 모서리가 있는 제례용 술잔인데, 술잔을 1번 바칠 때 손님과 주인이 서로 100번 절하는 것이 예법이라고 한다. 후대에 사람들이 술에 취하여 예법이 엉망이 되자 공자가 이를 개탄하는 말이라고 풀이한 학자도 있다.

지켜야 하는 예법을 지키지 않음을 한탄하며 네모난 술잔으로 비유했다고 하면 일면 일리가 있긴 한데, 조금 무리가 있는 듯싶다.

이름에 부합해야 하는 정체성과 용도의 적합성을 따진 것으로 봐야 하지 않을까?

어쨌든 보는 각도에 따라 해석은 다양하게 할 수 있다.

필자는 필자대로 고전을 현재에 가장 부합하는 방식으로 적용하여 성찰의 계기로 삼는 것이 중요하다고 생각한다.

동그라면 동그란 잔이라고 하고, 육각이면 육각 잔이라고 하여야지, 네모난 잔이라고 하면 안 된다는 말이다.

각자 이름에 맞게 본분과 위치에서 맡은 바 임무를 다해야 한다는 것이다.

만약 단감은 달아야 제맛이고 그것이 단감의 정체성이다. 단감이 달지 않으면 단감이라고 할 수 없다. 그냥 감이다. 식초가 시지 않으면 식초가 아니듯이!

늘 이름값을 제대로 하는지 묻고 또 물어야 그나마 명실상부에 가까워질 것이다.

신뢰를 잃으면 어떤 것도 할 수 없다 (民無信不立)

부부지간에 믿음이 무너지면 원만한 가정생활을 도모하기 쉽지 않다.

신뢰를 회복하지 않는 한 쇼윈도 부부로 살게 된다. 형식적 부부관계는 외로움을 동반하며, 마음이 멀어지면 남과 다를 바 없다.

친구지간에 신뢰가 깨지면 아예 관계가 깨진다. 만날 이유가 사라지는 거다. 그만큼 인간관계에 신뢰는 중요하다. 정치 지도자와 국민 간에도 마찬가지다.

안연편 7장을 보면 제자 자공이 공자에게 정치적 자문을 구하는 장면이 나온다. 자공은 공자보다 31세 연하로 정치적 수완이 출중하여 노나라 와 위나라의 재상을 지냈으며 사업 수완도 뛰어나 공자에게 경제적 도움도 많이 준 것으로 알려져 있다. 사마천의 『사기』 중 「공자세가」에 보면 공자가 죽기 일주일 전에 자공이 찾아오자 자공에게 "왜 이리 늦었느냐."라며 탄식하고 유명한 마지막 노래를 불렀다고 한다.

그만큼 공자가 아끼는 제자 중 하나였다.

그럼 안연편 7장을 보자.

子貢問政 子曰, "足食 足兵 民信之矣"
자공문정, 자왈 "족식 족병 민신지의"
子貢曰, "必不得已而去 於斯三者 何先" 曰, "去兵"
자공왈, "필부득이이거 어사삼자 하선" 왈, "거병"
子貢曰, "必不得已而去 於斯二者 何先" 曰, "去食 自古皆有死 民無信不立"
자공왈, "필부득이이거 어사이자 하선" 왈, "거식 자고개유사 민무신불립"

자공이 정치에 대해서 묻자 공자께서 말씀하시길, "식량을 충분하게 하고, 군대를 강하게 하며 백성의 신뢰를 얻는 것이다."

자공이 다시 묻기를 "만약 부득이해서 반드시 세 가지 중 하나를 빼야 한다면 무엇을 빼시겠습니까?" 공자께서 말씀하시길, "군대다."

자공이 다시 묻기를 "만약 부득이해서 둘 중에서 꼭 하나를 더 뺀다면 무엇이 해당됩니까?" 공자가 말씀하시길, "식량이다. 예부터 모두가 죽음은 어쩔 수 없다. 그러나 백성의 신뢰를 잃으면 설 수 없다."

정치 지도자로서 국가를 운영하는 가장 중요한 요소로 민생경제, 국방, 국민의 신뢰를 꼽았다. 이 중 만부득이 덜 중요한 것을 선택한다면 군대요, 그다음이 식량이며, 가장 중요한 요소는 백성의 신뢰라고 했다. 그만큼 지도자에 있어서 믿음을 잃는 순간 돌이킬 수 없다는 거다. 군대는 없어도 식량은 없어선 안 되고, 군대와 식량은 잠시 없어도 회복할 수 있으나, 국민의 신뢰가 무너지면 전체를 잃는 것과 같다고 한 것이다.

오늘날 정치인에게 물으면 첫째도, 둘째도, 셋째도 민생 경제(식량)라고 한다.

여론을 의식한 판에 박힌 답변이다. 그러나 국민에게 신뢰를 주지 못하는 지도자가 아무리 민생 경제를 외치고 국방력을 강화하여 세계적 최강국이 된다고 호언한들 믿겠는가? 공염불에 불과한 것이다.

공자의 진의는 정치 지도자에게 있어서 신뢰는 가장 중요한 덕목임을 강조한 것으로 오늘날에도 다를 것은 없다. 아마도 공자가 2023년 대한민국을 방문하여 같은 질문을 받아도 똑같은 답을 할 거라고 본다.

신뢰는 그 사람을 현 위치에서 지탱시켜 주는 뿌리다. 신뢰가 완전히 무너지면 아무 일도 못하는 식물인간이 된다. 가정이나 직장에서도 마찬가지다.

공자는 제자 자공이 정치적 수완이 뛰어나 재상을 역임하고 있으나, 신뢰를 얻는 것에는 장담할 수가 없었던 모양이다. 자공이 똑똑하고 출중하긴 한데, 반면에 좀 부족한 사람을 보면 너그럽게 대하지 못하고 날카롭게 비판하는 모습에서 혹시나 신뢰에 금이 갈 것을 우려한 듯하다. 비단 자공뿐만 아니라 모든 사람에게 적용되는 덕목이다.

정치인에게 있어서 신뢰 형성을 하기 위해서는 무엇이 뒷받침되어야 할까?

첫째, 진실과 사실만을 말하고 혹시나 실수를 하면 솔직하게 잘못을 시인하고 사과하며 동일한 잘못을 하지 말아야 한다. 대충 변명으로 얼버무리거나 구실을 만들어 회피하려는 태도는 신뢰를 버리는 행동이다. 이렇게 되면 잠시 살아 있는 듯하나 신뢰가 깨졌기 때문에 오래 못 간다. 믿음을 주지 못하는 사람에게서 무엇을 바랄 수 있을까? 책임질 수 없는 말은 당초부터 하지 말라고 하지 않던가?

그러나 설령 자신의 의도와 다르게 결과적으로 국민적 비판에 직면했을 때는 억울한 측면이 있어도 겸허히 수용하고 정치계를 떠나겠다는 결단과 책임성도 보여 주어야 한다. 면피성 퇴진이 아니라 진정으로 물러나야 한다. 그러나 후에 결백이 입증되면 반드시 기회는 온다. 국민이 다시 나와 달라고 요청한다.

신뢰 관계가 형성되었기 때문이다. 잠시 죽는 것 같지만 다시 살아 돌아올 수 있다.

둘째, 자신이 약속한 바는 반드시 실천하여야 한다. 특히 공약은 국민과의 공적인 약속이다. 약속을 철저히 지키되 지키지 못한 공약은 왜 지키지 못했는지 타당하고 납득할 만한 이유를 제시하여야 한다. 나아가 처음부터 지키지 못할 약속은 하지 말아야 한다.

이 두 가지만 잘 지킨다면 성공적인 정치인이 될 수 있다.

현실은 이 간단한 것 같은 실천이 어려운가 보다. 이렇게 하면 국민이 신뢰한다.

국민으로부터 신뢰받는 정치인이 실패하긴 어렵다.

오직 양심에 부끄러움 없고 정직을 신조로 여기며, 멀리 보고 크게 보는 눈으로 살아간다면 인생의 一樂을 달성한 셈이다. 떳떳하고 당당한 삶이 될 것인가?

아니면 부끄러운 삶으로 숨어 살 것인가? 정치인 그대들이 결심만 하면 된다.

맹자의 인생삼락(三樂) 중 하나를 복기해 보자.

> "하늘을 우러러 땅을 굽어보아도 부끄러움이 없다면 이 얼마나 즐거운 일인가?"

•

허물을 고침에 꺼리지 않는다 (勿憚改過)

잘못하고도 고치기는커녕 사과조차 안 하는 사람들이 있다. 사과하면 자기가 무너진다고 생각하기 때문이다. 권위적이고 자존심만 강하고 자존감이 없는 사람들의 특징이다. 사람들은 오류투성이다. 그것이 정상이다. 완벽한 것 같은데 지나고 보면 실수도 하고 잘못도 저지르고 남에게 본의 아니게 피해를 주기도 한다. 자신도 모르는 사이에 결과가 그렇게 되는 경우도 있다. 그것이 사람 사는 세상이다. 그래서 모르는 것 같으면 알려 주어야 한다. 그렇게 하는 것이 스승의 역할이다. 여기에서 스승은 내가 알고 있는 모든 사람이다. 나의 자녀가 될 수 있고, 나의 친구가 될 수 있다.

잘못을 알려 주면 즉시 고치는 데 주저하지 말아야 발전한다. 오늘보다 내일이 조금이라도 낫다. 고치는 데 꺼리면 답보하거나 퇴보한다. 시간이 오래 흘러 노인이 되면 환영받지 못하는 늙은 꼰대가 된다.

잘못한 것이 문제가 아니라, 그것을 고치지 않는 것이 진짜 잘못이라고 했다. (子曰, 過而不改 是謂過矣)

공자는 제자 안연을 무척이나 좋아했다. 안연은 잘못을 알면 즉시 고치는 데 주저함이 없었기 때문이었다. 저지른 잘못을 두 번 다시 되풀이 하지 않았다고 한다. 필자는 세 번, 네 번 되풀이한 것 같은데 아직 멀었음을 통감한다.

학이편 8장에서 배움에 임하는 바람직한 자세에 대하여 설명하고 있다.

> 子曰, "君子 不重卽不威 學卽不固 主忠信 無友不如己者 過卽勿憚改"
> 자왈, "군자 부중즉불위 학즉불고 주충신 무우불여기자 과즉 물탄개"

공자께서 말씀하시길, "군자가 신중하지 않으면 위엄이 없으며, 배워도 견고해지지 않는다. 충과 신을 위주로 하고 나보다 못한 자를 벗하지 말 것이며 허물이 있으면 고치는 것을 주저하지 말아야 한다."

첫째, 군자는 신중하지 않게 행동하면 경솔해져 권위를 잃게 된다. 권위가 없으면 믿음도 약해진다. 그래서 항상 말과 행동을 신중하게 해야 한다. 즉흥적으로 말하는 습관과 행동을 억제하고 생각하면서 말하고 행동하는 습관을 만들어야 한다. 말과 행동을 통하여 모든 것이 드러나게 되어 있다. 가치관과 신념, 그가 추구하는 이상(理想)도 엿볼 수 있다.

둘째, 배워도 견고함이 없다는 말은 해득이 좀 어렵다. 전후 맥락을 살펴 파악해 보자.

배움에 신중함이 빠져 있다면 배움을 허공에 날려 버릴 수 있다는 뜻으로 해석된다. 공자는 한 가지를 배우면 하나로 꿰뚫어서 여러 가지를 알아 낼 수 있다고 하였다. 일이관지(一以貫之)다. 신중하고 깊이 있게 배움에 접근해야 통찰력을 갖는다는 거다. 배우고 배워도 통찰력이 없다면 허공에 날리는 꼴이 된다. 배운 만큼 정의로운 가치관이 확립되고, 인과 의로움을 실천할 수 있게 된다.

셋째, 충과 믿음으로 하루에 세 가지를 반성하라고 했다. 즉 주변인들과 친구 관계에서 믿음을 주지는 않았는지를 반성하고 전해 들은 바를 충분히 습득했는지를 반성하라고 했다. 그것을 바탕으로 나만 못한 사람을 벗하지 말란 말은 해석을 잘해야 한다. 공자 철학에 전반적으로 흐르는 인의(仁義)와 충(忠)과 신(信)이라는 사고를 중심으로 유추 해석해야 한다.

모두에서 언급했듯이 자기의 잘못이나 허물이 있으면 지적해서 고치게 하는 친구를 사귀라는 말로 해석해야 맥락상 타당성이 있다. 물론 충고의 법칙에 따라서 말이다. 그만큼 자기를 발전시키는 데 도움을 줄 수 있는 믿음 있는 친구를 사귀라는 말이다. 서로 보완해 주고 적절히 오류를 지적하여 고칠 수 있도록 도움을 주고받는 친구 관계를 가지라는 말이다. 가장 나에게 도움이 되는 방향으로 해석하는 것도 지혜 아닐까?

끝으로 허물을 발견하거나 알았거나 친구가 조언해 주면 고맙게 생각하고 즉시 고치는 데 꺼리지 말라는 거다.

허물이 있으면 솔직하게 시인하고 고치면 된다. 그것도 용기다. 자기 잘못을 고치는 기회로 삼아 개선하면 발전하지만, 자신의 치부가 드러남을 창피하게 여기고 변명을 하면 구차함만 가중된다. 변명은 개선의 훼방꾼이 되며 결국 자신만 손해 본다. 솔직하게 시인하고 고치면 일석이조가 된다. 타인으로부터 믿음도 사고 자신도 발전한다.

•

군자삼변 (君子三變)

사람은 누구나 다양한 모습이 있다. 안색을 통하여 그의 현재 상태를 가늠해 볼 수 있다. 기분이 좋은지 화가 나 있는지? 이렇게 상황에 따라 변하는 안색 말고 정체성을 알아볼 수 있는 얼굴을 비유하여 간판(看板)이라고 부른다.

한 사람이 일생 걸어온 삶의 궤적이 자연스레 얼굴에 새겨져 있기 때문에 간판이라는 비유는 매우 적절하다. 그래서 얼굴을 보면 그의 성격과 인격을 어느 정도는 짐작할 수 있다. 얼굴을 보면 놀부가 보이고 어떤 사람은 부처의 모습이 보인다. 나건방이란 사람은 처음 본 사람으로 명석하게는 보이는데 오만함이 묻어나는 얼굴이다. 관상이 별거 아니다. 그가 수십 년 살아온 삶의 태도가 얼굴로 나타나지 않을 수 없으니 그를 상징하는 대표 요소로 얼굴만 한 것이 있을까?

요즈음 어른이 부재한 시대라고 한탄들 한다. 나이와 학식은 많은데 인격이 없으니 어른으로 부를 수 없는 것이다. 근엄한 카리스마를 갖고 있으면서도 온화하고 따뜻한 성품으로 모든 이를 사랑할 줄 알며 일을 처리함에는 사리와 공사가 분명하여 뭇사람들로부터 존중과 존경을 받는 사람이 어른이라 할 수 있는데, 자하가 말하는 군자삼변(君子三變)의 모습을 갖춘 사람이 어른이라고 보면 될 듯싶다.

자장편 9장을 보자.

> 子夏曰, "君子有三變 望之儼然 卽之也溫 聽其言也厲"
> 자하왈, "군자유삼변 망지엄연 즉지야온 청기언야려"

자하가 말하기를, "군자는 세 번 변하는데 멀리서 바라보면 엄숙하고 다가가서 보면 따뜻해 보이고, 그 말을 들으면 엄격하다."

세 번 변한다고 표현했는데 변하는 것이 아니고 그렇게 보인다는 것이다. 멀리서 보면 근엄하게 보이는데 가까운 거리에서 보니 온화한 모습이다. 말하는 모습을 들어 보니 사리가 분명하고 확실하다고 했다. 이를 군자라고 했는데, 군자로 불릴 수 있는 사람은 나이에 상관없이 존중받을 자격이 있고 자연스레 존경받게 된다. 평생을 인의 정신을 실천하며 의(義)롭게 살아오다 보니 도(道)와 덕(德)을 갖추어 내면에서 흘러나오는 태도와 자세가 얼굴로 나타나는 것이다.

그래서 어른(군자)은 근엄하게 보이는 면도 있고 인(仁)의 정신이 박혀 있으니 온화하게 보이는 것이며, 일이관지(一以貫之)로 통찰력이 있으니 말을 하면 확실한 것이다.

말에서 확실한 모습을 보이면 신뢰가 형성된다. 하루아침에 형성될 수 없으니 하루도 빠짐없이 삼성(三省)하고 다음 날 실천하고 이런 하루하루가 이어져 10년, 20년, 30년이 흐르면 군자가 되어 있을 것이다. 최소한 준(准)군자는 되어 있지 않을까?

술이편 37장에 다시 한번 유사한 말이 나온다.

> "子 溫而厲[32] 威而不猛[33] 恭而安"
> "자 온이려 위이불맹 공이안"

"공자께서는 온화하면서도 엄숙하고, 위엄이 있으면서도 사납지 않으며, 공손하면서도 평안하셨다."

공자는 인의 정신이 체화된 사람이었다. 인의 정신은 타인을 자신처럼 생각하는 것이다. 그러니 모든 사람을 사랑하고 배려하고 존중하는 것이다. 자신이 자기를 존중하듯이 한다. 겸손하면서도 공손하다 보니 아부한다는 비난도 들었다. 겸손할 줄 모르는 사람의 눈에는 공자의 예의가 아부로 보였나 보다. 공자 스스로 공손하면서도 절제를 하지 못하면 부작용이 일어난다고 했다. 공자는 아부할 사람이 아니다. 임금 앞에서도 할 말을 다 한 사람이다.

온화하면서 엄숙하다는 말은 사람이 좋아 평소에는 이래도 홍 저래도

---

32) 厲: 엄숙할 려. 엄정할 려.
33) 猛: 사나울 맹.

홍하면서도 결단을 내릴 시기에는 단호하게 결단을 내릴 줄 아는 사람이다. 그래야 믿음을 준다.

위엄이 있으면서도 사납지 않다는 말은 신중하게 행동하되 따뜻하게 대하여 사람들에게 다가올 수 있게 했다는 말이다. 대인관계를 원만하게 했다는 의미로 해석할 수 있다. 또한 공손하면서도 사람을 편안하게 품을 줄 알았단 말이다.

너무 위엄만 있으면 사람들이 다가갈 수 없다. 위엄은 잃지 말되 소탈함과 너털웃음을 지으며 쉽게 다가올 수 있도록 넓게 품어 주는 아량이 겸비되어야 한다.

제자들과 주고받는 대화를 보면 거리낌 없이 문제를 제기하고 답하는 장면이 나온다. 여기에서 스승인 공자의 소탈함과 권위 의식이 없음을 엿볼 수 있다.

아버지가 엄숙하기만 하고 온화함이 없다면 자녀들과 소통이 잘 안 된다. 엄숙과 온화의 조화, 위엄과 따뜻함의 조화, 공손과 편안함의 조화가 참스승, 어른의 모습이다. 자녀가 어긋날 때 잘못에 대해 꾸짖음은 단호하게 하되 잠시 시간을 두고 자애롭게 품어 주는 자세가 자녀를 올바로 키운다고 했다. 부모에 대한 믿음이 생기는 것이다. 이것이 위엄과 따뜻함의 조화 아닐까?

극기복례 (克己復禮)

중학교 시절에 '극기복례'라는 사자성어를 들어 본 적이 있다. 사무실마다, 학교 급훈으로도 쓰여 교실 후면에 액자로 걸었던 기억도 난다. 극기하여 복례를 제대로 실천한다면 세상이 평화롭고 행복할 것이다. 논어에 나오는 모든 문장이 중요하지만, 극기복례는 핵심 중의 핵심이라고 말할 수 있다.

논어 안연편 1장을 보자.

> 顏淵問仁, 子曰, "克己復禮爲仁 一日克己復禮 天下歸仁焉 由己而由人乎哉"
> 안연문인, 자왈, "극기복례위인 일일극기복례 천하귀인언 유기이유인호재."
> 顏淵曰, "請問其目" 子曰, "非禮勿視 非禮勿聽 非禮勿言 非禮勿動"
> 안연왈, "청문기목" 자왈, "비례물시 비례물청 비례물언 비례물동"
> 顏淵曰, "回雖不敏 請事斯語矣"

안연왈, "회수불민 청사사어의"

안연이 인에 관하여 묻자 공자께서 말씀하시길, "자기를 극복하고 예로 돌아가는 것이 인을 행하는 것이다. 하루라도 자기를 이기고 예로 돌아간다면 천하가 인으로 돌아가게 된다. 인은 자기로부터 말미암은 것이지 다른 사람으로부터 말미암은 것이겠는가?"

안연이 말하길, "그 구체적인 항목은 무엇입니까?" 공자께서 말씀하시길, "예가 아니면 보지 말고, 예가 아니면 듣지도 말 것이며, 예가 아니면 말하지도 말 것이며, 예가 아니면 움직이지도 말라."

안연이 말하길, "비록 제가 영민하지 못하지만 이 같은 선생님의 말씀을 받들겠습니다."

공자 사상의 핵심은 인(仁)이다.

극기는 자기를 이기는 것인데, 자기와의 싸움이 가장 어렵지 않은가? 자기의 모든 욕망으로부터 자유로워야 극기를 할 수 있는데, 본능인 욕심을 물리친다는 것이 얼마나 어려운 일인가? 세상의 모든 문제가 욕심으로부터 발생한다. 권력욕, 쾌락욕, 명예욕, 재산욕, 색욕 등 모두가 자기에게 이익을 추구하는 이기심으로부터 나오는데 그 이기심을 극복하는 것이 선결 과제다. 그런 연후에 예로 돌아가라는 말인데 예(禮)는 인(仁)과 상통하는 면이 있다.

『예기』 유행편에 보면 예란 '인이 겉으로 드러난 것이다.'라고 설명하고 있다. 인을 실천하는 것이 예라는 것이다. 극기복례는 자기의 이기적 욕심을 버리고 인을 실천하는 것이란 말이니 욕심을 버리고 타인을 사랑하며 배려하고 존중하는 삶을 살라는 것이다. 얼마나 아름답고 숭고한 일인가? 그러나 너무 어렵다.

자기의 욕심을 채우기 위해서 남과 경쟁하고, 이웃 나라를 침략한다. 패권 다툼도 결국은 이기적인 욕심의 발로다. 백성들의 안녕만을 생각한다면 전쟁을 일으킬 수 없다. 타인을 배려하고 존중하는 것을 국가로 확대하면 타국의 백성을 존중하고 배려하는 것이다. 우리가 그렇게 인의 정신을 실천하면 타국도 그렇게 한다.

인을 실천하는 구체적 항목이 무엇이냐는 안연의 질문에 예가 없으면 보지도 듣지도 말하지도 움직이지도 말라고 한다. 안연은 공자가 가장 아꼈던 제자다. 공자는 다른 제자들을 모아 놓은 자리에서 안연(안회)을 다음과 같이 칭찬하였다.

"안회는 석 달 동안 단 한 번도 인을 실천하지 않은 날이 없었고 다른 제자들은 하루에 한 번 혹은 한 달에 한 번 인을 실천하였을 뿐이다." 안회를 칭찬하면서 다른 제자들의 분발을 강조한 것으로 보인다. 그만큼 인을 실천한다는 것은 어렵다.

앞서 언급했듯이 예는 인의 실천이다. 인을 행동으로 보여 주지 않으면 상대하지 말라는 것이다. 그런데 여기서 주의해야 할 점은 인의 출발점은 남이 아닌 바로 자기 자신이다. 예가 없으면 보지도 듣지도 말라 했지만, 자기가 먼저 인을 실천한 다음에 타인의 예의를 살피라는 것이 핵심이다. 남 탓하기 전에 우선 자기가 인을 실천하고 있는지를 보아야 한다. 모든 결과에 대한 책임은 자기 탓으로 돌리는 자세가 인의 시작점이다.

형제끼리 유산을 나눌 때 극기복례 정신을 실천하는 것은 내가 아닌 다른 형제들을 우선 존중하고 사랑하는 것이다. 나의 이기심을 버린다는 것은 3인이 2억을 나눌 때 산술적인 기준과 각자의 형편을 고려하여 내가 먼저 양보심을 발휘하는 거다. 3인의 재산 정도가 같다고 가정하면 6,666만이 된다. 이때 내가 우선 6천만 갖겠다고 선언하면 문제는 간단하다. 분란이 발생할 염려가 없다. 크게 양보한 것도 아니다. 물론 20억으로 해도 마찬가지다. 6억만 갖겠다고 하는 거다.

재산보다 몇십 배 더 큰 가치가 우애 아닌가? 돈으로 환산할 수 없는 가치가 인의 정신과 실천이다.

부부지간도 인의 정신으로 판단하고 실천하면 파열음이 나기 어렵다. 이기심을 물리치는 것이 사람이기에 쉽지는 않다.

인(仁)의 글자를 보자. 사람이 둘로 되어 있다. 세상은 혼자가 아닌 둘 이상이 살아가게 되어 있다. 집에서 부부가 살아도 2인이다. 집을 나가는 순간부터 2인 이상의 사람 관계 속에서 관계를 맺게 된다. 수십 명 수백 명이다.

그래서 서로 모든 부분이 다른 타인과 부딪히며 화목하고 즐겁게 살아가기 위해선 서로서로 인의 정신을 실천하지 않으면 매일 다툼이 일상사가 된다.

제자인 번지가 공자에게 "인이란 무엇입니까?"라고 묻자 "다른 사람을 사랑하는 것"이라고 했다. 인은 타인을 나와 같이 여기고 사랑하라는 거다.

타인을 나처럼 여기는 마음은 부처님의 자비 사상이요, 예수님의 사랑 정신이다.

그러니 이타 정신이 곧 인이다. 인은 충(忠)과 서(恕)라고도 했다. 진심으로 타인의 마음을 헤아리는 것이다.

운동선수가 훈련할 때, 극기 훈련을 한다고 하는 말을 많이 사용하는데, 물론 훈련 시에도 자기를 이기는 힘이 있어야 발전할 수 있다. 자기와의 싸움에서 극복하는 것은 육체적 훈련뿐 아니라 정신적으로 극복하는 것이 어쩌면 더 어렵고도 더 포괄적이다. 이기심을 버리는 행위이기 때문이다.

보통 사람들은 완전한 인격체가 아니기 때문에 매일 인을 실천하는 것은 어려운 일일지도 모른다. 하지만 극기복례의 정신을 살려 누굴 만나든, 하루에 한 번만이라도 인을 실천해야겠다는 각오로 행동으로 옮긴다면 세상은 조금은 평화로워질 것이다. 거창하게 생각하지 말고 인을 실천하는 쉬운 일은 없을까를 고민해 보자. 올해에는 꽃이 10일~15일 일찍 피었단다. 환경이 파괴되어 지구가 온난화되었기 때문이다. 기온이 제멋대로다. 겨울철의 특징인 삼한사온의 오랜 관례도 제대로 지켜지지 않고 있다. 환경을 보존하기 위해서 1회용품 사용이라도 줄여 보는 실천을 해 보자. 이것이 극기복례의 작은 한 방법이다. 이기심인 편리성을 버리고 남을 배려하는 것이 바로 환경 보존을 위해 힘쓰는 일이다.

남편은 아내를 아내는 남편을 배려하기 위해 음식물 쓰레기를 버리고, 잘못해도 비난이나 비판 대신 칭찬하는 말로 극기를 하여 인을 실천해 보자.

아주 작은 배려와 존중이 인을 실천하는 극기복례의 시작점이다. 어렵게 생각하면 아무것도 못 한다.

•

겉과 속의 조화 (文質彬彬)

외양과 내양

외양을 전혀 꾸미지 않는 사람을 소박하다고 높게 평가한 때가 있었다. 그러나 전혀 꾸미지 않는다고 해서 옷을 아무렇게나 입으라는 것은 아니다.

어떤 장소냐에 따라 최소한의 복장을 갖추어야 하고, 분위기에 어느 정도 걸맞은 옷과 외양에 신경을 써야 하는 것이 교양인의 자세다.

맞선을 보러 가는데 바탕이 훌륭하다 하여 구겨진 옷에 때가 묻은 꾀죄죄한 옷을 입는 것은 스스로 자신의 상품 가치를 떨어뜨리는 일이다. 고의로 퇴짜 맞으려는 의도가 없다면 말이다. 설령 그렇다면 나가지 말아야 한다. 다른 한 사람을 골탕 먹이는 일이 된다. 그렇지 않고 순수한 의도라면 상대에게 무례를 범하는 일이다.

잘 아는 후배가 자기의 먼 친척 중 한 분이 재산이 백억에 가까운 자산가인데도 옷을 마치 가난한 시골 촌부처럼 아무렇게나 입고 다녀서 누가 보면 비렁뱅이처럼 보인다고 했다. 이 역시 분수를 모르는 어리석은 자세다. 사치도 문제지만 지나치게 얼굴을 붉힐 정도로 마구잡이로 옷을 입는 것도 문제다. 상대를 불편하게 한다. 겉과 속이 어느 정도는 조화를 이루는 것이 가장 바람직하다.

논어 옹야편 16장을 보자.

> 子曰, "質勝文卽野 文勝質卽史 文質 彬彬然後 君子"
> 자왈, "질승문즉야 문승질즉사 문질 빈빈연후 군자."

공자께서 말씀하시길, "바탕이 외양보다 나으면 거칠고 외양이 바탕보다 나으면 억지로 꾸미는 것이다. 바탕과 외양이 잘 어울려야 군자답다."

외양의 아름다움과 내면의 빛남이 서로 잘 어울리며 조화를 이루어야 함을 말한 것이다. 어느 한쪽이 지나치게 빛이 나서 균형이 이루어지지 않으면 기우뚱하듯 내용도 중요하고 외양도 무시할 수만은 없다. 위에서 언급했듯이 내용이 충실해도 겉을 싸고 있는 외피가 튼튼치 못하거나 너무 투박하면 내용물까지 도매금으로 넘어가 같은 급으로 평가절하 받게 된다. 최소한의 제값을 인정받으려면 그에 맞는 외면을 갖추어야 한다.

부부가 애정은 품고 있는데 표현을 하지 않으면 절반의 완성에 머문다.

사랑하는 마음에 걸맞게 몸과 마음으로 실제로 행동해야 문질빈빈하게 된다.

약간은 각도를 달리하여 해석해 보자.

문(文)은 배움을 뜻하고 질(質)은 바탕으로 타고난 재주나 소질이다. 사람이 타고나는 것 자체는 대동소이하다고 한다. 단 만인만색이듯이 소질이 다르고 뛰어난 장점이 다를 뿐이다. 저마다 특별 장점이 다르기에 장점을 잘 살리도록 배우고 다듬고 익혀 문과 질이 어울려지면 최상의 빛이 날 수 있다는 거다. 문질빈빈이 된다.

그래서 사람이 늑대의 소굴에서 태어나 늑대와 같이 성장하면 질은 우수한데 문이 전혀 없어 야성(野性)은 하늘 높이 올라가고 문(배움)은 0에 가까워 바닥과 접해 있으니 야성만 발달한 야수와 같게 되는 거다.

그래서 아무리 타고난 재주가 많아도 문으로 바탕을 꾸며 주지 않으면 바탕이 쓸모없게 된다. 그래서 배움이라는 문이 중요하다. 학교 교육만이 문이 아니다. 삼인행(三人行)이면 필유아사(必有我師)가 아니라 삼인행이면 2인이 스승이듯이 10인행이면 9인 모두가 스승이다. 배우겠다는 의지만 확고하다면 배울 수 있는 환경을 스스로 찾아내고 만들어 내어 문(文)을 만들어가야 한다. 그래서 바탕과 조화를 이룰 때까지 끊임없는 학습이 이루어져야 균형이 이루어진다.

그래서 바탕도 중요하고 배움도 중요해서 문과 질이 적절히 균형을 맞추어 중용이 이루어져야 최고의 효용성을 지니게 된다. 끊임없이 문을 고양해 질과 균형점을 이루면 이후에는 문을 계속해서 가꾸고 만들어

가면 바탕에까지 영향을 미쳐 동반 상승하게 된다. 같이 성장하는 거다. 과일이 시간이 흐르면서 겉과 속이 같이 성장하여 완성체를 이루듯이! 바탕이 기본이 된 사람들은 학습이라는 도구를 통해 문이라는 내적 성장을 이루어 내야 한다. 내적 성장의 길은 무한대다.

내적 성장의 길

『논어』 자장편 7장에서 자하의 말을 들어 보자.

> 子夏曰, "百工居肆 以成其事 君子學 以致其道."
> 자하왈, "백공거사 이성기사 군자학 이치기도"

자하가 말하길, "많은 기술자가 공방에 거해야 그 일을 이룰 수 있고, 군자도 배워야 그 도를 이룰 수 있다."

내적 성장을 지속해서 이루기 위해서는 기술자들이 공방에서 기술을 연마해야 하듯이 도를 이루기 위해서는 학문을 통해서 만들어 가야 한다. 학이시습지면 불역열호아 하듯이! 끊임없이 배우고 익히면서 즐겁게 되면 내적 성장을 이루는 것이다.

특정 직업군들 예를 들어 판사나 검사들은 구조적으로 충분한 권력과 풍요로운 삶이 보장되니 문(文)의 필요성을 느끼지 못한다. 합격하면 직업에 필요한 기술만 익히면 된다. 그 외 판사나 검사로서의 전인격(全人

格)이 요구됨에도 불구하고 전인격에 요구되는 문을 이미 닫아 버리고 다시 열지 않는다면 문과 질의 균형이 이루어지지 않아 인격 형성에 제동이 걸린다. 자기들만의 성에 갇혀 있으니 그들만 자기들이 답보 상태인 줄 모른다. 스스로 깨달아 성(城)에서 나와 바깥세상 공부를 꾸준히 하고 보통 사람들보다 훨씬 더 성찰해야 자신들의 임무를 충실히 하는 데 도움이 된다.

배움과 결별하고 무게만 잡으면 그들의 바탕이 속이 빈 강정이 되는 것이다. 무식하고 칼만 휘두르는 조폭이 무섭듯이 법이라는 칼만 휘두르는 이들은 조폭과 다를 것이 없다. 아니 오히려 더 무섭다. 법의 이름으로 칼을 휘두르니 말이다.

누구든 내적 성장을 위해서는 고전을 학습하고 실천을 할 수 있는 기회를 만들어야 문질빈빈한 사람다운 사람이 된다,

이런 특수 직업군들의 문제는 당사자들 책임만은 아니다. 직업 특성과 관련된 환경과 구조적 요인이 얽혀 부지불식간에 질병이 된 것이다. 그래서 근본 처방을 위해서는 향후 인문 고전 강좌와 성찰할 수 있는 각종 프로그램을 개발하여 수시 및 정기적 교육을 통해 내적 성장의 기회를 강제화시키고 기타 제도로 보완하지 않으면 안 된다. 사람의 생명을 다루는 의사 같은 직업군도 마찬가지다.

•

용기와 예의 (見義不爲 無勇)

용기

행정부에서 대통령과 총리, 각부 장관의 권한과 역할이 규정되어 있는데, 총리가 대통령의 지시 없이 독단으로 대통령의 역할을 하는 것은 월권행위로 큰 문제가 된다. 대통령의 부인이 대통령의 역할을 하는 것은 월권행위일 뿐 아니라 국정농단이 된다. 영부인은 대통령의 아내일 뿐이다. 국정 최고 책임자의 동반자로서 편의상 제한적 범위 내에서 보조 역할을 하는 것이다.

회사에서 과장이 부장의 권한과 역할을 하면 부장을 무시하는 행위이며 월권으로 회사 내 질서가 무너지고 혼란을 초래한다.

위정편 24장을 보자.

子曰, "非其鬼而祭之 諂也.見義不爲 無勇也"
자왈, "비기귀이제지 첨야. 견의불위 무용야"

공자께서 말씀하시길, "그 귀신이 자기의 조상이 아닌데 제사를 지내는 것은 첨(부정한 짓이나 아첨)하는 것이고 의를 보고 행동하지 않으면 용기가 없는 것이다."

자기 귀신, 즉 자기가 마땅히 모셔야 할 조상도 아닌데 제사를 지내는 것을 아첨이라고 했다. 여기서 제사에 대한 상식을 알아야 해석이 쉬워진다. 고대 중국이나 우리나라에서는 제사장의 권한이 막강했다. 현재도 비슷하다. 집안의 장남이나 종손이 제사에 관한 일체를 주관한다. 차남이 돈이 많거나 사회적 지위가 높다고 해서 차남이 주관할 수 없다. 고대에는 제정일치의 사회여서 하늘에 제사를 지내는 것은 황제만이 할 수 있었다. 어디든 각 단위에서 최고 책임자가 제사장을 맡는다. 그래서 제후나 대부가 세력이 강하다 해서 왕만이 주관할 수 있는 하늘 제사를 주관하는 것은 나라의 질서를 무너뜨리는 행위다.

공자 시대에 중앙의 왕권이 약화되고 제후의 세력이 강해지면서 제후들이 스스로 왕이라 칭하고 하늘의 제사를 주관하는 모습을 보며 공자가 탄식했나 보다. 그래서 상관에게 잘 보여서 출세를 위한 발판으로 삼는 아첨이나, 세력을 이용하여 월권으로 세상을 혼탁하게 만드는 것 모두 부정한 짓으로 보았다. 부정한 짓을 보고도 제지하지 않는 것은 용기가 없는 것이라고 질타한 것이다.

세력이 막강한 제후에게 저지할 수 있는 사람은 거의 없다고 봐야 할 것이다.

여기서 공자가 말하는 교훈은 불의를 보면 최소한 어떤 작은 실천이라도 해야 용기가 있다는 거다. 알고도 용기가 없으면 아무런 행위를 못 한다.

거리에서 어린이나 노인을 이유 없이 폭행하여 돈을 빼앗는 사람이 있다고 하자.

분명 잘못을 저지르는 행위를 보았으면 무슨 방법을 동원해서든지 제지해야 옳다. 그러나 가해자의 보복이 두려워 쉽게 뛰어들지 못한다. 최소한 경찰에 신고 전화를 하든지, 주위 사람들과 협력하여 저지하려고 시도해야 피해를 최소화할 수 있다. 대통령이 나라의 권력을 사유화하여 매국하고 국정을 파탄으로 몰고 갈 때 시위 대열에 참여하여 나라가 더 이상 침몰할 수 없도록 저지하는 것도 용기 있는 행동이다. 이 모든 것이 실천하는 용기다.

예의

팔일편 15장을 보자.

> 子入大廟 每事問 或曰 "孰謂鄹人之子 知禮乎 入大廟 每事問"
> 子聞之曰 "是禮也"
> 자입태묘 매사문 혹왈 "숙위추인지자 지례호 입태묘 매사문"
> 자문지왈 "시례야"

공자께서 태묘에 들어가 매사를 물으니 누군가 말하길, "누가 추나라 사람의 아들이 예를 안다고 했는가? 태묘에 들어가 매사를 묻다니." 공자께서 이 말을 듣고 말씀하시길, "그렇게 하는 것이 예의다."

의식과 절차에 밝다고 소문난 공자가 초청받아 태묘에 들어가 제사를 지내게 되었을 때 하나하나 매번 물어보는 모습을 본 그 지방 사람이 흉을 보았나 보다. "예에 밝다고 하더니 아무것도 모르는 모양이네? 뭐 저렇게 꼬치꼬치 캐묻지?"라고 비아냥대니 한 말이다. 그것이 바로 예의라고 했다.

태묘는 우리나라의 종묘와 같이 임금들 조상을 모신 사당이다. 대략 제사의 절차와 형식은 정해져 있고 당시 중국의 각 지방도 대동소이했을 것이다.

아무리 공자가 예에 밝아도 지역마다, 집안마다 조금씩 풍속과 절차가 달랐을 것이다. 우리나라 제사 지내는 형식과 절차도 지역마다 집안마다 다르듯이!

공자가 중시하는 핵심은 바로 조금씩 다르므로 예의 본질을 가장 중요하게 여겼다. 조금씩이라도 다르기 때문에 타인을 배려하고 존중하는 것이 예의 핵심이라고 본 것이다. 그래서 자기가 알고 있는 대로 하지 않고 묻고 물어서 그 지방 특성대로 절차와 형식을 따른 것이다.

제사 지내 본 사람은 다 알 것이다. 음식 종류와 진열도 다르고 절차도 다르며 온갖 것들이 다른 것이 많다. 골간은 같은데 작은 뼈와 줄기는 다르다.

자칫 자기 방식으로 지내다가 갈등을 유발하게 된다. 그 집안 방식을 따르는 것이 예의 기본이라고 한 것이다. 몰라서 물은 것이 아니고 상대를 배려하고 존중하는 차원이다. 누군가 비아냥거린 그 지방 사람은 하나는 알고 둘은 모른 것이다.

지역마다 풍속이 다르고 살아가는 방식이 다르듯이 같은 지역에서도 집마다 특성이 각기 다르다. 그래서 가풍이라고 하고 지역 문화라고 하지 않는가?

의식주 다 다르다. 다른 것이 당연하다. 그래서 그 지방 그 지역의 풍습을 따라 주는 것이 최대한의 예인 것이다.

남의 집에 가서 감 놔라 대추 놔라 참견하는 것이 실례요, 오버인 거다.

•

아름다운 마을 선택법 (里仁爲美)

귀농, 귀촌하실 분들을 위한 참고사항이면서 도시에 살면서도 이웃과 재미있게 지내는 방법에 대하여 공자께서 말씀하신 것을 토대로 해석을 해 본다.

이인편 1장과 25장, 향당편 10장을 인용한다.

子曰, "里仁爲美 擇不處仁 焉得知" (이인편 1장)
자왈, "이인위미 택불처인 언득지"

子曰, "德不孤 必有隣" (이인편 25장)
자왈, "덕불고 필유린"

子曰, "鄕人飮酒 杖者出 斯出矣 鄕人儺[34] 朝服而立於阼[35]階" (향당편 10장)
자왈, "향인음주 장자출 사출의 향인나 조복이립어조계"

34) 나(儺): 역귀 쫓을 나.
35) 조(阼): 동편계단 조.

공자께서 말씀하시길, "마을에 어진 사람들이 많으면 아름답다. 어진 이들이 많지 않은 곳을 선택한다면 어찌 지혜롭다고 할 수 있겠는가?" (이인편 1장)

"덕이 있으면 외롭지 않고 반드시 이웃이 있다." (이인편 25장)

"마을 사람과 술을 마실 때, 지팡이 짚은 어른이 나가시면 따라 나갔다. 동네에서 굿을 하면 조복을 입고 동쪽 계단에 서 있었다." (향당편 10장)

현재에 적용해 풀어 보자.

첫째, 이사할 때 이웃이나 마을 사람들이 정이 오가고 서로 배려하고 도와주는 분위기가 형성되었는지를 살펴보아야 한다. 특히 위아래, 옆집이 더욱 그러하다. 도시도 마찬가지다. 아무리 각박한 세상인심이라지만, 이웃끼리 상부상조하면서 서로 배려하며 지낸다면 최소한 신문에 나는 흉악한 사건은 방지할 것이다. 웬만한 일은 대범하게 대폭 양보하고 먼저 손을 내밀면 상대도 다가온다. 나이에 관계없이 먼저 행하는 쪽이 성숙한 어른이다.

너무 현실적인 문제에만 매몰되지 말자. 투자 가치도 중요하고, 편의시설, 교통, 학교 등 따질 것이 많겠지만, 농촌의 전원생활을 즐겁게 영위하기 위해선 마을의 분위기가 아름다워야 하고, 어진 이웃을 잘 만나야 한다.

분위기가 아름답고 착한 이웃이란, 겸양지덕을 발휘하며 예전의 사회적 지위를 완전히 내려놓고 순수한 마을 주민만으로 시작해야 한다.

전통적인 예법인 최소한의 장유유서의 정신만은 살려 어른과 연장자를 예우할 줄 알되 연장자는 후배들을 아끼고 배려해야 한다. 대접받으려는 사람은 이 기본적인 소양에서 배제된다. 기쁨은 서로 나누고 고통은 서로 분담하는 측은지심의 발로도 필수다.

그래서 윗집, 옆집, 나, 모두 모두 아름다운 향기가 나면 마을 전체에서 아름다운 향기로 행복의 꽃이 핀다. 이것이 마을이 아름답다는 거다.

둘째, 마을이 향기 나고 아름다운 마을을 선택한 것은 자신의 지혜가 빛을 발한 것이다.

그러나 더욱 빼놓을 수 없는 것은 자기 자신이 먼저 덕을 베풀고 다가가야 한다는 거다. 덕을 베풀면 외롭지 않고 이웃이 생긴다고 했다. 그러므로 자연스레 친구가 생긴다.

노년의 친구는 가까운 거리일수록 좋다. 멀리 떨어져 있으면 만나기가 힘들다.

어쩌다 한 번 볼 뿐이다. 그래서 가까운 이웃인 마을 사람들과 우정을 쌓으면 그것이 바로 행복을 여는 열쇠가 된다. 덕을 쌓는다는 것은, 모든 것을 내려놓고 양보와 주는 마음가짐으로 실천하는 거다. 내가 마음의 문을 열면 상대는 들어온다. 자존심이 뭐 그리 중요한가. 자존감만 있으면 된다. 물론 혼자서 행복을 만들어 갈 수도 있다. 그러나 기왕이면 혼자서 만드는 즐거움은 그것대로 유지하되 이웃과의 관계는 이렇게 풀어나간다면 금상첨화 아닌가? 인간은 사회적 동물이기 때문이다.

셋째, 마을 행사 때나 전체가 어울릴 때 처세법을 설명한다.

지팡이 짚은 어른이 나가면 따라 나가고, 조복을 입고 동쪽 계단에 선다는 말은 무슨 의미일까? 연장자를 존중한다는 의미다. 우리나라의 전통 예법이다. 농촌 마을에서 아직은 연장자에 대한 예우가 살아 있다. 일종의 질서 관계다. 이를 지나치게 중시하는 것도 문제지만, 너무 경시하는 것도 인간 사회를 삭막하게 만들 위험이 있다. 질서가 조화를 잘 이루면 미풍이 된다.

나(儺)라는 것은 마을의 액운을 쫓는 의식인데, 마을의 공동체 행사가 있을 때, 정성을 다해 함께 참석했다는 것을 의미한다.

즉 어른을 공경할 줄 알고, 마을 공동체 행사나 잡초 제거 등 마을 환경을 가꿀 때 가능하면 참석해서 같이 어울리고 합심하는 자세를 보이라는 거다.

공자는 당시에도 이미 세상 사람들이 추앙하는 사상가이며 정치인인데도 모든 것을 내려놓고 동네 사람들과 허물없이 어울리고 연장자에 대해선 정성을 다했음을 알 수 있다.

공자가 언급한 앞의 세 가지를 실천에 옮긴다면 어디 간들 환영받지 않을 수 있을까?

아름다운 곳을 찾아서 내가 먼저 덕을 행하고, 마을의 아름다운 전통을 만들어 가고 순수한 마음으로 서로 존중하며 즐겁고 행복한 전원생활을 만들어 가는 주체는 다름 아닌 자기 자신이다.

•

공자의 오랜 친구 원양 (故友原壤)

공자에게는 오랜 친구인 원양이란 사람이 있었다. 공자와는 애증의 관계였던 듯싶다. 노년기까지 만난다는 것은 버리지 않았다는 증거다. 바로 앞에서 욕설을 퍼부을 정도의 허물없는 사이라고 해석해도 좋을 듯하다. 하지만 아무리 친구 사이라도 과한 욕설을 할 정도라면 진정한 친구라 여기기엔 애매하다. 오랜 고향 친구이며 숙명적 관계로 버릴 수 없는 무언가가 있지 않았을까 추측해 볼 수 있겠다. 그래서 애증 관계라고 한 것이다.

헌문편 46장에는 재미있는 장면이 보인다.

> 原壤 夷俟[36] 子曰, "幼而不孫弟 長而無述[37]焉 老而不死 是爲賊" 以杖叩其脛[38].
> 원양 이사 자왈, "유이불손제 장이무술언 노이불사 시위적" 이장고기경.

---

36) 이사(夷俟)는 평평한 곳에 앉아 다리를 뻗고 기다리는 모습을 말한다.
37) 술(述)은 좋은 것을 이어받는 것.
38) 경(脛)은 정강이.

공자의 친구 원양이 다리를 뻗고 공자를 기다리고 있었다. 공자께서 말씀하시길, "어려서는 불손하고 어른이 되어서는 이어받는 것도 없으면서 늙어서 죽지도 않는다면 이를 도적이라 부른다." 하며 지팡이로 정강이를 툭툭 쳤다.

우선 원양에 대해서 좀 더 깊이 알아보자.

『공자가어(孔子家語)』 굴절해편(屈節解)에 보면 원양의 모친이 상을 당했다는 소식을 듣고 공자가 관을 만들어 부조하려 하자 제자인 자로가 의아스럽다는 듯 말한다. "옛날에 선생님께서는 자신만 못하여 본받을 것이 없는 자는 벗으로 삼지 말라 하셨는데 어찌 된 일입니까?" 그러자 공자는 "사람이 죽었는데 기어서라도 가서 구원해야지! 하물며 친구임에랴." 친구이기에 안 가면 도리가 아니라는 이야기다. 관을 전달하자 원양이 관 위에 앉아 이렇게 말한다. "오래되었구나 내 음악에 의탁하지 못하였던 시간이!" 하면서 장례 상황과 어울리지 않는 노래를 계속 부르자 공자는 못 들은 체 지나간다. 이에 자로가 또 항의 섞인 말투로 이야기한다.

"선생님, 절개를 너무 꺾으셨습니다. 이제 여기서 그만하시죠?"

그러자 공자께서 말씀하시길, "친함이란 친한 행동을 잃지 않는 것이며 옛 친구란 옛 친구임을 잃지 않는 것이라 한다."

또 다른 기록을 보자. 『예기』「단궁」 하에 원양이란 인물에 관하여 상세한 묘사가 나온다.

"원양은 원래 격식을 싫어하고 자유분방하여 칠칠찮고, 욕을 얻어먹으면서도 개의치 않고 어이없는 행동을 계속하는 인물이다."

원양은 좋게 표현하면 괴짜고 나쁘게 표현하면 돌아이인 것 같다.

앞의 두 기록을 보면 공자와 원양은 친한 친구 관계임이 입증된다. 생산성 없이 늙어서도 죽지 않는다면 곡식만 축내는 도적이라고 욕설을 하면서 한편으론 정강이를 지팡이로 툭툭 치는 사이는 허물없는 친구 사이 아니면 못 하는 관계다.

앞 헌문편 46장에서는 다음 세 가지를 시사한다.

첫째, 원양과 친구 사이이긴 하지만, 돌아가신 어머니를 옆에 두고 노래를 부르는 원양과 상을 당하면 애절하게 슬퍼해야 한다는 공자의 주장과 충돌한다. 원양의 논리는 어머니가 천국으로 가셔서 새로운 삶이 시작되는 것이니 축복의 의미를 담아 노래를 부른다고 하니 틀린 말도 아니다. 그렇다고 공자의 주장도 틀리지 않는다. 다만 상례에 대한 방식이 다를 뿐이다. 자로의 항의 섞인 말에 옛 친구를 잃을 수는 없다는 공자의 말을 들어 보면 친구를 생각하는 따뜻한 마음을 읽을 수 있다.

둘째, 그런데도 욕설을 하는 모습과 정강이를 치는 모습에서는 경원시하는 태도다.

오랜 고향 친구이긴 하지만, 불손하고 아무 하는 일 없이 이룬 것도 없는 친구가 못마땅한 것이다. 아무리 허물없는 친한 친구라도 예의를 지켜야 관계가 지속된다. 그런 면에서 보면 좀 특별한 관계이지 않았나 싶다. 어쨌든, 상식적이지 않고 공자답지 않다.

셋째는 지팡이로 정강이를 툭툭 치며 "이 늙어서도 죽지 않는 식충아! 넌 도적놈이야 이 다리 좀 치워 봐라. 나도 좀 앉자." 이렇게 들린다. 공자의 욕설에도 아랑곳없이 받아 주는 원양의 낙천성을 보게 되며 공자는 실제로 무의식중에 무의미한 삶을 사는 친구를 경멸하는 의미도 엿볼 수 있다.

동시에 논어를 편집한 공자의 제자들에게 공자의 인간답고 사람 냄새 나는 장면을 거침없이 실어 준 것에 대하여 신선한 충격을 느낀다. 이 장면을 보면 공자도 성인이기 이전에 우리네와 같은 평범한 사람임을 생생하게 느껴지게 만든다.

4장

지혜(智)

•

진정한 배움이란 (未學之學)

몇 년 전 한 독서 관련 모임에서 진행자가 신입 회원을 소개하는 내용이 눈길을 끌었던 적이 있다. 진행자가 말하기를, "오늘 새로 오신 ○○○씨는 저의 오랜 친구지만 평소 존경할 만한 벗입니다. 공부를 평생 하신 분으로 학식이 뛰어날 뿐 아니라 군자라 불릴 만한 소양도 갖추고 있습니다. 박수로 환영해 주시기 바랍니다."

신입 회원은 친구이자 진행자의 소개말에 당황하는 표정이 역력하면서 자기소개를 했다. "방금 소개받은 ○○○입니다. 제 친구가 지나치게 과장해서 칭찬하고 띄워 주어 몸 둘 바를 모르겠습니다. 농담을 너무 심하게 하는군요. 저는 단지 ○○제철에서 35년째 근무를 하면서 기능장의 직함을 갖고 있습니다만, 솔직히 고졸입니다. 제가 다루는 기계 분야에서 기술력만큼은 자부합니다만, 학식은 보잘것없고요. 동료 직원들이 착해서 잘들 따르긴 하더군요. 중략"

진행자 친구인 신입 회원의 학식이 풍부하다는 의미가 다음 공자의 제자 자하의 말을 들으면 충분히 이해될 것이다.

학이편 7장을 보자.

子夏 曰, "賢賢易色 事父母 能竭其力 事君 能致其身 與朋友交 言而有信 雖曰未學
吾必謂之學矣"
자하왈, "현현역색 사부모 능갈기력 사군 능치기신 여붕우교 언이유신 수왈미학
오필위지학의"

자하가 말하길 "현인을 만날 때는 안색을 바꾸고, 부모를 모실 때는 힘써 다하고, 임금을 섬길 때도 자기 몸을 바쳐 최선을 다하고, 친구와 교류할 때 말에 믿음이 있다면 그가 비록 정규교육을 받지 못했다고 해도, 나는 반드시 그 사람을 공부를 많이 한 사람이라고 할 것이다."

한 발짝 더 들어가 보자. 다른 문구는 이해가 되는데 현현역색은 잘 이해가 되지 않는다. 현인을 만날 때 색을 바꿔라? 군주가 현자를 만날 때는 현자인 만큼 현자에 걸맞게 대우하는 차원에서 여색을 대하듯 기쁜 표정으로 바꾸라는 의미다. 즉 정중하면서도 기쁘게 맞이하라는 뜻이다.

역시 공자의 제자 자하답다. 자하의 철학이 드러나는 장(場)이다.
그렇다. 공자도 모든 일상이 공부라고 했다. 하지만 우리들의 머릿속에 각인된 공부와 학식이란 단어는 오로지 학교에서 배운 국어, 영어, 사회 등 학교 공부와 그것으로부터 습득한 정도를 학식으로 표현되어 오다

보니 학교 공부 외의 것은 공부라고 하지 않고 기술이니 기능이니 등 학식과는 동떨어진 것으로 관성처럼 쓰여 왔다. 사실 학문과 공부라는 것은 분야가 무엇이든 배우고 익혀서 터득하고 아는 것이다. 일상생활에서 익힌 것들을 책으로 엮어 학문이라 명명하고 그것을 익히는 것을 학식(배워서 아는 것)이라 하니 진행자가 친구를 학식이 뛰어나다고 하는 것은 틀린 말이 아니다. 다만 통상적으로 사용하지 않아 낯설 뿐이다.

여기서 자하가 강조한 공부한 사람으로 칭할 자격 조건이 하나 따라온다. 친구인 기능장처럼 인성이 훌륭해야 하는 거다. 부모에 효도하고 상사에게 예의가 바르며 아랫사람과 소통하며 동료와 친구들이 믿고 따를 정도의 사람됨이 갖추어져 있어야 비로소 공부를 한 사람이라고 할 수 있는 것이다.

이제 우리의 상식과 단어 사용도 바꿀 필요가 있다. 무조건 학교 공부만 공부라 할 것이 아니라 어느 한 분야에서 일가를 이루거나 걸맞은 인격이 되어 있다면 학식이 풍부하고 공부를 많이 한 사람으로 평가받을 수 있는 사회 풍토를 만들어 나가야 하지 않을까? 그런 분위기가 지배적이라면 학력과 학벌을 따지는 문화가 옅어지는 효과가 있을 것이다.

독서도 유사하다고 생각한다.

책을 아무리 많이 읽어도 인성이 부족하다거나 사고가 막혀 있으면 사회에 이로움은커녕 해만 끼치게 된다. 우리는 사회 지도층 인사이면서 책을 많이 읽었다고 소문난 저명한 소설가, 수필가, 학자, 정치가 등이

글이나 말을 통하여 사회에 정신적 해악을 끼치는 예를 너무도 많이 보아 왔다. 친일매국학자, 독재자에 빌붙어 그들의 의도에 맞도록 곡학아세하는 식자류(識者類) 등이다.

왜 수많은 책을 읽고도 인성이 바르지 못하고 사고가 막혀 있을까?

깊이 읽지 않고 습득한 내용을 머리에서 가슴으로 옮겨 몸으로 익히는 과정을 거치지 않았기 때문이다. 이렇게 되려면 두 가지 선결 요건이 충족되어야 한다.

첫째는 지속적인 성찰과 실천이 습관화되어야 자연스럽게 언행으로 표출된다.

둘째는 행동으로 나오기 전에 세속적 유혹과 욕망에서 벗어나야 한다.

아마도 대개는 두 번째 이유인 권력과 금권의 욕심이 무엇보다 앞서기 때문이리라.

고학력자든, 저학력자든 그에 따른 선입견을 배제하고, 그 사람 내면의 언어와 행동거지를 보고 판단해야 한다. 학력과 학벌보다 우선인 것이 훌륭한 인성이다.

온전한 사덕(四德)과 편벽된 덕행(中庸之德)

"저 사람은 너무 공손해서 탈이야!"

"김 부장님은 신중하기만 하다 보니 지금까지 시작도 못 하고 있어요!"

"박 과장은 용기가 넘쳐 일을 그르치지 않았으면 벌써 부장으로 승진했을 텐데!"

"이 대리는 너무 정직해서 융통성이 없단 말이야!"

사회생활을 하다 보면 자주 위의 상황에 직면하게 되는데 두 가지 관점에서 바라볼 수 있다. 온전한 덕의 실행과 편벽된 덕행으로 나뉘게 되는데 수용자의 처지에서 자기 위주의 잣대로 해석하다 보면 온전한 공손함을 실행했는데도 문제가 발생해서 손해를 봤다고 실행의 주체자를 비난하는 경우가 있다. 이성적이고 합리적인 덕행(恭愼勇直)으로 실행했음에도 결과가 자신에게 이롭지 않다고 하여 자기 편의로 해석하여 실행 주체를 깎아내려 비난한다. 반대로 정말로 편벽되게 행하여 지나친 공손으로 비난받아 마땅한 때도 있다.

그래서 수용자의 입장만 듣고 판단하면 낭패다. 현장 정황을 정확히 살펴보고 판단하여야 중용의 덕인지 치우친 덕인지를 알 수 있다. 중용의 덕이라면 다수가 이롭겠지만 치우친 덕이라면 오히려 폐단만 발생한다.

태백편 2장에서 공자께서는 다음과 같이 말씀하셨다.

恭而無禮則 勞

공이무례즉 로

愼而無禮則 葸

신이무례즉 시

勇而無禮則 亂

용이무례즉 난

直而無禮則 絞

직이무례즉 교

君子 篤[39]於親則民興於仁 故舊[40]不遺則民不偸[41]

군자 독어친즉민흥어인 고구불유즉민불투

풀이해 보면,

공손하기만 하고 예의가 없으면 수고스럽기만 하고,

신중하기만 하고 무례하면 두렵기만 하다.

용맹(기)하기만 하고 무례하면 혼란만 가중되고,

강직하기만 하고 예의가 없으면 야박해진다.

군자가 친한 사람들에게 돈독하게 하면 백성들이 인의 마음이 일어날 것이고

39) 독(篤): 도탑다, 인정이 많다.

40) 고구(故舊): 옛 친구.

41) 투(偸): 구차하다, 가볍다, 훔치다.

옛 친구를 버리지 않으면 백성들이 구차해지지 않을 것이다

무례는 일반적으로 예의가 없는 것으로 사용이 되는데 여기서는 예로서 절제나 통제를 하지 못하는 것으로 해석하는 것이 비교적 맥락이 자연스럽다.

공신용직(恭愼勇直)의 사덕(四德)은 덕성임에도 예의가 빠지면 소멸하여 부작용이 초래되니 본래의 미덕을 살리기 위해선 어떻게 처신해야 할까?

첫째, 공손함이다.

어떻게 행동하는 것이 온전한 공손함인가? 과공비례(過恭非禮)란 말이 있다. 지인이든 처음 만난 사이든 마찬가지다. 공손함이 지나치면 예의에 어긋날 뿐 아니라 비겁해 보이고 자신을 지나치게 낮추는 격이 된다. 이렇게 되면 상대방도 불편할 뿐더러 한편으론 과공한 사람을 무시하게 되고, 스스로 수평적 관계에서 수직적 관계로 만들게 된다. 상대와 대등한 관계가 무너지면 공평과 공정이 원만하게 진행되기 어렵다. 왜 이런 어리석은 결과를 초래한단 말인가? 그래서 과하게 공손하여 예를 조절하지 못하면 헛수고만 하게 된다는 거다. 처음 만난 사이에서 허리를 90도 굽혀 두세 번 인사하게 되면 예를 적절히 통제하지 못하는 결과가 되어 보는 이에 따라서는 아부한다는 조롱을 받게 될 수도 있고 비굴해 보이기도 한다.

겸손하되 비굴하지 말고 당당해야 한다. 과공(過恭)과 겸손은 엄연히 다르다. 자신보다 사회적 지위가 높다거나 부유할 때 소인들은 자칫 과

공하여질 우려가 있는데, 지위고하, 빈부를 막론하고 공손하되 당당한 지점이 온전한 공손 즉 중용의 공손함이다.

둘째, 신중함이다.

신중함은 호평받는 미덕이다. 하지만 지나치다 보면 망설이게 되고 시작도 늦어질뿐더러 일의 추진 속도도 하 세월이 된다. 신중하여 절제를 못 한다는 것은 일이 잘못될까 봐 두려운 것이 앞서기 때문이다. 따라서 모든 일에는 신중하되 한두 번의 고민으로 결론을 내리고 행동으로 옮겨야 한다. 이것이 온전한 신중함으로 신중의 미덕을 살리는 길이다.

셋째, 용맹함(용기)이다.

용기도 절제를 못 하여 선을 넘으면 만용이 된다. 그래서 혼란을 일으키게 된다. 용기라는 덕이 소멸을 넘어 구렁텅이로 떨어지게 되는 거다.

만용은 객기, 허세라고도 불린다. 당랑거철(螳螂拒轍)이란 우화를 보자. 사마귀가 수레바퀴를 막아선다는 뜻이다. 사마귀가 자기 능력도 모르고 무모하게 거대한 수레바퀴에 달려드는 만용을 비유하는 말이다. 냉정하게 현실을 직시한다면 무모한 객기에서 벗어날 수 있다. 자기 능력을 과신하여 위험한 높이뛰기 도전을 하다가 중상을 입는 일도 있고, 술 내기에서 승리하기 위해 부질없는 용기로 과음하다가 치명상을 입는 경우도 있다. 자기 분수를 알고 선을 넘지 않는 용기를 발휘할 때 온전한 용기의 덕이 발현된다.

넷째, 정직함이다.

정직하기만 하고 절제를 잃으면 주객이 전도되어 본래 목적은 온데간데없어지고 일을 위한 일이 되어 사람은 뒷전으로 밀린다. 앞뒤가 꽉 막혀 인정머리 없다는 비난을 받게 된다. 넘치지도 부족하지도 않은 최적의 지점이 온전한 강직함으로 강직의 덕성을 그대로 실현하는 것인데, 그 적당한 지점을 찾는 것이 간단치 않아서 야박하게 되는 거다. 아무리 정직함을 원칙으로 삼고 살아가더라도 무엇이 정말 중요한지 당시의 상황을 파악하고 한 번쯤 숙고하는 시간이 필요하다. 한숨 쉬면서 생각하다 보면 강직의 선을 넘는 어리석은 행동으로 이어지진 않을 것이다. 훌륭한 장점인 정직성을 살릴 수 있는 최적의 지점을 찾아내야 한다.

앞의 네 가지 덕성은 인간의 훌륭한 장점임에도 불구하고 과하면 없는 것만 못하는 결과를 가져올 수 있다. 그래서 자신의 장점만 믿지 말고 상황에 따라 적절히 조절할 줄 알아야 한다. 중간에 한 번쯤 지나치지는 않은지 짚고 넘어가는 시간을 갖고 실행한다면 자신의 장점을 살릴 수 있게 된다.

하지만 이 힘든 중용의 덕도 오랜 기간 훈련과 학습으로 다져지다 보면 자연스럽게 온전한 미덕으로 실행된다. 사람의 도리를 다한다고 하는 것은 영원한 숙제인 것 같다.

가난을 즐기고 부유하지만 예의를 좋아함 (貧而樂富而好禮)

비록 가난하지만 즐길 수 있는 여유가 있고, 부자면서 교만하지 않고 예의를 지키는 사람이라면 평생 벗으로 사귀기에 충분할 것이다.

『논어』 학이 15편에 보면 공자가 제자인 자공과 대화하는 장면이 있다.

子貢曰, "貧而無諂[42], 富而無驕何如"
자공왈, "빈이무첨, 부이무교하여"
孔子曰, "可也 未若貧而樂 富而好禮者也"
공자왈, "가야 말약빈이락 부이호례자야"
子貢曰, "如切[43]如磋[44]如琢[45]如磨[46] 其斯之謂與"
자공왈, "여절여차여탁여마 기사지위여"
孔子曰, "賜也 始可與言詩已矣 告諸往而知來者"
공자왈, "사야 시가여언시이의 고제왕이지래자"

42) 첨(諂): 아첨.
43) 절(切): 끊다, 자르다.
44) 차(磋): 갈다.
45) 탁(琢): 쪼다, 다듬다.
46) 마(磨): 문지르다, 갈다.

子貢이 묻는다, “가난해도 아첨하지 않고 부유해도 교만하지 않으면 어떻습니까?

공자께서 말씀하시길 “괜찮구나. 하지만 가난을 즐길 줄 알고 부자면서 예의를 좋아하는 사람만은 못한 것 같구나.”

자공이 말하길 “시경(詩經)에 이르기를 끊은 듯하고, 썬 듯하고, 쪼는 듯하고, 간 듯하다는 말이 이를 두고 하는 말씀이군요.”

공자께서 말씀하시길, “자공아 비로소 너와 시를 이야기할 만하구나. 한마디 던지면 받아서 대답할 줄 아는 경지에 이르렀구나.”

절차탁마가 여기에 등장한다. 이는 옥의 4단계 가공 방법이다. 옥을 캐내 원석을 자르고 썰고, 쪼고, 가는 과정을 통해서 영롱한 옥이 완성된다. 통상 힘든 학습 과정을 비유할 때 자주 통용된다. 오랜 기간 갈고닦은 실력을 세상에 내놓을 때 고생한 보람을 느끼게 된다. 고진감래라고 하지 않는가? 여기서 빼놓을 수 없는 전제 조건이 있다. 아무리 실력이 좋아도 인성이 갖춰지지 않으면 반쪽 실력밖에 안 되니 가장 우선하는 것은 역시 인성이 바로 서야 온전한 실력자라고 할 수 있다.

절차탁마의 고된 수련 과정을 거쳐 실력을 갖춘다 해도 심신 수양으로 인성이 뒷받침되지 않으면 세상을 해롭게 할 수도 있다는 거다. 훌륭한 기술이나 실력을 부정한 방법으로 이용한다거나 부당한 권력과 결탁하여 피해를 보는 사례가 발생해서는 안 되는 까닭이다. 실력과 인성이라는 두 바퀴가 있어야 제대로 인생 마차가 굴러갈 수 있다. 인성은 사람 사는 곳 어디에서도 없어서는 안 될 필수 불가결한 가치니, 공자 철학에서 더 말해 무엇 하랴! 그래서 다음과 같은 대화가 이어진다.

제자인 자공이 나름 심신을 수양하여 스승인 공자에게 "가난하지만 아첨하지 않고 부유하지만 교만하지 않은데 어떠냐?"라고 자기 자신이 그러함을 은근히 자랑하듯이 칭찬을 기대하며 묻는다. 하지만 스승인 공자는 칭찬인 듯 아닌 듯 "괜찮다. 들어줄 만하다." 정도로 툭 치며 한마디 덧붙인다. "가난하지만 즐길 줄 알고 부유함에도 예의를 차릴 줄 아는 사람만은 못하다." 즉 심신 수양이 완성 단계는 아닌 것 같으니 좀 더 수련해야 함을 에둘러 지적한다. 아첨하지 않고 교만하지 않은 소극적 자세에서 즐길 줄 알고 예의를 지킬 줄 아는 적극적 자세를 가지는 것이 인에 더 가깝다는 말이다.

그렇지만 이어지는 대화 장면에서는 자공을 칭찬하며 매우 기뻐하고 있다. 지적과 칭찬을 동시에 표하고 있는 모습에서 제자와 스승의 수업 장면이 인상적이다.

이 대화에서 배울 수 있는 문구가 그 유명한 절차탁마(切磋琢磨)와 빈이락 부이호례(貧而樂 富而好禮)다.

절차탁마하듯이 실력을 쌓고 빈이락 부이호례 할 수 있는 인성으로 뒷받침되어야 함이다.

가난하지만 부자에게 아첨하지 않음은 물론이요, 즐길 수 있는 여유를 가질 수 있으려면 어떤 경지에 이르러야 할까? 물질적 풍요를 굴러가는 돌 보듯이 할 수 있으려면 대체재가 있어야 하는데 바로 정신적 풍요다. 정신적으로 풍요로운 사람은 상당한 지식과 통찰력으로 세상을 바라보는 안목과 호연지기의 기상이 내재하여 가난해도 즐길 수 있는 여유가 있다. 이렇게 되면 세상살이에 대한 걱정과 근심이 대폭 줄어든다. 어떤 악조건인 상황 속에서도 긍정적이고 낙천적 사고로 어려움을 극복할 수 있는 영적 항체가 형성되어 있기 때문이다. 이렇게 되기 위해선 끊임없는 수기(修己)가 필수다.

공구든 사람이든 끊임없이 절차탁마하지 않으면 녹이 슬어 원래의 효용가치를 잃어버리게 된다.

살아가는 동안 덜 고통스럽고 같은 조건에서도 즐길 수 있으려면 세상을 마치는 순간까지 자기 수련에 힘써야겠다.

•

삶의 방식과 고민 (志道據德 依仁游藝)

삶의 목표를 어디에 두고 어떤 방식으로 살아갈 것인지를 분명히 하면 삶의 지도가 그려진다. 공자가 밝힌 살아가는 방식과 고민을 보면 규모가 어느 정도인가를 가늠할 수가 있으며, 군자가 가야 할 길을 가지 못했을 때의 고민이 짙게 배어 있음을 엿볼 수 있다.

술이편 3장과 6장을 보자.

> 子曰, "德之不修 學之不講 聞義不能徙 不善不能改 是吾憂也" (3장)
> 자왈, "덕지불수 학지불강 문의불능사 불선불능개 시오우야"

공자께서 말씀하시길, "덕을 닦지 못하는 것, 배우고도 익히지 못하는 것, 의를 듣고도 행하지 못하는 것, 불선한 것을 고치지 못하는 것 이것이 나의 걱정이다."

> 子曰, "志於道 據於德 依於仁 游於藝" (6장)
> 자왈, "지어도 거어덕 의어인 유어예"

공자께서 말씀하시길, "도에 뜻을 두고, 덕에 근거하며 인에 의하며 예술과 함께 노닐고 싶다."

공자의 걱정거리를 보면 역시 공자답다는 생각을 하게 된다. 돈이 벌리지 않아서 걱정이고, 생산한 제품이 팔리지 않아서 근심이고, 아들 녀석이 공부를 못해서 걱정이고, 이런 세속적인 걱정을 하는 것이 보통 사람들이다. 그런데 공자는 격이 다르다.

삶의 방향과 목표가 뚜렷하니 가는 길에 어긋남이 있을까 근심하게 되는 거다.

이것은 근심임과 동시에 이루고 실천해야 할 삶의 목표이기도 하다.

이 문장은 공자 자신에 대한 성찰이기도 하지만, 논어가 제자들과의 대화록임을 감안하면 제자들에게 주는 가르침의 성격일 수도 있겠다. 자기를 빗댄 간접 방식의 수행법을 강조한 것이다.

첫째, 수덕(修德)에 대한 걱정이다.

덕을 닦지 못하는 것, 즉 인격을 수양해야 하는데 만족스럽지 못했던 모양이다.

믿고 따르는 제자들이 군자의 길을 가야 하는데, 그렇지 못한 것이 아무래도 스승인 자신의 덕이 부족하고 수양이 덜 된 것은 아닌지 반성을 한 것이다. 또한 임금을 만나서 자신의 철학과 정치에 대한 뜻을 설파하면 고개를 끄덕이면서도 돌아오면 행동으로 옮기지 않는 상황에서 자신의 덕이 부족하여 따르지 않는 것은 아닌지 고민을 하게 되는 거다. 자기 수양이란 것이 눈에 보이는 것도 아니고, 천(千)의 노력을 하면 십(十)이나 달성될까? 참으로 어려운 것이 수양이다. 공자께서도 자기 수양에 대하여 끊임없이 성찰한 것 같다.

둘째, 배우고 습득하지 못함에 대한 근심이다.

배우고 익히는 것은 인생의 즐거움이기도 하지만 원하는 만큼의 배움이 진전되지 않으면 못마땅한, 자신의 배움에 대한 끊임없는 갈망의 심정이 아닌가 생각된다.

셋째, 의(義)로움이 무엇인지, 그리고 행동으로 옮기지 못한 것에 대한 반성이다.

환경 살리기 운동에 동참해야지 하면서도 실천에 옮기지 못하는 것에 대한 반성이다. 사람들이 특별한 것을 제외하곤 정의가 무엇인지 올바름이 무엇인지는 안다.

몰라서 못 하는 것이 아니다. 귀찮아서 안 하고, 양보하기 싫어서 못 하고, 이기심이 크다 보니 밀려서 못 한다.

이 문장에서 뜻하는 공자의 의도와는 다소 거리가 있을지는 모르겠지만, 의(義)가 무엇인지에 대한 성찰은 꼭 필요하다. 정의라고 믿고 한 행동이 수년의 시간이 흐른 후에 살펴보니 공익에 부합되지 않았음이 밝혀지고, 옳다고 믿고 한 행동이 바르지 못했음을 후에서야 깨닫는 경우들이 종종 있기 때문이다.

옛날 노무현 대통령이 한미 FTA 체결 당시 진보시민단체들과 지식인들이 격렬하게 반대 운동을 펼친 예가 그러하고, 여성 운동을 하는 시민단체들이 불평등 해소를 위한 여성주의 운동이 결과적으론 역평등을 가져오는 과오를 초래한다든가, 정작 여성을 위한 운동과는 거리가 멀다는 지적을 받는 것들이 그러하다.

내가 강하게 믿고 정성을 들여 실천하는 이 행동이 과연 정말로 정의에 부합하는 일일까?를 종종 되짚어 볼 필요가 있다. 인간이기에 오류가 발생할 가능성은 언제든 있기 때문이다. 그래서 성찰과 실천이 뒤따르지 못함에 대한 반성이 필요하다고 한 것이다.

넷째, 잘못을 저지르고도 고치지 못하는 것에 대한 반성이다.

잘못했음은 바로 알게 된다. 그러면 다음부터 안 하면 되는데 두 번, 세 번 같은 잘못을 반복한다. 쉬운 것 같지만 쉽지 않다.

이 네 가지를(수양, 학습, 정의 실천, 개선) 지속해서 되뇌면서 실천하면 군자의 길을 가는 거다.

공자가 언급한 삶의 방식을 보자.

“도(道)에 뜻을 두고, 덕에 근거하여 행동하며 인(仁)함에 기대고 예술에 심취하여 살고 싶다.” 이상적인 삶의 모습이다. 얼마나 멋지고 매력적인 삶인가?

호학(好學)으로 인의(仁義)를 실천하여 세상을 널리 이롭게 하는 데 뜻을 두고, 그 지도(志道)를 덕(德)과 인(仁)으로 실천하며, 생활 자체는 예술처럼 살고 싶다는 삶. 공자 삶의 철학이 배어 나오는 구절이다.

공자의 인의 철학은 곳곳에 나타난다. 이인편 5장을 보자.

"君子 無終食之間違仁, 造次 必於是 顚沛 必於是"
"군자 무종식지간위인, 조차 필어시 전패 필어시"

"군자는 밥을 먹는 잠깐에도 인을 위배해서는 안 된다. 아무리 급해도 인을 벗어날 수는 없다. 넘어지는 순간이라도 그렇다. 인에서 벗어나면 안 된다."

이렇게 인(仁)의 정신으로 무장하고 실천에 항심을 놓지 않았다. 그러면서도 생활을 예술로 살고자 한 것이다. 그림을 그리든 노래로 흥얼거리든 서예를 하든, 잘하고 못함이 아니라 예술적인 삶을 이루는 삶. 이렇게 살 수 있을까?

•

내가 좋아하는 일을 따르겠다 (從吾所好)

사람마다 각기 다른 삶의 지향점이 있다.

누구는 부(富)의 추구를 최고의 목표 지향점으로 삼고, 어떤 이는 학문 연구를 삶의 최고 가치로 여기며, 누군가는 세상에서 가장 높은 산에 오르는 것을 삶의 목표로 삼는다. 목표 지향에 따라 직업이 선택되기도 하고, 직업으로 하기에는 여건이 안 맞으면 가치 실현을 위한 여가로 활용한다. 문제는 많은 사람이 부를 추구하는 데 지나친 에너지를 소모한다는 데 있다. 하지만 부는 획득되지 않으니 불만만 가중된다.

부를 축적하기 위해서 불법, 편법, 부정과 불의가 총동원된다. 겉으로 외치는 자신의 가치와는 전혀 별개다.

그렇다고 삶의 지향점이 부의 추구도 아니다. 그저 돈이 좋은 것이다. 돈은 인간의 원초적 욕망을 실현하게 해 주는 매우 유용한 도구이기 때문이다. 직업 선택도 장래 희망도 가치와는 무관하게 돈과 연결되어 있다. 그렇다 보니 자신이 추구하는 지향점과 삶이 다르게 흘러간다. 어떻게 살아가는 것이 가장 가치가 있느냐에 대해서 공자의 생각을 들어 보며 고민하는 시간을 가져 보자.

술이편 11장을 펼쳐 보자.

> 子曰, "富而可求也, 雖執鞭之士, 吾亦爲之 如不可求, 從吾所好."
>
> 자왈, "부이가구야, 수집편지사, 오역위지 여불가구, 종오소호."

공자께서 말씀하시길, "부를 구할 수 있는 것이라면 비록 말채찍을 잡는 마부의 일이라도 기꺼이 하겠다. 하지만, 구할 수 없다면 내가 좋아하는 바를 따르겠다."

공자가 하려는 말은 무엇일까?

부자가 되고 싶은 것은 인간의 기본 욕망이다. 그러나 부를 추구한다고 해서 누구나 부자가 되는 것은 아니다. 공자는 인간의 기본적인 욕망의 하나인 부를 구할 수만 있다면 찬밥, 더운밥 가리지 말고 선택하여 마부 일이라도 하겠다는 의지의 표현이다.

여기서 부(富)를 구하는 수단은 당연히 정당한 방법이다.

공자는 부의 추구를 부정적으로 보지 않았다. 정상적인 상황에서 정당하게 취한 부는 환영한다고 했다. 군주의 역할은 백성들을 부자로 만드는 것이라고 했다.

예나 지금이나 나라의 지도자가 집중해야 할 중요한 임무 중의 하나는 민생이다. 민생의 요체는 돈이다.

그러나 돈이 마음먹은 대로 벌리는 것도 아니다. 아등바등하다가 세월만 낭비하고 헛수고만 하게 된다. 그러니 삶의 가치와 지향점이 부의 추구가 아니라면, 게다가 돈을 버는 재주도 없다면 자신이 좋아하는 일을 하며 살겠다는 의미다.

돈을 잘 버는 것도 일종의 만 가지 재능 중의 하나다. 돈의 귀재(鬼才)라고 하듯이!

공자가 가장 좋아하는 일은 호학(好學)이다. 호학은 그의 취미이자 삶 자체요, 전부라고 해도 과언이 아닐 정도다. 배움을 좋아하고 배운 것을 가르치는 것을 게을리하지 아니한다고 했다. 그의 인생삼락(三樂) 중 제1락이 배우고 익히는 것 아니었나?

공자의 결론은 돈보다 삶의 가치에 무게 중심을 두고 좋아하는 일을 하며 사는 것이 즐거움이요, 행복이라는 거다.

그럼 나는 무엇을 하며 어떻게 살 것인가? 거창하게 생각할 거 없다.

보통 사람들의 소망은 큰 불편 없는 정도의 부를 유지하면서 자기가 좋아하는 일을 하며 사는 거다. 그런데 이것이 쉽지 않다. 하고 싶은 일을 하면서 사는 사람은 정말 행복한 사람이다.

이와 관련 다양한 생각이 떠오른다.

직업 선택, 삶의 가치와 목표, 부자의 기준은 무엇이며 돈은 얼마 정도면 만족할 수 있을까?

어릴 때부터 "장래 희망이 무엇이냐. 무엇이 되고 싶으냐?"라는 질문을 받으면 "나는 돈을 많이 버는 부자가 되겠다."라는 청소년은 드물었다. 하지만 요즘엔 건물주가 되는 것이 꿈이라는 이야기가 심심찮게 들려오는 것을 보니 거짓은 아닌 듯싶다. 씁쓸한 일이다. 결국 돈이 인생의 전부라는 것인가? 누가 이 가련한 것들을 이렇게 만들었을까?

한때 최고의 신랑감으로 꼽혔던 판·검사·의사를 장래 희망으로 삼았던 이들의 목표가 무엇이었을까? 직업으로 판·검사나 의사가 되려는 동기와 이유가 중요하다.

그들의 속내를 들여다보자. 삶의 지향점과도 연결되는데, 판·검사는 출세하여 권력을 쥐는 것이고 의사는 선생님 소리 들어가며 돈을 버는 것이다.

동기 부여를 누가 해 주었을까? 그들의 부모나 사회가 그런 분위기를 형성하는 데 큰 영향을 미쳤다고 보아야 한다. 지금도 크게 다르지는 않을 것이다. 억울하면 출세하라는 말은, 법을 공정하게 집행하여 정의로운 사회를 만들며, 사회적 약자를 돌보는 인의(仁義)의 마음과 애민(愛民) 정신으로 임하는 것과는 배치된다.

판·검사나 공익 근무자들은 말 그대로 공익을 위해서 근무하며 먹고사는 직업들이다. 그래서 무엇이 되어서 무엇을 하겠다는 가치가 인의(仁義)와 정의(正義)의 실현을 목표로 두어야 하는데, 오로지 권력과 부의 축적과 자리에만 혈안이 되어 있으니 온 국민만 피해를 본다. 올바른 동기 부여와 목표 의식이 매우 중요하다.

의사나 다른 직업도 되려고 하는 목표나 동기 부여가 하는 일에 대한 정체성이나 사명감에 부합해야 한다. 그렇지 않고 돈에 귀착이 될 때 폐해가 발생한다.

돈은 일을 완수했을 때 따라오는 대가요, 종속물이 되어야 하는데 돈이 주(主)가 되면 불상사가 일어난다.

돈은 살아가는 데 큰 불편함만 없으면 된다. 소득이 좀 적으면 앞에서 언급했듯이 생활의 수단과 방법을 수입에 맞도록 조절하면 불편함을 줄일 수 있다.

돈을 버는 데 집착하지 말고 유용하게 사용하고, 근검하면서 좋아하는 일, 하고 싶은 일에 집중한다면 삶의 만족도를 극대화할 수 있지 않을까? 이순(耳順)이 되니 지혜가 한 줌은 생기는 것 같다.

•

사람을 보는 기준 (潔己以進 與其潔也)

사윗감이나 며느리를 고를 때 통상적으로 보는 기준이 있다. 집안, 학벌, 재산, 직업, 장래성, 인성, 외모, 성격 등 그러고 보니 당사자들 입장에서 보면 참으로 까다롭다. 독자들이라면 가장 중시하는 조건은 무엇일까? 우선순위를 따진다면?

공자는 자기의 딸을 제자 중의 하나인 공야장에게 시집을 보냈다.

공야장은 감옥에 갔다 온 사람이었다. 그렇다면 전과자에게 딸을 시집보낸 것이다.

전과자는 죄를 짓고 옥살이를 했으니 나쁜 사람인가? 공자가 공야장을 사윗감으로 결정을 내렸을 때는 그만한 충분한 사유가 있었을 것이다.

공야장편 1장을 보자.

> 子謂公冶長, "可妻也, 雖在縲[47]絏[48]之中 非其罪也 以其子妻之."

---

47) 류(縲): 포승 류.

48) 설(絏): 묶다, 매다.

자위공야장, "가처야. 수재류설지중 비기죄야 이기자 처지."

공자가 공야장에 대해 평하시길, "아내를 맞이할 자격이 있다. 비록 포승줄에 묶여 있었지만, 그의 죄는 아니었다. 그를 사위로 맞이할 것이다."

공야장은 노나라 사람으로 대장장이 집안의 아들이었을 것으로 추정된다. 더구나 감옥에도 다녀왔으니 속세의 기준으로는 자격 미달이다. 집안도 천(賤)하고 전과자라니!

무도한 폭군들이 권력을 장악하고 있을 때는 양심적인 지식인들과 정의로운 사람들이 탄압받기 쉽다. 1970~80년대 10월 유신과 군부독재 정권하에서 얼마나 많은 양심적 지식인들과 정의로운 청년, 학생들이 감옥에 갇혔는가?

공자가 살았던 춘추전국시대에도 무도한 군주들의 세력 다툼으로 전쟁이 끊이지 않던 시기였으니 공야장도 바른말 하다가 감옥살이를 했던 모양이다. 공자는 공야장의 올바른 양심과 행동하는 실천을 높이 산 것이다.

사윗감이나 신붓감으로 위에서 열거한 여러 가지 중 인성과 장래성을 우선으로 본 것이다. 됨됨이에서 합격점을 받았고, 강직성과 양심성에서 후한 점수를 받았으니 그것으로 충분했을 거다. 학벌이야 자기의 제자가 되겠다고 찾아왔으니 그것으로 충분하고!

어쨌든, 외모, 재산 그리고 집안을 따지는 기준은 뭔가? 세속적인 욕망이 투영된 기준이라면 나는 사양하고 싶다.

필자가 우선하는 기준은 이렇다.

첫째, 당사자 우선주의다. 주인공은 신랑과 신부다. 그들이 정말 조건 없이 서로를 사랑하는지? 그렇다면 기타 조건은 배제하고 일단 찬성이다.

둘째, 됨됨이다. 바른 사고와 정신적 건강함이다. 주관적이며 추상적이지만 타인에 대한 배려와 존중성을 얼마만큼 갖추고 있느냐이다.

셋째는 미래 비전이다. 현재를 기준으로 향후 두 부부가 인생길을 열어 가는 데 행복을 방해할 걸림돌만 없으면 된다. 첫째와 두 번째 기준 즉, 서로 뜻이 맞고 바른 인성을 갖고 화이부동(和而不同)이라는 자세만 갖추고 있으면 족하다.

압축하면 인성과 장래성이 가부의 기준이다. 그러고 보니 공자님의 관점과 유사하다. 누군가 뒷담화 하는 소리가 들리는 것 같다. "쳇, 그 세 가지가 얼마나 어려운 조건인데. 별거 아닌 소박한 것처럼 말씀하시네? 웃겨 정말~." 그러거나 말거나!

공자의 사람 보는 눈에 대한 소신이 잘 드러나는 문장이 또 있다.

술이편 28장을 보자.

互鄕 難與言 童子見 門人惑.

호향 난여언 동자현 문인혹

子曰, "人潔己以進 與其潔也 不保其往也 與其進也 不與其退也 唯何甚."

자왈, "인결기이진 여기결야 불보기왕야 여기진야 불여기퇴야 유하심."

호향 출신 사람들과는 말하기 어려운데, 호향에서 온 어린아이가 공자를 만나니, 제자들이 의혹을 제기했다.

공자께서 말씀하시길, "어떤 사람이 자기를 깨끗하게 하여 찾아온다면 지금의 깨끗함이 중요하지, 지나간 일은 따지지 않는다. 그가 지금 여기 찾아온 것이 중요하지, 물러간 뒤에도 따지지 않겠다. 무엇이 심하단 말인가?"

호향(互鄕) 지역은 어질지 못한 포악한 사람들이 사는 곳으로 상종해선 안 될 지역으로 알려져 있었다. 그래서 제자들이 의문을 품고 이의를 제기한 것이다.

그러자 공자가 출신지가 어디든, 나쁜 굴레가 씌워져 있든, 멀리하는 태도는 옳지 못하다고 한 것이다. 일종의 선입견을 품고 대해선 안 된다는 태도다.

설령 그가 과거에 잘못했다손 치더라도 지금은 잘못을 인정하고 자신을 깨끗이 하고 찾아왔다면 만나 주는 것이 예의라고 한 것이다. 또한 그가 물러난 후에도 어떤 결정을 하고 어떤 바르지 못한 방향으로 살아간다고 해도 개의치 않겠다. 그것은 그의 삶의 태도니 어쩔 수 없다. 다만 깨끗한 마음을 갖고 찾아온다면 만나는 것이 사리에 맞다고 한 것이다. 지금 여기에서 그가 취하는 행동이 중요하다는 거다.

우리나라에도 지역주의가 아직도 많은 폐해를 끼치고 있다. 또는 전국에서 나쁜 곳으로 낙인이 찍힌 곳도 더러 있다. 개개인도 과거에 실수나 잘못을 저지르지 않은 사람이 있겠는가? 소문만 듣고 미리 이렇다 저렇다 예단하는 것은 금물이며, 예단은 사람을 있는 그대로 판단하는 데 방해가 된다. 직접 자기가 만나서 이야기해 보고 겪어 본 뒤에 판단하고 평가해야 맞다. 다른 이의 관점과 자신의 관점은 다르기 때문이다. 마주한 상황도 그때그때 다를 수 있다는 점도 고려해야 한다.

•

무엇을 근심하고 두려워하랴!
(何憂何懼)

장척척(長戚戚)

인생 자체가 고통이라고 하듯이 살아가노라면 걱정과 근심이 끊이지 않는다.

장사가 안 되어 걱정, 자녀가 목표로 하는 대학에 합격할 수 있을까 걱정, 마을 축제가 성대하고 원만하게 잘 치러질 수 있을까 걱정! 장작더미가 비바람에 무너지지 않을까 걱정! 걱정거리가 앞을 가릴 정도다. 어쩌면 그것이 삶의 한 부분이기도 하다. 문제는 걱정한다고 문제 해결이 되느냐이다.

걱정해서 해결될 일이라면 몇 날 며칠을 밤새워 고민해도 좋다. 그러나 전혀 도움은 되지 않고 근심이 쌓이면 건강을 해치게 된다. 이건 바보스러운 짓이다.

걱정 근심을 안 할 수는 없고 최소화하는 방법은 없을까?

술이편 36장에 공자께서 답을 알려 준다.

子曰, "君子 坦蕩蕩 小人 長戚戚"

자왈, "군자 탄탕탕 소인 장척척"

공자께서 말씀하시길, "군자는 마음이 평온하고 여유가 있으며 소인은 항상 근심하고 초조해한다."

어디에 답이 있다는 거야? 답은 각자 왜 그럴까를 찾아내야 한다.

군자는 왜 마음이 평온하고 여유롭고, 소인은 늘 근심하고 초조해할까?

첫째, 걱정 대신 미리 걱정거리를 없애는 데 주력해야 한다.

위에서 언급했듯이 왜 장사가 안 되고 자녀가 대학에 못 갈까를 걱정하지 말고 그 이유를 파악해서 잘되도록 수단을 달리하든가, 대학 합격할 수 있는 최적의 방안을 자녀와 함께 찾는 것이 고민을 최소화하는 방안이다. 장작더미가 무너질 위험을 걱정할 것이 아니라 무너지지 않도록 다시 쌓으면 될 일이다.

둘째, 마음의 여유를 가질 수 있도록 학습하고 훈련해야 한다.

군자는 평소 인(仁)을 실천하고 덕을 쌓고, 타인을 배려하고 존중하기에 타인으로부터 앙갚음당할 일이 없으니 근심이 없다. 상대방이 나에게 흉악한 욕을 해도 맞서 욕을 하지 말고 웃으면서 여유롭게 무관심으로 대하거나, 기분 상하지 않도록 수단을 달리하여 그를 회유하는 지혜를 발휘하면 해코지하는 일이 없을 테니 걱정할 일이 없을 것이다. 고통과 불행한 일이 발생하거나 복권이 당첨되는 행운이 다가와도 일희일비하지 않는 자세를 가져야 한다. 언제든 전화위복(轉禍爲福)이 되기도 하고 전복위화(轉福爲禍)가 되는 상황으로 바뀔 수도 있다. 그래서 인생은 새옹지마라고 하지 않던가?

셋째, 자기중심을 확고하게 하고, 원칙과 소신대로 행동하면 근심이 적어진다.

누가 비난하든, 비판하든 개의치 않고 자신이 판단해서 옳다면 그냥 하면 된다.

내 인생은 내가 만들어 간다는 확실한 주관이 서 있다면 부모가 뭐라 반대해도 지혜롭게 답변하면서 자기 뜻을 관철시킨다. 그러하니 걱정이 없어진다.

하우하구(何憂何懼)

안연편 12-4장을 보자.

> 司馬牛 問君子 子曰, "君子 不憂不懼"
> 사마우 문군자 자왈, "군자 불우불구"
> 曰, "不憂不懼 斯謂之君子矣乎"
> 왈, "불우불구 사위지군자의호"
> 子曰, "內省不구 夫何憂何懼"
> 자왈, "내성불구 부하우하구"

사마우가 군자에 관해 묻자, 공자께서 말씀하시길, "군자는 걱정하지도 않고 두려워서 하지도 않는다." 이에 사마우가 다시 묻는다. "걱정도 없고 근심도 하지 않으면 이를 군자라고 합니까?"

공자께서 대답하시길, "스스로 반성하여 꺼릴 것이 없으면 무엇을 근심하고 무엇을 두려워하겠느냐?"

사마우가 송나라에서 노나라로 건너와 공자의 문하로 들어온 지 얼마 안 되었을 때 형인 사마환퇴가 반란을 일으키려 한다는 소문이 들려왔다. 이 때문에 자기에게도 화가 미치지 않을까 늘 근심과 두려움에 빠져 있자 이런 질문이 나왔고, 그를 위로해 주기 위해 이 말을 했다고 한다. 더구나 사마환퇴는 공자를 시해하려고 했던 사람이다.

여기서도 공자는 해답을 손에 쥐여 주지는 않는다. 다만, 원론만 강조할 뿐이다.

왜 군자는 걱정도 하지 않고 근심도 없을까? 반성해 보니 꺼릴 것이 없어 당당하다면 걱정할 이유가 없다는 거다. 되돌아보니 실수를 했으면 다음엔 실수하지 않도록 방법을 찾든가 않으면 된다. 더 이상 고민 끝이다.

인생의 방향을 확실하게 정하지 못할 때도 걱정이 많아진다. 삶의 목표와 가치관과 지향점이 확실하지 않으면 우왕좌왕하게 되며 근심이 많아진다.

기준치가 없으니 매번 기준치가 달라진다. 내가 기준이 되고 나의 결정이 바로 내 삶이 되는데, 엉뚱하게 갑의 기준을 나에게 갖다 붙이고, 을의 기준을 대입시키니 시행착오만 겪게 된다. 그러면 방향이 달라지고 결괏값도 달라진다. 힘들게 산에 올라 거의 정상에 다다랐는데, '여기가 아닌가 벼~.' 하고 도로 내려간다. 고민은 더욱 깊어진다.

필자도 매우 어리석고 아둔해서 40대까지도 방향이 왔다 갔다 해서 고민과 고생을 무척이나 했다. 고정값이 정해지지 않아서 세월만 낭비하고 아등바등 생고생만 했지, 결과물이 항상 제로였다. 목표가 확실하지 않으면 헛고생만 하는 바보의 삶이 된다. 인생에 희망이 안 보여 삶에 의미가 없으니 살고 싶은 욕망이 사라진다. 그래서 삶을 하직해야 하나 잠시 고민해 보기도 했다. 그러나 이미 나는 나를 내 맘대로 하면 안 되는 상황이었다. 도망자와 무책임한 사람이 되기 싫어 살기로 작정했다.

그래서 자기중심의 확고한 철학과 지향점이 있어야 한다. 그래야 성과도 나오고 근심도 없어진다.

하늘은 스스로 돕는 자를 돕는다고 했다. 하늘이 도울 정도라면 걱정과 근심은 이미 거의 사라져 버렸다고 해도 과언이 아니다. 이 격언이 자기 것이 될 수 있도록 만들어야 한다.

아무도 없는 곳에서 단둘이 뇌물을 주고받고 죽을 때까지 발설하지 않을 것이란 믿음도 있다. 하지만, 이미 하늘이 알고 내가 알고 그가 안다. 공자의 인생 일락이 충족되면 즐겁다고 한 말은 일락이 없으면 걱정과 근심이 많아진다고 해석할 수 있다.

하늘을 우러르고 땅을 굽어 한 점 부끄러움이 없으면 걱정할 일이 없다. 여기서 또 지기(知己)가 제동을 건다. "사람인데 어찌 한 점 부끄러움 없는 사람이 있냐고? 말이 되는 소리를 해라. 덕게야!" 맞다. 잘못과 실수, 때론 부정을 저지를 수 있다. 그대 말대로 사람이니까! 하지만, 앞에서 말한 것 잊었는가? 반성하고 안 하겠다고 다짐하고 그대로 실천해서 약속을 지키면 된다.

그러나 소인은 뇌물을 먹고, 불륜을 저지르니 노심초사 걱정을 안 할 수가 없다. 물론 얼굴에 철판을 깐 사람들은 열외로 한다. 그들은 이미 사람 자격을 잃은 금수기 때문이다.

걱정과 근심이 없으면 안색에서 평온하고 즐거움이 묻어난다. 안색의 평온함과 즐거움은 나뿐 아니라 타인에게도 즐겁게 한다. 군자가 되어 즐거움을 함께 나누어야겠다.

날이불치와 지조
(涅而不緇)

날이불치

사람은 그가 자주 어울리는 사람들의 영향을 안 받을 수가 없다. 그래서 환경이 중요한 것이다. 완전한 인격체로 소신과 주관이 뚜렷하다 해도 가까운 주변인들로부터 반복적으로 A는 B라고 하면 사실은 B가 아닌데도 B라고 여길 확률이 높다.

그런 이유로 근묵자흑(近墨者黑) 근주자적(近朱者赤)이란 말이 나왔고 백로 보고 까마귀 가는 곳에 가지 말라 한 것이다. 공자도 제자들한테 의롭지 못한 곳에 가지 말라고 가르친 것은 나쁜 무리에 같이 있다 보면 자연스레 나쁜 물이 들까 염려가 되었기 때문이다.

그러나 공자는 근묵자흑과는 어울리지 않는 사람이었다는 것을 아래 문장이 대변해 준다.

논어 양화편 7장을 보자.

佛肸召 子欲往 子路曰, "昔者由也 聞諸夫子" 曰, "親於其

身 爲不善者 君子不入也", "肸肹以中牟[49]畔[50] 子之往也如之何"
필힐소 자욕왕 자로왈, "석자유야 문저부자" 왈, "친어기신 위불선자 군자불입야", "필힐이중모반 자지왕야여지하"

필힐이 부르자 공자께서 가려 하자 자로가 말하길, "옛날에 선생님으로부터 들은 바가 있습니다." 즉 '친히 그 몸으로 불선한 자에 군자는 들어가지 않는다.'라고 하셨습니다. 필힐은 중모를 근거지로 반란을 일으킨 자인데 선생님께서 그자한테 가신다니 어찌 된 일입니까?"

子曰 "然 有是言也 不曰堅乎 磨而不磷[51] 不曰白乎 涅而不緇[52] 吾豈匏瓜也哉 焉能繫而不食"
자왈연 "유시언야 불왈견호 마이불린 불왈백호 날이불치 오기포과야재 언능계이불식"

공자께서 말씀하시길, "그렇다. 그런데 이런 말도 있지. 굳세다고 말하지 않는가? 갈아도 얇아지지 않으니 희다고 말하지 않겠느냐? 검은 물을 들이려 해도 검게 물들지 않으니 내가 어찌 박처럼 매달려 사람들이 먹지도 못하는 그런 쓸모없는 신세가 되겠는가?"

---

49) 중모(中牟): 중모라는 지역명.
50) 반(畔): 모반, 반란.
51) 린(磷): 엷은 돌, 얇아지다.
52) 치(緇): 검을 치.

자로는 "반란자인 필힐이 부른다고 가십니까? 선생님께서 옛날에 선하지 못한 자와는 접촉하지 말라고 하셨지 않았습니까? 어찌 된 일입니까?"라고 불만을 토하며 항의를 하는 모습이다.

공자는 아무리 갈아도 닳지 않고 검은 물을 들이려 해도 물들지 않듯이 자신은 어떤 무도한 무리한테도 영향받지 않으니 걱정하지 말라고 안심을 시키는 한편, 필힐을 만나서 자기의 정치적 야망을 펼쳐 보이겠다는 강한 의지를 보인 것이다.

공자는 평소 직접 겪어 보지 않고 소문만 듣고서 섣불리 판단하지 말라고 강조했던 터라, 현실 참여에 대한 소신을 실천에 옮기고자 한 것이다. 직접 만나서 자신의 정치철학을 필힐에게 설득해 자신의 꿈을 실현해 볼 기회를 잡으려 한 것 같다.

자로에는 너희들처럼 쉽게 동화되지 않으니 걱정하지 말고 한번 기다려 보라는 듯 설명하고 있는 모습이 보이는 장면이다. 그러나 실제로는 필힐의 세력과 합류하지 않았다고 한다. 공자의 정치적 소신을 수용할 수 없으니 합류하지 못했을 것이다. 요즘 높은 자리를 제안받으면 소신과 철학도 모두 버리고 권력자에 빌붙어 아부나 하는 지식인들과는 차원이 다른 그였기에 그들과 담판하여 자기 뜻을 자유롭게 펼치는 조건이 아니라면 합류할 수 없었을 것이다.

『좌전』에 전하는 말로 보건대, 아마도 공자는 일반적인 모반 세력과는 달리 특별히 불가피한 이유가 있을 것으로 보아 필힐과는 말이 통할 것으로 내심 기대하고 있었던 듯하다.

여기서 주목해야 할 문장은 마이불린(磨而不磷)과 날이불치(涅而不緇)다. 뚜렷한 소신과 확고한 철학이 내재하고 있다면 어떤 유혹에도 흔들리지 않는다는 점이다. 자리와 권력이 중요한 것이 아니고, 정치철학을 세상에 접목시켜 백성을 편안하게 먹고 살 수 있도록 도모하는 것이 현실 정치에 뛰어드는 가장 중요한 이유이기 때문이다.

변함없는 지조

날이불치와 비슷한 문장이 자한편 27장에도 나온다.

> 子曰, "歲寒然後 松栢之後彫也."
> 자왈, "세한연후 송백지후조야."

공자께서 말씀하시길, "날씨가 추워진 연후에야 소나무와 측백나무가 뒤늦게 시든(돋보이는)다는 것을 알 수 있다."

여름을 거쳐 가을까지는 모든 초목이 푸르러 누가 가장 늦게까지 푸름을 유지하는지 알기 어렵다. 날씨가 추운 겨울이 되면 모든 나무가 잎이 지고 회색으로 바뀐 뒤에도 끝까지 푸르름을 유지하고 있는 소나무와 측백나무를 발견하게 된다.

이 두 나무는 우리에게 교훈을 주고 있다. 태평 시절이든, 풍상고초의 시절이든 변함없이 제자리를 지키면서 지조와 절개를 지키라는 거다.

힘들 때 친구와 동지가 진짜 친구라고 하듯이 태평 시대와 잘 나갈 때는 누구든 친하게 지낼 수 있다. 그러나 친구가 어려움이 닥치면 자기에게도 화가 미치거나 도움이 전혀 되지 않기에 나 몰라라 한다.

송백후조를 보면 어김없이 추사 김정희 선생의 〈세한도(歲寒圖)〉가 떠오른다.

김정희가 정쟁에 휘말려 제주도로 유배 생활하며 고초를 겪고 있을 때 제자인 이상적이 청나라 유학 중 총 120권인 『황조경세문편』을 구해 와 제주도 유배지까지 가져다주었다. 세한도는 이때 글과 함께 이상적에게 준 답례품이다.

만고풍상의 고초를 겪고 있을 때 제자인 이상적이 스승을 잊지 않고 그 비싼 책값을 출세를 위한 수단으로 쓰지 않고 자기에게 귀한 책을 구입하여 가져다주었으니 얼마나 고마웠을까? 그래서 소나무와 잣나무를 보고 "가장 추울 때도 너희들은 우뚝 서 있구나."라면서 자신의 처지를 표현한 그림이다.

추사는 그림 우측 하단에 '장무망상(長毋相忘: 오래도록 서로 잊지 말자)'이라는 유인(遊印)을 찍었다.

〈세한도〉는 논어 자한편 27장에서 따왔는데, 글의 일부를 옮겨 본다.

"성인(聖人)은 특히 겨울이 된 뒤를 칭찬했는데 지금 그대가 나를 대함을 보면 이전도 지금보다 더한 것도 없고, 이후도 지금보다 덜한 것이 없으니 겨울 이후의 그대 또한 성인에게 칭찬받을 만한 것이 아니겠는가? 성인이 특히 겨울의 송백을 말씀하신 것은 다만 시들지 않는 나무의 곧은 절개만을 말한 것이 아니라 겨울에 느껴지는 바가 있었다. … 중략 … 세상인심의 박절함이 극에 달했도다. 슬프다!"

•

공자의 꿈과 목표 (老者安之 朋友信之 少者懷之)

공자의 꿈

어른이 되었을 때 간절히 이루고 싶은 꿈이 있는 어린이는 행운아다. 막연한 희망 사항이 아니라, 정말 안 하면 잠도 안 오고 먹지도 못하고 너무나도 이루고 싶어 모든 것을 바칠 수 있는 열정이 넘치는 일, 하루하루를 밥 먹듯이 수십 년을 실행에 옮기는 변치 않는 꿈 말이다. 이런 어린이는 차치하고 보편적인 사람들의 꿈을 말해 보자.

그것이 취미여도 좋고 미래 무엇이 되겠다는 목표여도 좋다. 나이 든 후에는 살고자 하는 방향이어도 좋다. 거창할 필요도 없고 각자가 그리는 소박한 무언가가 있을 것이다. 꿈이 없는 인생은 고통과 괴로움이 수반되며 위험하기까지 하다. 꿈을 포기하면 삶의 의지가 없어지며 동물로 변하거나 결국 오래 살지 못한다.

공야장편 25장을 보면 공자가 제자들과 꿈에 관하여 대화하는 장면이 나온다.

顔淵季路侍[53] 子曰, "盍[54]各言爾志"

안연계로시 자왈 "합각언이지"

子路曰, "願車馬 衣輕 與朋友共 敝[55]之而無憾"

자로왈, "원거마 의경 여붕우공 폐지이무감"

顔淵曰, "願無伐[56]善 無施勞" 子路曰, "願聞子之志"

안연왈, "원무벌선 무시로" 자로왈, "원문자지지"

子曰, "老者安之 朋友信之 少者懷之"

자왈, "노자안지 붕우신지 소자회지"

안연과 자로가 공자를 모시고 있을 때 공자께서 말씀하시길, "어찌하여 너희들은 각자의 뜻을 말하지 않는 게냐?"

자로가 말하길, "저는 수레와 말을 타고 가벼운 갑옷 입기를 친구와 함께하다가 옷이나 거마가 망가져도 서운해하지 않겠습니다."

안연이 말하길, "저는 잘하는 일을 자랑하지 않고, 주위 사람들을 힘들게 하지 않으며 살고 싶습니다."

자로가 말하길, "선생님의 뜻을 듣고 싶습니다."

공자께서 말씀하시길, "노인들에게는 편안하게 해 드리고, 친구들에게는 믿음을 주며, 젊은이들은 품어 주며 살고 싶다."

사랑하고 아끼는 두 제자와 인생의 꿈이랄까 삶의 방향에 대하여 가벼

53) 시(侍): 모시다, 시중들다.
54) 합(盍): 덮다, 합하다, 어찌-하지 않느냐.
55) 폐(敝): 깨지다, 망가지다.
56) 벌(伐): 자랑하다.

운 듯하면서도 가볍지 않은 듯한 대화를 나누고 있는 공자에겐 즐거움이 넘쳐 나는 모습이다.

자로는 좋아하는 친구와 물질을 공유하며 사용하다가 그 물품이 망가져도 아무런 유감없다며 친구와의 우정을 느끼며 살고 싶다고 한다. 재물에 대한 욕심이 없음을 알 수 있는 대목이다. 공자는 자로에 대하여 자한편 26장에서 "다 해진 옷을 입고 비싼 가죽옷을 입고 있는 사람과 같이 서 있어도 부끄럽게 생각하지 않는 제자는 자로일 것이다."라고 칭찬하고 있다. 부자라고 해서 조금도 위축이 되지 않았고 자신이 힘이 세다고 해치지도 않은 제자라고 칭찬했다.

안연은 잘난 것을 자랑하지도 않으며 타인을 힘들게 하지 않겠다고 말한다. 둘 다 쉽지 않은 일이다. 자신이 선한 일을 하고 큰 상을 받는다거나, 뛰어난 성과를 이루면 자랑하고픈 생각이 간절하게 드는 것이 사람이다. 타인으로부터 칭찬에 메말라 하는 것이 사람들의 일반적 심리이기 때문이다. 인정 욕구를 버리는 주체적 인간이 되겠다는 각오다. 칭찬하든 비난하든 내 할 바 하겠다는 의지도 숨겨져 있다. 두 번째인 주위 사람들을 힘들게 하지 않겠다는 것은 타인을 존중하고 배려하는 마음이다. 공자는 안연에 대하여 3개월 동안 단 한 번도 인(仁)을 실천하지 않은 날이 없었다고 극찬한 바 있다. 다른 제자들은 몇 달 동안 단 한 번 혹은 며칠 정도 인을 실천한다고 했다.

공자 사상의 핵심인 인을 가장 철저하게 행동으로 옮긴 안연을 좋아하지 않을 수 없었을 것이다.

자로가 스승인 공자의 생각을 듣고 싶다고 하자, 공자가 답한다.

나이 든 사람들은 편안하게 해 주고 친구들은 신뢰를 지키며, 젊은이들은 사랑으로 품어 주며 살고 싶다고 말한다. 노인 세대, 중장년 세대, 청년 세대로 구분하니 온 백성을 망라하고 있다. 노인들에게는 걱정 없이 편안하게 모시고 싶다는 것이다. 한 집안의 장손으로 치환해도 의미는 같다. 웃어른인 부모님을 편안하게 모시고, 형제지간은 믿음으로 우애를 지키며, 아들과 조카들은 사랑으로 넓게 품어 주는 삶이다.

확실히 두 제자와 세상을 바라보는 눈의 크기가 다르다.

노인을 걱정 없이 편안하게 모시기는 쉽지 않은 일이다. 나이가 들수록 노여움을 쉽게 탄다. 몸은 쇠해서 말을 듣지 않고, 젊은이들은 멀리 도망치려 하고, 귀는 잘 들리지 않으니 오해를 잘하고, 정보도 멀어져 가니 느는 것은 서운함과 노여움뿐이다. 늙고 싶어서 늙은 것이 아니다. 자기도 얼마 안 있어 늙을 수밖에 없는 것은 변함없는 사실이기에 그분들의 상황을 100번 이해하여 서글프지 않도록 세심한 주의를 기울여야 한다. 그래야 편안하게 해 드릴 수 있다. 국가 정책도 거기에 중점을 두어야 한다. 노인 복지 정책을 촘촘하고 꼼꼼히 들여다봐야 한다.

동 세대에서 신뢰를 얻는 일은 내가 현재를 살고 노후까지 대비할 수 있는 가장 큰 정신적, 물적 자산이다. 중장년 세대인 이들은 경제 활동을 가장 왕성히 하며 사회에선 중추 역할을 하는 핵심 세대다. 역할만큼 권력욕, 재산 욕, 등 욕망의 크기도 비례한다. 나 스스로 욕심을 내려놓아야 믿음을 살 수 있다.

아래 세대는 미래의 중추 세대다. 우리의 아들이며 딸이다. 2, 30대 젊은이들을 보면 걱정이 될 때도 잦은 것은 사실이다. 그들의 잘못도 그들을 잘못 지도한 우리 책임이다. 어른의 눈과 귀로 아이들을 바라보면 항상 걱정인 것은 수천 년 동안 변함이 없었다. 너무 걱정하지 말자. 그들이 나보다 부족하지 못할 거라는 근거는 나의 주관적인 생각일 뿐이다. 후생가외(後生可畏)라는 말이 바로 그것을 이름이다. 후배들과 자녀들이 어디까지 성장할지 알 수 없으니 믿음으로 껴안아 주자는 말이다. 믿고 기다려 주면서 든든한 지렛대가 되어 주는 것이 현재의 중장년층이 해야 할 역할이지 싶다. 때론 논어를 비롯한 고전과 경험을 통해 익힌 삶의 지혜를 간간이 들려주는 것도 그들을 품어 주는 일이다. 지식이나 정보는 알려 줄 것이 적다. 그들 스스로 더 잘 찾아 쓰기 때문이다. 우리가 할 일은 그들이 깨닫지 못하는 깨달음을 듣게 하는 것이다.

공자가 추구했던 정치 목표

자로편 9장에 나오는 말이다.

子適衛 冉有僕
자적위 염유복
子曰, "庶矣哉" 冉有曰, "旣庶矣 又何加焉" 曰, "富之" 曰, "旣富矣 又何加焉"
자왈. "서의재" 염유왈, "기서의 우하가언" 왈, "부지" 왈, "기부의 우하가언"

曰, "教之"

왈, "교지"

공자가 위나라에 가면서 염유가 수행하게 되었다.

공자께서 말씀하시길, "사람들이 많구나." 염유가 말하길, "이미 사람들이 많습니다. 그다음에 무엇을 더해야 합니까?" 공자께서 말씀하시길, "그들을 부자로 만들어야 한다.", "이미 부자가 된 후에는 무엇을 더 해야 됩니까?"

공자께서 말씀하시길, "가르쳐야 한다."

공자는 백성을 부자로 만들어야 하고 그 후에는 가르쳐야 한다고 했다. 가장 시급한 것은 예나 지금이나 민생이다. 생존이 가능해야 도덕도 교육도 가능하다. 공자가 말한 정치 목표의 핵심은 결국 경제 발전과 도덕의 확립이다. 돈만 많다고 행복할 수 없듯이 그에 비례하여 정신적 풍요도 충족해야 행복의 빈자리가 채워지는 것이다. 인간성과 도덕이 무너지면 경제도 오래가기 어렵다.

도덕성 없는 부유는 약육강식인 동물의 나라가 될 것이고 행복은 순식간에 소멸해 갈 것이다. 제자 안회가 밥 한 종지와 물 한 모금만으로도 즐거움을 바꾸지 않았다고 스승인 공자가 칭찬한 바가 있다.

一簞食 一瓢飮 不改其樂

일단사 일표음 불개기락

물질적 풍요보다 정신적 풍요가 더 큰 즐거움과 행복을 가져다줄 수 있다는 말이다.

모든 사람한테 인정받을 필요는 없다 (萬人不可好之)

만인이 좋아한다 해서 꼭 좋다고 단언할 수는 없다

자로편 24장을 보자.

子貢問曰, "鄕人 皆好之 何如?"
자공문왈, "향인 개호지 하여"
子曰, "未可也"
자왈 "미가야"
"鄕人 皆惡之 何如"
"향인 개오지 하여"
子曰, "未可也 不如鄕人之善者好之 其不善者 惡之."
자왈, "미가야 불여향인지선자호지 기 불선자 오지."

자공이 질문하기를, "향인이 모두 그를 좋아하면 어떤가요?"
공자께서 말씀하시길, "좋지 않다."
"향인이 모두 그를 싫어한다면 어떤 사람입니까?"
공자께서 말씀하시길, "그것도 좋지 않다. 선한 자는 그를 좋아하고 불선자는 그를 싫어하는 것만 못하다."

마을 사람들은 각양각색이다. 사고와 가치관이 다르고 취향도 다르다. 그래서 모든 사람으로부터 호감을 사기는 어렵다. 모두가 그를 좋아한다면 이래도 흥, 저래도 흥 하는 사람이거나, 분명하게 자기 생각을 밝히지 않고 사람들로부터 인기를 얻기 위하여 원하는 대답을 할 가능성도 있다. 인기 영합주의자들은 솔직하지 않다. 인기에 부합하기 위해 자기 내면을 숨기고 가상의 답을 내놓는다.

그래서 공자는 그다지 좋은 사람이 아니라고 말한 것이다. 그래서 그가 선한 사람이라면 선한 사람을 좋아할 것이고 선하지 못한 사람은 그를 싫어할 것이라고 한 것이다. 그렇다고 모든 사람이 다 미워한다면 역시 문제가 있는 사람이다.

예를 들어 여당도 좋아하고 야당도 좋아하는 사람은 누굴까? 양쪽의 노선과 입장이 명확히 다른데 어떻게 양쪽 사람들이 모두 그를 지지할 수 있을까? 이런 사람을 좋게 표현하면 중도라고 하고, 부정적으로 말하면 회색분자라고 한다. 이런 사람은 양다리를 걸치고 있으면서 먼저 호의적 제안을 해 오는 측으로 붙는다.

그래서 자기 입장과 생각을 분명하게 밝혀야 그에 따라 호불호가 결정된다.

A 지역이 산업폐기물 장소로 적합도에서 최고의 평점을 받아 선정되었다고 치자. 다른 곳은 타당도 검토 결과 여러 가지로 입지 여건이 불비

하여 선정할 수 없다고 한다. 그런데 A 지역 사람들이 지역 이기주의에 편승하여 지역을 죽이는 일이라며 명분 없이 결사반대만을 외칠 때, 그 지역 국회의원은 어떤 태도를 보여야 옳을까?

차기 선거를 의식 인기에 영합하여 반대 뜻에 동참하는 것이 옳을까? 아니면 다수가 반대하는 지역 여론과 배치됨에도 불구하고 국가의 입장에서 폐기물 장소로 선정해야 국가도 살고 지역도 살 수 있다고 지역민들을 설득하는 노력이 옳을까? 안타깝게도 대다수 정치인은 당선을 위해 지역민들의 지역이기에 편승한다. 지역이기에 매몰된 지역민들은 옳지 못한 선택을 해도 불선한 자들이기에 그를 지지한다.

국가를 위한 대의에 충실하여 차기 선거에서 낙선이 예상됨에도 불구하고 그들을 설득하는 소신 있는 의원들이 많아야 국가가 발전한다. 그러나 이런 의원은 찾기 힘들다. 이런 정치인은 당장은 실패한 것 같지만 장기적으로는 재기할 수 있다. 명분과 대의에 충실했고 소신도 있어서 당당하다. 투표하는 과정에서만 졌지 내용 면에서는 이긴 거다.

옳은 것이 다수가 반대한다고 그른 것이 될 수는 없다. 이런 소신으로 옳은 것은 옳다고 끝까지 주장해야 곧은 사람이다.

모든 사람한테 인정받을 수도 없으며 그렇게 되려는 자세가 자기를 고통 속으로 빠트리게 된다. 왜냐, 인정받기 위해서는 늘 양쪽의 의견을 받아들여야 하기 때문이다. 상반된 의견을 어찌 모두 받들 수 있는가? 애당초 불가능하다.

내가 판단해서 정말 옳고 맞는다면 그대로 행하면 된다. 언제나 다른 한쪽은 반대하기 마련이다.

향원

향원(鄕原)의 원래 의미는 마을에서 존경받아 가며 점잖게 살아가는 사람이다. 그러나 겉으론 덕담을 잘하고 경우 바른 소리를 잘하여 꽤 좋은 사람 같아 보이지만 말뿐이다. 말과 행동이 다른 위선자다. 지역 유지 노릇도 하며 각종 이권에 개입하고 정의와 개혁에 딴지를 거는 지역 토호들이다.

그래서 공자는 양화편 13장에서 향원은 덕지적야(德之賊也)라고 했다. 즉 덕을 도둑질하는 사람이란 뜻이다. 자신들의 기득권 유지를 위해 온갖 부정과 불의에 가담하는 자들이다. 겉으론 공손하고 예의를 차리는 척하지만, 뒤에서 은근히 사회를 좀먹는 자들이다. 그래서 순진하거나 처음 만난 사람들은 속기 쉽다.

겉으로 인(仁) 한 척한다고 속까지 인하다고 보장할 수 없다.

가끔 사회복지시설을 운영하면서 성자(聖者)인 양, 인자(仁者)인 양 선한 일도 하며 불쌍한 약자들을 도와 훌륭한 사람이라고 뉴스를 장식하기도 하던 사람들이 어느 날 쇠고랑 차는 모습이 발견된다. 일종의 향원이다. 겉으론 세상에서 가장 선한 사람인 양 행세하며 뒤로는 약자들의 등골을 빼앗는 덕을 도둑질하는 악질 위선자들이다. 이들은 일시적으론 모든 사람으로부터 호평을 받는다. 이들의 일시적인 선한 행동은 더 큰 사리사욕을 채우기 위한 미끼일 뿐이다. 그래서 그들의 속마음을 살펴야 한다. 지행이 합일하고 언행이 일치되는지 살펴보아야 한다.

향원들은 교언영색하고 곡학아세하여 세상을 왜곡시키며 사회를 혼탁에 빠트린다.

현대판 향원들은 누구인가? 지역 유지라 일컫는 토호들, 언론사 기자들, 대학에서 학생을 가르치는 교수들, 법의 잣대를 자기들 입맛대로 맞추는 검·판사 등 방송에 나와서 마치 정의를 부르짖는 척하는 저명인사를 자세히 분석하면서 보아야 한다. 이들의 유창한 화술과 아전인수에 속아선 안 된다.

안락과 고통의 역설 (士而懷居 不足爲士)

안락은 퇴보를 부른다

헌문편 3장을 보자.

> 子曰, "士而懷居 不足以爲士矣."
> 자왈, "사이회거 부족이위사의."

공자께서 말씀하시길, "선비가 편안한 삶을 추구한다면 선비가 되기엔 부족하다고 하겠다."

앉으면 눕고 싶고 누우면 자고 싶다는 속담이 있다. 사람은 본능적으로 편안함을 추구한다. 맛있는 음식, 화려한 의복, 안락한 주거 환경은 누구나 꿈꾸는 삶이기도 하다. 이런 안락은 가져올수록 더 큰 안락을 기대한다.

회거(懷居)는 안락 추구를 말한다. 공자께서는 군자의 삶은 회덕(懷德)이요, 소인의 삶은 회토(懷土)라고 했다. 회토는 재물을 품는 것이니 안락 추구를 뜻한다. 안락을 추구하면 사유와 사색이 사라진다. 그러면 점점 안락에 빠져들고 쾌락만 추구하게 되며 뇌의 작동이 정지한다. 그러니 안락만을 추구하면 소인의 삶을 살게 된다.

회덕(懷德)의 삶은 덕을 품고 선한 의지를 실행하는 삶이다. 안락한 삶과는 거리가 멀다. 쉼 없이 학습에 정진해야 하고, 심신을 수련해야 하며 마음을 갈고 닦아 수양에 힘써야 하니 고통이 뒤따른다. 고통을 겪지 않고는 위대한 사상가가 나올 수 없는 이유다.

회덕자는 타인의 이로움을 위하여 애쓰지만, 회토자는 자신의 이익만을 위해서 애쓴다. 회덕자는 대의를 위해서 자신을 희생하는 용기를 내지만, 회토자는 사익을 위해서 친구를 배신한다. 그래서 안락을 추구하는 선비는 선비가 될 자격이 없다고 한 것이다.

공직에 몸을 담는 사람들이 처음에는 선비정신을 살려 군자의 길을 가겠다고 다짐하지만, 시간이 지나면서 안락의 마수에 걸려든다. 마수의 손길은 자애롭고 달콤하다. 그래서 뇌물을 탐하게 되고 부정한 방법을 동원하여 이권을 노리고, 부당한 권력을 이용하여 안락한 환경을 산다(買). 그러면서 초심은 온데간데없이 사라지고 회토(懷土)만 남는다. 만나는 그룹 대다수가 회토자니 안락과 권력의 마수에 포획된 것조차 인식하지 못한다.

청렴하고 강직하던 국회의원 초선들이 재선 3선이 되면서 안락을 추구하는 회토 의원으로 추락한다. 안락은 이루어질지 모르지만, 소인배의 삶으로 귀결된다. 맹자는 생우우환(生于憂患) 사우안락(死于安樂)이라고 했다. 우환이 오히려 사람을 살리는 청신호요, 안락이 사람을 죽이는 적신호라는 것이다.

안락이 초래하는 위험을 알아야 한다. 우환 즉 고통을 극복하면 경험이 축적되고 삶의 자양분이 되어 탄탄한 삶이 보장된다.

안락이 주는 달콤함의 유혹에서 벗어나 초심의 다짐과 각오를 새롭게 다져 회덕의 삶을 살아가야 후회가 없다.

나에게 다가온 고통은 발전을 위한 필수 불가결한 통과의례임을 알아야 한다. 고통이 클수록 성숙도는 크다. 불행이라 여기는 것들도 마찬가지다. 그러니 고통과 불행이 닥쳐도 발전과 성숙을 위한 발판임을 안다면 낙담하지 말고 긍정의 신호로 받아들이는 지혜가 필요하다.

오소야천(吾少也賤)

자한편 6장을 보자.

> 大宰問於子貢曰, "夫子聖者與 何其多能也."
> 태재문어자공왈, "부자성자여 하기다능야."
> 子貢曰, "固天縱之將聖又多能也."
> 자공왈, "고천종지장성우다능야."
> 子聞之曰, "大宰知我乎 吾少也賤故多能鄙事 君子多乎哉 不多也."
> 자문지왈, "대재지아호 오소야천고다능비사 군자다호재 부

다야."

牢曰, "子云吾不試故藝."

뢰왈, "자운오불시고예."

우선 태재의 대는 태와 통용되며 오나라의 관직명으로 재상급의 태재를 말함이다. 종(縱)은 내보낸다의 의미다. 뢰(牢)는 공자의 제자 자장의 이름이다. 자장은 뢰의 자(字)이다.

태재가 자공에게 물었다. "공자는 성인인가? 어찌 그렇게 다능한가?"

자공이 말하길, "본시 하늘이 보낸 성인이라서 능력이 많으신 겁니다."

공자께서 이 말을 듣고 말씀하시길, "태재가 나를 아는구나! 내가 어릴 때 천하게 자랐기 때문에 비루한 일을 많이 할 줄 안다. 군자는 능력이 많아야 하는가? 많지 않아도 된다."

자장이 말하길, "선생님께서는 말씀하시길, '내가 시험에 낙방해서 관직에 나가지 못한 연유로 오히려 재주를 많이 배우게 되었다.'라고 말씀하셨다."

『좌전』에 보면 애공 7년 여름과 12년 여름 두 번에 걸쳐 오나라 태재와 자공이 만난 사실이 기록되어 있다. 거기에 보면 태재가 "공자를 많은 사람이 성인이라 칭하며, 세상의 모든 잡사에 못 하는 것이 없다고 하는데 어찌 고매한 인격자의 성인이라 할 수 있겠는가?"라고 비꼬고 있다. 잘난 사람을 보면 질투심에서 어떻게든 단점을 찍어서 폄하시켜 보려는 의도가 숨어 있다. 공자는 제자 자공으로부터 전해 듣고 의연하게 있는 그대로 사실을 말한다. 비천하게 태어나 온갖 잡사를 해 본 것은 부끄러운 일이 아니라고 생각한 것이다. 그래서 군자도 모든 것을 다 잘하는 능력자가 아니라, 인격이 얼마만큼 갖추어져 있느냐의 여부라고 여긴 듯하다.

그러면서 제자인 자장도 관직에 나갈 시험 운이 부족해 기회를 잃는 바람에 전화위복이 되어 다양한 재주를(藝) 배우고 익힐 기회를 얻지 않았느냐고 말한다.

공자도 마찬가지다. 만일 젊을 때 재상에 기용되어 수십 년을 장구했다면 노나라나 제후국의 유능한 정치가로서의 명망에 그쳤을 것이다. 세계 4대 성인으로 동서고금을 막론하고 위대한 사상가요, 철학자로 이름을 떨치지는 못했으리다.

다산 정약용 선생이 관직에서 승승장구하였다면 실학자로서 조선 제일의 대학자요, 사상가로 후세에 추앙받는 인물이 되었을지는 미지수다. 오랜 세월 고통받으며 귀양살이한 덕분에 500여 권의 방대한 저작물을 완성하여 지금까지 지대한 영향을 미치고 있다. 귀양살이는 다산 개인적으론 불운이었지만 나라와 역사적 관점에서 보면 대학자를 배출시키는 계기가 되었다는 점에서 매우 긍정적인 결과가 되었다.

•

언필유중
(言必有中)

맞는 말만 하는 민자건

민자건은 공자의 제자로 이름은 손(損)이다. 공자보다 15년 연하로 부모로부터 학대를 받으며 자랐다고 한다. 그럼에도 덕이 뛰어나 부모에게 효도하였다. 공자의 공문십철 가운데 덕행이 뛰어난 4인(민자건, 안연, 염백우, 중궁) 중의 하나로 꼽힌다.

사마천은 『사기 제자 열전』에서 "그는 더러운 녹을 먹는 것을 달갑게 여기지 않았다."라고 찬사를 아끼지 않고 있다. 그는 노나라 대부 계씨(季氏)가 민자건을 비(費) 땅의 재상으로 임명하려 하자 거절 의사를 밝히면서 사자(使者)에게 또다시 부른다면 나라를 떠날 것이라고 했다. 전횡을 일삼고 폭정을 휘두르던 부당한 계씨 정권에는 힘을 보태지 않겠다는 단호한 의지를 보인 것이다. (옹야편 7장)

선진편 13장을 보자.

魯人爲長府[57] 閔子騫 曰, "仍[58]舊貫如之何 何必改作" 子曰,

---

57) 장부(長府)는 창고의 이름이다.
58) 잉(仍)은 인(因)과 같은 뜻, 부인(夫人), 저 사람.

"夫人 不言 言必有中"
노인위장부 민자건 왈, "잉구관여지하 하필개작" 자왈, "부인 불언 언필유중"

노나라 사람이 장부라는 창고를 짓자 민자건이 말했다. "옛날 것을 습관대로 쓰면 어떠하겠는가? 하필 고쳐 만들어야 하는가?" 이에 공자께서 말씀하시길, "저 사람이 (평소) 말을 하지 않는데 말을 하면 반드시 맞는 말만 한다."

쓰던 창고를 굳이 새로 지어서 낭비하느냐고 질책을 한 셈이다.
한국에도 새로운 정부나 새로운 단체장이 선출되면 전임자의 것(건물, 제도 등)을 리모델링 수준이 아니고 신축 수준으로 개작(改作)하는 사례가 많다. 자신의 업적을 내세우려는 욕심 때문이다. 물론 꼭 필요한 것들은 바꾸어야 하겠지만, 전임자의 것들을 반대당이라 해서 전면적으로 고치는 것은 무리가 따른다. 그것이 반드시 개혁이나 개선이라는 근거가 없다. 오히려 개악이 되는 일도 있다. 오로지 선공후사의 정신과 국리민복 정신 즉 인과 덕이 우선되지 않으면 사욕이 앞서 부작용만 초래한다.

이처럼 민자건의 말을 들은 공자가 평소에 말을 잘하지 않는 민자건이 말을 하면 사리에 합당한 말만 하는 사람이라고 추켜세우는 장면이다. 어쩌다 한마디 하는 말이 사리에 맞는 말만 하는 언필유중의 사람이 돼야겠다.

민자건의 효

선진편 4장을 보자.

子曰, "孝哉 閔子騫 人不間[59]於其父母昆[60]弟之言."
자왈, "효재 민자건 인불간어기부모곤제지언."

공자께서 말씀하시길, "효성스럽구나. 민자건이여! 사람들이 부모 형제들의 말에 대하여 틈이 없구나!"

민자건이 워낙 효성이 지극한 사람임을 부모 형제들의 말로 증명된다는 의미다.

부모와 형제들이 모두 민자건을 칭찬하는 것에 대하여 빈틈이 없다는 것은 조금도 반박할 여지가 없다는 말이다. 부모·형제들의 말은 반으로 줄여서 들어야 한다는 말이 있다. 팔은 안으로 굽는다고 과장하여 칭찬하고 잘못은 축소하기 때문이다, 그러나 민자건은 그럴 필요가 없을 정도로 효성이 지극했던 모양이다. 그래서 제자 중 4인의 덕행자(德行者)로 불린다.

당나라 구양순의『예문유취藝文類聚』에 따르면, 민자건은 어릴 때 계모로부터 학대를 받으며 자랐다. 그는 형제가 여럿이었는데, 어머니가

59) 불간(不間): 사이, 틈이 없다.
60) 곤(昆)은 맏형을 말함.

죽고 아버지가 재혼하여 아들을 둘 두었다. 민자건이 아버지를 위해 수레를 몰다가 고삐를 놓치자 아버지가 그 손을 잡아 보니 옷을 매우 얇게 입고 있었다. 집에 돌아와 계모가 낳은 아이들을 불러 손을 잡아 보니 옷을 매우 두껍고 따뜻하게 입고 있는 것이 아닌가? 그래서 부인에게 따졌다. "내가 당신에게 장가를 든 것은 내 아들을 위한 것이었는데, 지금 당신이 나를 속였으니 머무르지 말고 떠나시오."라고 하자, 민손이 말하길, "어머니가 계시면 한 아들의 옷이 얇고, 어머니가 떠나시면 네 아들이 춥게 됩니다." 그러자 아버지가 아무 말 없이 깊은 생각에 잠겼다. 그 후로 어머니가 잘못을 뉘우치고 네 아들 모두 공평하게 대우하여 자애로운 어머니가 되었다고 한다.

민자건은 계모의 학대와 못된 행동에도 탓하지 않고 선한 마음을 베풀어 계모로 하여금 감화를 받게 하여 가정을 화목하게 이끌었다. 민자건의 가장 큰 효행은 지혜와 덕을 발휘하여 계모를 깨우치게 한 것이다.

5장

믿음(信)

•

신비주의와 부작용(怪力亂神)

사람들은 평범하고, 합리적이며, 상식적 보편타당한 이야기보다는 괴이하고, 달걀로 바위를 깼다는 기적이나 신비스러운 이야기에 흥미를 갖는 습성이 있다.

그래서 이런 소재들을 중심으로 사실인 것처럼 야사나 설화에 많이 등장한다.

근대와 근대 이전에는 이런 괴력난신(怪力亂神)이 소설 소재로 쓰이기에 안성맞춤이었다. 괴력난신은 비합리적이고, 비과학적이며, 비상식적이라서 현실성과는 거리가 한참 멀다.

이런 것들은 소설이나, 영화 등 창작품의 영역에 머물러야지 현실 속으로 파고들어 오는 순간부터 혹세무민하게 된다. 즉, 세상을 어지럽히고 선량한 사람들을 속여서 부를 축적하고 권력까지 누리는 폐해를 가져온다.

술이편 20장과 23장을 보자.

子 不語怪力亂神 (20장)

자 불어 괴력난신

공자께서는 괴력이나, 혼란스럽고 신비스러운 말을 하지 않으셨다. 불가사의한 존재나 현상들을 경계한 것이다.

子曰, "二三子 以我爲隱乎? 吾無隱乎爾. 吾無行而不與二三子者 是丘也" (23장)
자왈, "이삼자 이아위은호? 오무은호이 오무행이불여 이삼자자 시구야"

공자께서 말씀하시길, "너희들은 내가 무엇인가를 숨기고 있다고 생각하느냐? 나는 너희에게 숨기는 것이 없다. 나는 행동하면서 너희들과 같이 하지 않은 것이 없다. 그게 바로 나 구(丘)다."

제자들이 보기엔 스승이 온 세상을 꿰뚫고 있는 것 같고 모르는 것이 없는 것 같은데, 무언가 숨기고 가르쳐 주지 않는 것이 있지 않나 의심하는 눈치였나 보다. 걸출한 인물들은 보통 사람들과 달라서 사람들이 할 수 없는 초능력을 발휘하는 경우가 있으니 스승인 공자도 그렇지 않나 의구심을 가질 법도 했을 것이다.

그래서 이를 간파한 공자가 일침을 놓은 것이다.
공자로 빙의해 보자.
"나는 부지런히 배워서 알 뿐이다. 쓸데없는 상상하지 마라. 나는 너희들이 상상하는 신비스러운 능력도 없고 초능력은 더더구나 발휘하지 못하는 평범한 사람이다. 숨겨서 신비주의자로 보이게 하고 싶지 않다. 나의 평소 일거수일투족이 모두 가르침의 하나다. 단순히 고문을 학습하고 해석하는 것만이 공부가 아니다. 지나친 숭배는 혹세할 위험이 있으니 경계해야 한다."

아마도 이런 의미로 해석된다.

일부 목회자들이 종교의 힘을 빌려 자신이 하느님을 대신하는 준성자(準聖者)로 세뇌(洗腦)시켜 혹세무민한다. 이런 현상이 한 발짝만 더 나가면 JMS 정명석과 아가동산 교주 김기순이 된다.

공자의 이 문장을 보면 매우 현실적이며, 과학적이고 비권위적임을 알 수 있다.

괴력난신을 일체 배제하여 혹시라도 종교화되는 길을 막은 것은 아닌가 생각된다.

세계 4대 성인 가운데 2인의 가르침이 종교가 되었다. 기독교와 불교다.

두 종교를 폄하하는 것이 아니라, 공자 사후에 제자들이 종교화시키면서 그들이 타락의 길로 가는 것을 우려해서 나온 발상일 수도 있다는 말이다.

신비주의에 관심을 가지면 무당과 점성술, 미신과 귀신이 보인다. 신비주의를 차용한 인간들이 인간의 약한 고리를 이용하면 쉽게 유혹할 수 있다. 돈과 권력이 동시에 주어지니 필사적으로 신비주의 마케팅에 총력을 기울인다.

무엇이든 지나치면 문제가 발생하듯이 종교도 지나치게 열광적이고 신비주의를 앞세우면 부작용이 크다. 이것이 사이비가 된다. 종교의 본질인 성경의 교훈과 진리에 충실해야 하는데 대리인이 신격화되어 신비주의가 주(主)가 되고 교리는 뒷전으로 밀리게 된다. 그래서 혹세무민의 해를 낳는다. 이들이 수많은 신도의 힘을 이용하여 자신들의 권력을 탐하고 영향력을 행사하여 속세인들보다 더 심한 이권을 쟁취한다. 이들은 정치영역까지 침범하여 사회를 어지럽히고 교리를 아전인수격으로 해석하여 왜곡하고 한국 사회 전체를 분열과 혼란 상태로 치닫게 하는 폐해를 가져오고 있다.

자신들이 한국 기독교의 정통이라 자처하는 이들과 JMS 등 기타 사이비 교주와 다를 게 무엇인가? 오히려 더 큰 피해를 양산한다. 사이비는 사이비에 방점이 찍혀 확산에 제동이 걸리는 반면 일반 타락한 대형 교회는 평범한 교회처럼 보이기에

신도들이 세뇌되어 확산할 가능성이 크고 제동이 쉽지 않기 때문이다.

신비주의는 필요 불가결한 양념 선에서 머물러야지. 중요한 요소가 되면 순기능보다는 역기능이 크게 되어 악화(惡貨)가 양화(良貨)를 구축(驅逐)하는 꼴이 된다. 그래서 신비주의는 모든 영역에서 경계해야 한다.

또한 공자는 역난(力亂)에 대해서도 말을 하지 않았다.

공자가 살았던 시기는 춘추전국시대로 극도로 혼란한 전쟁 시대였다. 힘이 세다는 말은 힘센 장수가 연상되고 난(亂)은 전쟁을 의미한다. 전쟁은 피하는 것이 상책이기에 전쟁을 언급하지 않은 것이겠고, 평화를

꿈꾸는 비폭력 평화주의자였음을 알 수 있다.

괴력은 초인적인 힘을 의미하고 난신(亂神)은 어지러운 귀신으로 함축하여 말할 수 있다. 요즈음 괴력과 난신이 대한민국을 쥐락펴락하고 있어서 큰일이다. 괴력이 정의와 상식을 파괴하고 있고 난신이 나라를 흔들어 대고 있다. 속히 이 두 거악(巨惡)을 처단하는 길만이 난국에서 빠져나오는 지름길이다.

공자님 말씀대로 개인은 개인대로 신령에 빠지면 그의 노예가 되어 파괴되고 나라는 나라대로 난신에 포획되면 국가가 패망의 길로 갈 수 있으니 모두가 정신을 바짝 차리고 경계해야 한다.

•

편안과 이로움의 주체 (仁者安仁 知者利仁)

인(仁)을 실천하여 즐거움과 행복을 만든다

논어 이인편 2장을 보자.

> 子曰 "不仁者 不可以久處約 不可以長處樂 仁者安仁 知者利仁"
> 자왈 "불인자 불가이구처약 불가이장처락 인자안인 지자이인"

공자께서 말씀하시길 "어질지 않은 자는 오랫동안 어려운 상황을 버티기 힘들 것이며 오랜 기간 즐거움도 누리지 못할 것이다. 인자(仁者)는 어짊을 편안하게 여기고 지자(知者)는 어짊을 이롭게 여긴다."

오랫동안 힘든 상황을 버티기 힘들 것임은 이해된다. 꼭 인, 불인자(仁, 不仁者)를 떠나서 대부분 평범한 사람들은 힘든 상황을 오랫동안 견디기 힘들어 한다.

그런데, 착하지 않은 사람은 즐거움도 오래 못 누린다? 공자께서 무슨 말을 하려 한 것일까?

사촌이 땅을 사면 배가 아프다고 했다. 예를 들어 갑동이가 20억의 복권에 당첨됐다고 하자. 그런데 오랫동안 즐거움을 누리지 못한다. 자신이 남 잘되는 꼴을 못 보듯이 남 또한 자신의 복권 당첨을 시기 질투한다고 여긴다. 자기가 그랬으니까! 형제들과 친구들이 일부를 달라거나 꾸어 달라고 할까 봐 걱정 근심으로 즐거움을 제대로 못 누린다.

어질지 못하기 때문에 즐거움을 오래 못 참고 선을 넘어 쾌락으로 질주한다. 즐거움이 쾌락이 되면 망하는 지름길이다.

이런 자들은 어려운 상황이 길어지면 초심을 잃어버리고 본성을 드러낸다. 동지가 되기로 굳게 맹세하고 끝까지 거사를 도모하기로 약속했지만, 고통을 견디지 못해 동지를 밀고하고 배신한다. 일제 강점기 밀정과 80년대 민주화 동지들을 밀고하고 승승장구한 현대판 밀정 김모 치안감이 불인자(不仁者)들이다.

어진 사람들은 어떤 상황이 닥쳐도 신념을 바꾸지 않는다.

아무리 힘들어도 의리를 지키고 한결같이 초심을 유지한다.

긴 병에 효자 없다고 한다. 평범한 사람들의 이야기다. 그러나 진정 어진 이들은 사랑을 몸으로 실천하는 사람들이기에 고통도 즐거움으로 승화시킬 줄 안다. 따라서 이들은 아무리 오랫동안 병간호를 해도 항상 웃음을 잃지 않는다.

간혹 TV 다큐멘터리에서 이들 같은 어진 이들을 본다.

수십 년간 아내를 돌보는 남편, 남편을 지극정성으로 간호하는 천사들을 본다. 이들이 인자(仁者)다. 이들은 노력하고 견디지 않는다. 노력과 버티는 힘만으론 오래가지 못한다. 이들의 돌봄은 자연스러운 일상일 뿐이다. 힘듦을 일상의 보람과 즐거움으로 승화시켜야 가능하다.

그래서 인자(仁者)는 상황과 무관하게 편안하고 즐거움을 기꺼이 장기간 즐길 줄 알며, 지혜로운 지자(知者)는 이롭게 생각하며 살아간다.

어진 사람들은 남에게 베풀기를 좋아해서 지인들에게 밥을 사면 즐겁고 마음이 편하다. 지혜로운 사람은 베풀면 자기에게 이익이 돌아올 것을 알기에 인을 실천한다.

어쨌든 인자(仁者)나 지자(知者)나 인(仁)을 실천한다는 의미에서 바람직하다.

인을 실천해서 고통도 즐거움으로 변화시키고 행복을 느끼며 지자(知者)처럼 이익도 가져온다면 인을 실천하지 않을 이유가 없다.

사람을 좋아하고 미워하는 것

이인편 3장을 보자.

> 子曰, "唯仁者 能好人 能惡人"
> 자왈, "유인자 능호인 능오인"

공자께서 말씀하시길, "오직 인자(仁者)만이 사람을 좋아할 수도 있고 미워할 수도 있다."

사람을 좋아하고 미워하는 데 무슨 자격이 필요하지? 그냥 감정의 영역인데!

때론 이유 없이 좋아지기도 하고 이유 없이 밉기도 한데? 무슨 뚱딴지 같은 말일까?

3개월 전에는 A가 B를 좋아했다. B가 A에게 선물도 주고 밥도 사 주고 친절하게 대했기 때문이다. 외모도 준수했다. A는 B를 멋진 남자라고 생각했다.

그런데 어느 날인가부터 무관심한 듯하더니 선물도 없고 식사를 하자고 하더니 밥값도 A에 내라고 한다. 급기야 이유도 모를 화를 내고 불친절하게 군다.

요즘엔 만날 때마다 그런다. 이제 A는 더 이상 B를 좋아할 수 없다. 미움이 밀려온다. 사람이 촌스럽게 보이기도 한다. A는 혼란스럽다. 3개월 전하고 왜 이리 다르지? 뭐가 문제인지!

A를 좋아하고 싫어하는 것은 A의 실체가 아니고 허상이다. 그러니 그때그때 상황에 따라 달라진다. 관점에 따라 좋아지기도 하고 밉기도 하다. 공자는 오직 어진 자만이 편견 없이 대할 수 있어서 좋아할 수 있고 미워할 수도 있다고 했다. 허상을 보고 판단하지 말고 실체를 보고 판단하라고 한다. 즉 맨 처음 새겨진 고정관념과 편견을 탈피하고 냉정하게

실체를 보아야 한다고 말한다.

그래서 동일 인물인 A에 대하여 누구는 좋아하고 누구는 싫어하기도 한다. 잘해 주면 좋은 사람, 무관심하면 별로인 사람이 된다. 그래서 사람을 좋아하고 싫어하지 말고 그 사람의 행동거지를 보고 좋아하고 싫어하라는 거다.

불인자(不仁者)는 이기적인 사람이다. 이런 자는 자기의 이익을 실현해 주는 사람을 좋아하고 그렇지 못한 사람은 싫어한다. 이런 사람은 오직 이익(利益)이냐, 무익(無益)이냐가 호오(好惡)를 판단하는 기준이 된다.

그래서 어진 사람은 이익과 상관없이 호오를 판단하고, 편견과 선입견을 철저히 배격하고 실체를 본다. 이런 사람이 어진 사람이라고 공자는 말한다. 인을 실천해서 어진 인자(仁者)가 된다는 것이 어렵다.

올바른 정치란 (知仁莊禮)

공자는 철학자이며 사상가였지만 정치인이기도 했다. 정치가 가장 중요하다고도 했다. 국가 지도자들이 정치를 어떻게 하느냐에 따라 선진국으로 발돋움하기도 하고 후진국으로 떨어지기도 한다. 2023년 대한민국을 보라. 1년여 만에 온 분야가 전 세계 상위권에서 중위권으로 추락하고 있다. 대중 무역은 수교 이래인 31년 만에 최초로 적자로 돌아섰다고 한다. 그만큼 정치의 역할은 국민 생활과 안전에 지대한 영향을 미친다. 그래서 공자도 정치의 중대함을 강조했으며 난국을 푸는 길은 군주가 인(仁)의 정치를 해야 한다고 역설했다.

그렇다면 어떻게 하는 것이 정치를 올바르게 하는 것인지 위령공 편 32장을 펼쳐 보자.

子曰, "知及之 仁不能守之 雖得之 必失之"
자왈, "지급지 인불능수지 수득지 필실지"
"知及之 仁能守之 不莊[61]以涖之卽民不敬"
"지급지 인능수지 부장이리지즉민불경"

61) 장(莊): 엄숙할 장.

"知及之 仁能守之 莊以涖[62]之 動之不以禮 未善也"

"지급지 인능수지 장이리지 동지불이례 미선야"

공자께서 말씀하시길, "지혜가 있어도 인으로 그것을 지키지 못한다면 비록 무엇인가를 얻어도 반드시 잃게 된다."

"지혜가 충분하고 인으로 그것을 지켰을지라도 바르게 백성에게 다가가지 않는다면 그를 공경하지 않을 것이다."

"지혜가 있고 인으로 지키고 백성에게 바르게 다가갔다 할지라도 예의로 행동하지 않는다면 올바르지 않은 것이다."

정치인이 갖추어야 될 4가지 덕목을 말하고 있다.

지혜, 어짊, 올바름, 예의 이 네 가지를 모두 갖추고 정치를 할 때 올바른 정치를 할 수 있다는 것이다.

첫째, 지혜가 있어야 한다.

국가와 국민을 위해 미래를 내다볼 줄 아는 혜안과 통합 조정 능력이 있어야 한다.

그래야 대안을 제시하고 꼬인 실타래를 풀어 갈 수 있다. 또한 산적한 국내 문제를 해결하고, 외교 무대에서 성과를 낼 수 있다. 공자는 지혜만 있고 인성이 없다면 설령 잠시 성과를 냈어도 오래가지 않아 잃게 된다고 했다. 한 선수가 일시적으로 타이틀을 획득했어도 인성이 올바르지 못하면 그 영광은 오래가지 못한다는 거다.

---

62) 리(涖): 다다르다, 임하다.

둘째, 지혜가 있어도 국민에 대한 사랑이 뒷받침되지 않는다면 지혜의 효과를 발휘할 수 없다. 인의 정신은 모든 것의 기본이다. 애민 정신 없는 지혜의 결과물이 엉뚱한 방향으로 흘러갈 수 있다. 국민을 귀하게 여기고 존중할 때 결실이 국민에게 돌아가는데, 인(仁) 함이 없으면 일부 권력 집단이나 정파에만 돌아가게 된다.

지혜를 발휘하여 획득한 성과물은 국가와 국민의 공동 소유다. 그런데 불인(不仁)한 자들은 자신의 소유물인 양 사유화시킨다. 그것이 부정부패가 된다. 그러므로 오래가지 못하고 반드시 잃게 된다고 했다. 문제는 그 잃음의 폐해가 자신들뿐 아니라 국가와 국민 전체에 미친다는 점이다.

국가와 공동체 이익을 위하는 리더들은 투철한 애민 의식이 뇌리에 박혀 있어야 한다. 회사의 사장이 사원을 가족 대하듯 하고, 가장이 가족을 사랑하는 마음이 투철해야 하듯이 말이다.

세 번째, 지혜와 애민 의식을 갖추고 있어도 올바른 방향으로 나가야 한다는 거다.

이 말은 어떤 경우에 해당이 될까? 얼핏 생각하기에 애민 정신이 있다면 국민에게 해가 되는 일은 하지 않을 것으로 보인다. 하지만, 선하긴 한데 정직하지 않고 말을 자주 바꾸면 정책은 혼선을 빚고 잘못된 방향으로 흘러갈 수 있다.

여기서 공자는 정직성을 강조한 것으로 보인다. 정직하지 못한 정치인들이 얼마나 많은가? 입만 열었다 하면 바로 들통이 날 거짓말을 서슴없이 해 댄다. 아침에 한 말을 점심때 "오해가 있었던 것 같다. 다른 의미로 해석해 달라."라고 하며 말을 바꾼다.

예를 들면 아침에 김갑동 여당 정책위의장이 기자회견에서 "당은 연금개혁의 시급성을 인식하고 야당의 안을 전부 받아들여 내년 말까지 완성하기로 했습니다."라고 발표해 놓고, 오후에 친정부 언론이 비판하고 여당 의원들의 항의가 빗발치자 "야당 안이 여당 안과 일치하는 조건일 때 그렇게 하기로 했다는 의미다. 오해가 없었으면 한다."라고 말을 바꾼다. 이것은 명백히 거짓말이다. 술을 마시고 운전했지만, 음주 운전은 아니란 해괴한 논리와 무엇이 다른가? 이러니 정치인의 말을 믿지 않는다. 신뢰가 무너지면 어떻게 될까?

넷째로 지혜, 어짊, 올바름을 갖추고 있어도 예의가 없으면 완벽하지 못하여 원하는 결과물을 얻기에 부족하다는 거다. 세 가지의 덕목을 갖추었어도 건방지게 행동한다거나 원칙을 저버리는 행동을 한다면 국민의 공감을 살 수 없어 원하는 목표를 달성하기엔 부족하다는 것이다. 앞 문장에서 말하는 덕목은 매우 협의(狹意)로 해석해야 할 듯하다. 인(仁)의 정신만 확실하게 알고 행동해도 지혜, 올바름, 예의가 그 안에 내포되었기 때문이다.

지식과 지혜, 선함, 정직성, 예의까지 골고루 갖춘 사람이어야 제대로 된 정치를 할 수 있다고 하는데, 참으로 쉽지 않다.

위 네 가지 덕목을 현대판 정치인의 중요한 자질로 재해석한다면,

통찰력, 정의감, 당리당략을 초월한 투철한 공익 정신, 정직성, 책임의식으로 축약할 수 있겠다. 오늘날 대한민국에서 이런 정치인을 얼마나 만날 수 있을까?

•

이익과 손해의 세 가지 즐거움 (益者三樂 損者三樂)

노래방에 가든, 한적한 야외에서든 음주와 가무는 즐거운 일이다. 그런데 음주와 가무를 절제하지 못하여 과하게 되면 즐거움이 화가 되어 돌아오게 된다. 결국은 놀다가 손해를 본다. 평소에 지인의 장점을 칭찬하며 응원하여 그 지인이 원하는 결과를 얻으면 마치 내가 얻은 결과인 양 즐겁다. 이런 즐거움은 나의 마음이 뿌듯해지는 유익한 즐거움이 된다.

같은 즐거움이지만 어떤 결말을 가져오느냐에 따라, 유익한 즐거움으로 남는 것이 있는 반면 손해가 발생하는 즐거움도 있다.

공자는 계씨편 5장에서 유익한 즐거움과 손해나는 즐거움으로 분류했다.

> 孔子曰, "益者三樂 損者三樂 樂節禮樂 樂道 人之善 樂多賢友 益矣, 樂驕樂
> 樂佚遊 樂宴樂 損矣"
> 공자왈, "익자삼요 손자삼요 요절예악 요도인지선 요 다현우 익의, 요교락
> 요일유 요연락 손의"

공자께서 말씀하시길, "도움이 되는 삼락이 있고, 손해를 가져오는 삼락이 있다.

예와 음악으로 절제하는 즐거움, 타인의 장점을 말하는 즐거움, 현명한 친구가 많은 즐거움이 도움이 되는 세 가지 즐거움이다.

교만한 즐거움, 편안한 즐거움, 술자리의 즐거움, 이 세 가지는 손해나는 즐거움이다."

인생은 즐기는 삶이어야 한다고 공자도 말씀하셨다. 기왕 지나가는 삶, 피할 수 없으면 즐기라고 하지 않았나? 심지어 고통마저도 즐거움으로 승화시키는 지혜가 필요하듯이, 괴롭고 고통스러울지라도 지나가는 시간은 같을 때 즐겁게 생각을 바꾸면 견딜 수 있다는 말이다.

그러나 즐거움도 어떻게 즐기냐에 따라 자신에게 손해가 나기도 하고 유익한 즐거움이 된다는 거다.

공자께서는 유익한 즐거움을 세 가지로 분류했다.

여기서 유익한 즐거움은 결과적 즐거움이다. 동시에 나와 모두에게 유익해야 한다.

첫째, 예와 음악으로 절제하면 유익하다고 했다.

평소의 스트레스를 음악 감상을 한다든지, 노래하며 풀 수도 있고, 악기를 연주하면 생활의 윤활유가 되어 유익함으로 돌아온다. 이런 음악적인 요소를 통하여 각박하고 힘든 일상사를 조절하면서 재충전하는 계기로 삼는 것이다.

굳이 음악이 아니라도 취미 생활을 통하여 삶의 활력소를 찾을 수 있다.

둘째는 타인의 선행을 칭찬하는 즐거움이다.

남을 칭찬하는 것은 쉬운 일이 아니다. 사람은 본능적으로 타인의 흉을 보는 것에서 흥미를 느끼고 쾌락을 느끼는 존재라고 한다. 오죽하면 자리를 뜨는 순간 뒷담화를 하면서 깎아내린다고 하기에 그것이 두려워 화장실도 못 간다는 농담이 있을 정도니 말이다.

타인의 장점을 칭찬하기 위해서는 그를 알아야 하고 그의 행동을 살펴야 한다. 그만큼 타인에 관하여 관심을 기울여야 하고 배려를 할 때 그의 장점을 발견하게 된다. 남의 선행과 장점을 알고 칭찬하면 모두가 좋아하고, 상대가 기분 좋아하니 당연히 즐겁다. 내가 아닌 남에 대하여 칭찬하고 지지하고 응원하는 모든 행위는 그를 향한 인(仁)의 마음이 내재하여 있다. 아끼고 사랑하는 마음이다. 그러니 즐겁지 않을 수 없다. 상대가 좋아하고 내가 즐거우니 유익한 즐거움이다.

사람과 교류하고 사귈 때 있는 그대로의 모습을 보라고 했다. 냉정하고 객관적인 시선으로 볼 때 좋아할 수 있고 싫어할 수 있다고 공자께서 말씀하셨는데, 가능한 단점보다는 장점을 보는 습관을 지니면 손해보다는 도움이 되지 않겠는가? 세상 살아가는 처세에서 말이다. 누구나 장단점은 있기 마련이므로 단점보다는 장점을 찾아보자.

셋째, 많은 현명한 친구들과 교류하며 지내는 즐거움이다.

현명한 친구들이란 상호 간 도움을 주고받으며, 만나서 배울 수 있고 신의가 있으며, 배려와 존중으로 무한히 아끼는 보석 같은 존재들이다.

이런 친구들과 만남은 만남 자체만으로도 웃음이 묻어나고 유익한 즐거움이 된다.

인간은 환경의 영향을 받는 동물이기에 훌륭한 친구를 가까이하면 자신도 선한 방향으로 변할 수 있다는 거다. 자신과 주변 사람들 모두를 유익하게 할 수 있다.

다음으로는 손해 보는 즐거움 세 가지가 있다고 했다.

손해 보는 즐거움은 잠깐 이익을 보는 것 같고, 즐거움을 누리는 것 같지만 결국은 손해와 고통만 남는다.

첫째, 자랑하고 교만한 즐거움이다.

타인과 비교하며 으스대고 우쭐해하면서 자기도취에 빠지는 것이 교만이다. 자기만 알고 주위 사람들은 모를 것이라고 단정하고 학생들 가르치듯 가르치려는 태도가 교만이다. 이러한 타인을 가르치고 지도하려는 것에서 즐거움을 느끼는 사람은 주변인들이 자기를 우러러, 떠받들어 주기를 바라기에 평범한 사람으로 대우하면 불쾌하게 여긴다. 잘난 체하면서 인정받기를 원하지만 누군들 쉽게 인정해 주겠는가? 손해 보는 즐거움이니 자각하는 길만이 손해가 줄어든다.

둘째, 편안하게 노는 것을 좋아한다. 안일하게 노는 즐거움이다.

이런 사람은 태만하고 게으르다. 노력하기를 싫어한다. 근면, 성실하게 생활하는 것이 무척이나 버겁다. 노는 것을 절제하지 못하니 방탕하게 되고 그 방탕함을 즐긴다.

방탕의 끝은 한없는 나락이다. 도박에 빠지고, 사치에서 벗어나지 못하고, 중독에 빠져 헤어 나오지 못한다. 안일(安佚)의 극치에 이르면 중독이 된다. 중독은 일종의 병이다. 문제는 본인은 중독인 줄 모른다는 데 있다.

세 번째, 술자리의 향락에 빠지는 즐거움이다.

향락은 사람들을 유혹한다. 술자리는 향락으로 가는 첫 번째 관문이다. 일정한 선에서 멈추지 못하면 손실로 이어진다. 술자리에는 이성이 자석처럼 끌린다. 좀 더 깊이 들어가면 음탕이란 유혹자가 두 팔 벌리고 환영한다. 결국은 인생을 좀먹는 소굴로 안내된다. 꿈인 듯 생시인 듯 쾌락과 향락의 소용돌이 속으로 흡입되어 간다. 때로는 알면서도 잠시의 달콤함에 빠져드는 일도 있다. 즐거움으로 시작했는데, 결과는 나와 주변인에게 엄청난 피해를 안기게 된다.

공자의 인생삼락처럼 유익한 즐거움은 인생을 행복하게 유도한다.

하지만, 교만하고, 방탕하고, 음주로 인한 무절제한 행동은 후회만 남을 뿐이다.

군자삼계와 노욕
(君子三戒)

인생 삼계(三戒)

인생을 살아가면서 경계하지 않으면 곤경에 처하거나 함정에 빠질 수도 있으며 불행의 늪으로 빠질 수 있다. 경계하고 조심해야 할 것들이 얼마나 많을까?

공자는 시기별로 대표적인 것 한 가지씩 세 가지로 구분하여 설명한다.

『논어』 계씨편 7장을 보자.

> 孔子 曰, "君子有三戒 少之時 血氣未定 戒之在色 及其壯也 血氣方剛 戒之在鬪 及其老也 血氣旣衰 戒之在得"
> 공자 왈, "군자유삼계 소지시 혈기미정 계지재색 급기장야 혈기방강 계지재투 급기로야 혈기기쇠 계지재득"

공자께서 말씀하시길, "군자는 세 가지 경계해야 할 것이 있는데, 젊을 때는 혈기가 안정되지 못해서 색을 경계해야 하고, 장년이 되어서는 혈기가 군세므로 싸움을 경계해야 하며, 늙어서는 혈기가 이미 쇠약해지니 재물 획득을 경계해야 한다."

청년기에는 혈기가 넘치고 주체하지 못하는 시기라 특히 색을 조심하라고 한다.

색은 죽기 전까지 경계해야 한다. 사람에 따라 편차가 있지만, 바람은 나이를 불문하니 말이다. 단 젊을 때는 혈기도 넘치지만, 경험이나 절제력이 부족하니까 사고로 이어질 확률이 높기 때문이다.

중장년기에는 나름대로 자제력도 있고 체력도 강한 시기라 세상을 주름잡는 시기다.

승진 욕구, 출세 욕구, 부의 추구 등 욕구가 최고조로 달하는 시기다. 그러므로 경쟁에서 승리해야 승진하고 출세하고 부를 획득한다. 경쟁은 싸움이다. 그래서 싸움을 경계하라고 한 것이다. 사회생활을 가장 많이 다양하게 하는 시기인지라 혼자 싸우기도 하고 단체로 싸우기도 한다. 그러다 보면 싸움에 말려들기도 하여 경찰서에 왔다 갔다 하기도 한다. 적정한 선의의 경쟁은 쌍방 모두 긍정의 결과를 가져오지만, 오직 필사적으로 이겨야 한다는 강박은 모두에게 크나큰 상처만 남는다. 이겨도 이긴 것이 아니다. 불의한 승리는 후에 갑절의 보복으로 다가온다.

욕구를 적당한 선에서 절제해야 한다. 『노자도덕경』에 '지족상락(知足常樂)'이란 말이 있다. 만족을 알면 항상 즐겁다는 말이다. 만족의 기준은 무한대다. 스스로 만족의 기준을 정해야 한다. 그래야 즐겁고 행복을 느낀다. 그러면 싸울 일이 없어진다. 싸우지 않고 이기는 것이 상선(上善)이다.

노년기에는 중장년기의 승부욕이나 기타 욕구가 현저히 낮아질 것 같은데 그렇지 않다. 욕망의 정도가 예전이나 오십보백보다 보니 얼핏 보기엔 더 커진 것처럼 보인다. 그래서 중장년보다 욕심은 그대로인데도 고집을 부리면 노추(老醜)라고 욕을 먹는다. 노년기가 되면 아무래도 체력은 떨어지지만 세 가지는 중장년들보다 많은 것이 있다. 나이, 재산, 지위다. 이 세 가지를 갖고 유세를 떨고 지배하려 든다. 지배하려 들면 늙은 꼰대가 되고, 베풀고 배려하면 사회적 원로가 된다.

노욕에서 벗어나야 노년이 아름답다

법륜 스님은 즉문즉설에서 이렇게 이야기한다.

"잘 물든 단풍은 봄꽃보다 아름답다."

봄꽃은 떨어지면 쓰레기가 된다. 그러나 꽃잎이 예쁘게 물들면 아름다운 단풍이 되어 누군가의 책갈피에서 오래도록 살아간다.

잘 물든다는 말은 청춘보다 아름다울 수 있다는 말이다. 늙음을 서러워하지 말고 있는 그대로 수용하며 아름답게 가꾸는 훈련을 하면 "참 고~옵게 늙으셨네요." 이런 기분 좋은 칭찬을 들을 수 있고 노년의 단풍 같은 은은한 향기를 뿜을 수 있을 것이다.

그럼 잘 늙는 비결이 뭘까?

첫째, 모든 직위, 직책, 영향력을 내려놓아야 한다.

움켜쥐고 자기가 아니면 안 된다는 착각에서 벗어나 후배들에게 길을 터 주어야 한다. 그래야 신진대사가 이루어진다. 후배들도 나 이상으로 잘할 수 있다. 길을 비켜 주어야 능력을 발휘할 기회가 생긴다.

둘째, 말을 줄여야 한다.

나이가 들면 경험이 많아서 마치 자신이 잡학 다식한 것 같은 착각이 든다. 그래서 이것저것 참견하고 가르치려 들고 훈계하려 든다. 그러다 보니 말이 많아진다.

누구나 다 아는 말이지만 '입은 닫고 지갑은 열어라.' 이것이 노인들의 준칙이라고 하는데 쉽지는 않다.

셋째, 죽는 날까지 배우고 익혀야 한다.

공자도 배움이 즐거움의 첫째라고 했다. 무엇이든 가장 하고 싶고 즐거운 것을 찾아 모르면 배우고 익히다 보면 취미가 될 수 있다.

어느 카페에 경험담이 올라온 글을 본 적이 있다.

82세 된 노부부가 색소폰 동호회 사무실에 들렀단다. 교장으로 정년퇴직한 후 십수 년을 이것저것 하며 살아왔는데 다룰 줄 아는 악기가 하나 없었는데, 색소폰 동호회 간판이 보이길래 '이거다.' 하고 배우고 싶어 문의하러 오셨다는 이야기였다.

그런데 놀랍게도 동호 회원 중 일부 소수만이 멋지다고 긍정적인 반응을 보인 반면 대다수 회원은 80을 넘겨 무엇을 배우겠다고 하느냐? 노욕 아니냐?고 부정적인 반응이었단다.

이 경험담을 보고 나도 놀라웠다. 이는 노욕이 아니라 악기를 배우겠다는 배움의 열정 아닌가? 배움에 나이가 왜 필요하지? 얼마나 멋진 계획인가? 예를 들어 숨이 차고 가빠서 도저히 배울 수 없는 체력이면 모르겠지만, 배울 수 있는 체력이 있다면 반길 일이다.

이상숙 선생은 87세 정규대학원 과정에 입학하여 92세 된 올해 2월에 사회학 박사 학위를 받았다.

배운다는 것은 나이를 잊고 무엇인가 도전한다는 의미에서 아름다운 것이다. 배움에 체면 차릴 이유가 있을까?

2년 전 86세로 타계하신 채현국 효암학원 이사장은 "오늘날은 먼저 안 게 오류가 되는 시대"라고 말했다. 그는 "농경 사회에서는 나이 먹을수록 지혜로워지는데, 자본주의 사회에서는 지혜보다는 노욕의 덩어리가 될 염려가 더 크다."라고 했다.

농경 사회에서는 경험이 그대로 지식이었고 지혜가 되었다. 그러니 지금은 IT 시대라 새로운 기술과 정보가 지식이 되는 시대다. 먼저 습득한 것은 지나가 버린 쓸모없는 기술이 돼 버린다. 그래서 과거 경험이 많은 노인들의 판단과 지식이 가르친다고 해서 정확하다는 믿음을 주기 어렵다. 단 변하지 않는 진리와 지혜는 다르다.

그래서 『논어』 같은 고전이 중요한 것이다. 이들은 정보나 기술 영역이 아니고 정신과 지혜를 확장시키는 영역이기 때문이다.

노자의 『도덕경』 속의 말을 복기하며 노욕을 다스리는 방법을 터득해 보자.

"禍莫大於不知足 咎莫大於欲得

故知足之足 常足矣"

"화막대어부지족 구막대어욕득

고지족지족 상족의"

"만족할 줄 모르는 것보다 더 큰 재앙은 없고,

욕심부리는 것보다 더 큰 잘못은 없다.

그래서 스스로 만족할 줄 알면 늘 부족함이 없다."

긍이부쟁과 편당 (矜而不爭과 偏黨)

긍이부쟁(矜而不爭)

선의의 경쟁은 쌍방 모두에게 도움이 되고 발전을 가져오지만, 이기기 위한 경쟁은 서로 상처를 입고 남는 것은 거의 없다. 이긴 쪽도 길게 보아선 득이 안 된다. 타인에게 상처를 입힌 승리가 무슨 의미가 있을까? 정정당당하게 경쟁하여 상대도 흔쾌히 승복하고 승리한 쪽을 진정으로 축하해 줄 때 모두 윈윈하게 된다. 오로지 승리만을 목표로 해선 안 된다. 승리에 눈이 멀면 부정이 개입될 소지가 커진다. 최선을 다하여 이기면 좋은 것이고 져도 여한이 없다는 각오로 임해야 한다.

삶을 살아가면서 각종 시험과 도전이 있지만, 반드시 합격해야 한다는 강박과 이겨야만 한다는 마음이 지나치게 되면 본말이 전도될 수 있다. 왜 합격해야 하는지 이겨야 한다는 명제와 당위성이 무엇인지를 자신에게 물어보아야 한다.

말로만 선의의 경쟁을 외치지만 실제 상황에 부닥치면 사투로 변하여 승자가 패자를 짓밟는 형국이 된다. 그러니 더더욱 경쟁은 전쟁터로 변한다. 그래서 경쟁의 폐해만 남는다. 경쟁주의 사회가 불행한 이유다.

위령공편 21장을 보자.

子曰, "君子 矜而不爭 群而不黨"

자왈, "군자 긍이부쟁 군이부당"

공자께서 말씀하시길, "군자는 자부심은 있지만 다투지 아니한다. 무리를 이루되 당파를 만들지 않는다."

리더는 자부심을 느끼되 경쟁하지 않는다고 했다. 경쟁의 폐해를 알기에 경쟁을 안 하는 거다. 남이 어떻든 자기가 해야 할 일과 역할에만 충실하면 된다. 동종의 동일한 규모의 사업장이 나보다 두 배를 더 많이 벌고 사업을 키워 나가든 신경 안 쓰고 나는 나만의 사업장을 꾸려 가면 된다. 타인을 쳐다보고 비교하면 불행의 시작이다.

각자가 자기 위치에서 자기 역량과 현실적 상황에 맞도록 일을 추진하고 진행하면 된다. 경쟁에 눈이 멀면 모두에게 손해다. A 업종이 잘된다고 모든 사람이 일시에 A 업종을 선택하면 대부분 망하게 된다. 경쟁이 치열하면 할수록 극히 소수만 살아남고 대부분 실패로 끝날 수밖에 없는 것은 정해진 세상 이치다.

긍지라고 하는 것은 자기 능력이나 자격을 자랑스럽게 여기는 자부심을 말한다. 그러나 자랑과는 다르다. 남보다 앞서려는 마음이 없고 긍지가 충만하면 여유가 생기니 남과 다툴 필요성을 느끼지 못한다. 나만 믿고 나만의 소신으로 임하면 다른 곳을 기웃거릴 이유가 없다. 상처뿐인 싸움판에 끼어드는 바보가 되겠는가? 남을 이기고 해칠 마음이 조금도 없으니 다툴 이유도 없다. 자긍심은 남과의 경쟁에서 이겼을 때 나오는 것이 아니고 스스로 성찰하고 다듬어 정신적 충만감을 느끼고 자존감을 높이는 데서 나온다.

군이부당(群而不黨)

여러 사람과 잘 어울려 지내지만 패당을 만들지 않는다는 말이다.

어느 한쪽 편에 서면 그편의 입장을 대변하게 되고 그편이 이익을 취해야 자기도 이익에 편승하게 된다. 그러니 팔은 안으로 굽게 되는 거다. 인간 사회가 편을 먹지 않기도 쉽지 않은 일이다. 단호한 의지와 확고한 자기 소신이 뒷받침되지 않으면 편당에 이끌리게 된다.

편당은 끼리끼리 사적인 이익을 취하거나 분란을 일으키게 된다. 편당은 집단 이기가 되며, 좁게는 가족 이기에서부터 지역 이기, 정파이기에 이르면 나라를 흔드는 거악(巨惡)이 된다.

편당을 확대하여 해석하면 진영이 되기도 한다. 특히 정치 영역에서 그렇고 진영 논리가 되면 합리적 논리도 오해받게 되며 진실로 받아들이지 않는다.

문제는 진영 논리에 갇히면 합리성이 사라지고 자신도 모르는 사이에 진영 이익에 맞추어져 정의가 아전인수 격으로 해석된다. 그러므로 동일한 사안을 갖고도 무엇이 정의인가라는 질문에 상반된 답변이 나온다.

예를 들면, 일본 총리가 "독도는 일본 땅이다."라고 인터뷰에서 밝혔다고 하자.

그런데 한국의 A 진영에서는 "일본과의 관계 개선을 위해 일본 총리에게 항의하는 것은 옳지 못하다. 그들이 일본 땅이라고 주장한다 해서 일본 땅이 되는 것은 아니지 않느냐? 없던 일로 치부해야 일본과 관계 개선이 이루어지고 그렇게 되어야 국익에 유리하다."라고 주장한다.

반면, 반대 진영인 B 진영에선 A와 완전 반대 논리를 주장한다.

"무슨 말이냐? 저들이 일본 땅이라고 하면 세계에 홍보하는 꼴이 된다. 우리가 가만히 있으면 그것을 인정하는 셈이 되는 거다. 다시는 이런 발언이 나오지 않도록 항의는 당연하고 단호한 조처를 해야 한다. 그들이 최소한 유감 표명을 하던가, 겉으로나마 표현이 잘못됐음을 얻어내지 않으면 당분간 어떤 교류도 단절하겠다는 의지를 표명해야 한다."

이렇게 진영 논리는 무섭다. 50:50으로 진영이 갈리면 매우 위험하다. 어떤 합리적, 이성적 주장도 실종되고 진영 논리만 난무한다. 정의도 진영 논리에 입각한 불합리한 정의론이 힘을 받는다. 정의가 왜곡되니 판단을 흐리게 된다. 민중들은 자기가 편드는 진영 논리의 정의를 믿는다. 그래서 편당이 위험하다는 거다.

자신이 굳게 믿는 정의에 흔들림이 없어야 한다. 편듦 없이 자기가 내린 주관적인 결론으로 세상을 바라보아야 한다.

리더는 자부심을 갖고 다투지 아니하며 여러 사람과 잘 어울리지만, 편을 짓지 말고 자기 주관을 뚜렷이 하여 올바름 편에 서는 소신을 간직해야 한다.

여기에 해당하는 말이 화이부동(和而不同)이요, 주이불비(周而不比)다.

화합하되 부화뇌동하지 않고, 두루두루 어울리되 남과 비교하지 않고 편을 가르지 않는다는 말이다. 명언이요, 진리다.

쓰임을 다하면 물러나라 (用即行 舍卽藏)

박수칠 때 떠나라는 말이 있다. 성과를 높이고 있고 전성기를 달리고 있어서 떠나기가 무척이나 아쉬우므로 떠난다는 것이 쉽지도 않고 떠나야겠다는 생각이 미칠 겨를이 없다. 그러나 이렇게 자신의 가치가 한창 높아서 모두가 붙잡고 싶어 하고 아쉬울 때 떠나야 정말로 박수를 받을 수 있다. 전성기를 끝까지 누리려다가 적당한 퇴장 시기를 놓치게 되면 퇴진을 요구받게 된다. 누구든 일정 시기가 되면 정상에서 내려올 수밖에 없다. 내려올 시기를 알아차려야 된다. 쓰임을 요구받으면 세상에 나아가 자기 능력을 마음껏 펼쳐 보이고 쓰임이 다하여 물러나라고 하면 붙잡지 말고 그만두어야 한다. 직(職)에 연연하면 쌓아 둔 공도 반감되며 구차해진다.

공자는 술이편 10장에서 진퇴와 일 처리의 전략적 방법에 대하여 다음과 같이 말하고 있다.

> 子謂顔淵曰, "用之卽行 舍之卽藏 惟我與爾有是夫"
> 자위안연왈, "용지즉행 사지즉장 유아여이유시부"
> 子路曰, "子行三軍卽誰與"

자로왈, "자행삼군즉수여"

子曰, "暴虎[63]馮河[64] 死而無悔者 吾不與也 必也臨事而懼 好謀而成者也"

자왈, "폭호빙하 사이무회자 오불여야 필야임사이구 호모이 성자야."

공자께서 안연에게 말씀하시길, "쓰임을 받으면 움직이고 버림을 받으면 물러나는 것은 오직 나와 너만이 할 수 있을 것이다."

이에 자로가 말하길, "스승께서 3군을 지휘하신다면 누구와 함께하시겠습니까?"

공자께서 말씀하시길, "맨손으로 호랑이를 잡으려 하고 맨몸으로 강을 건너다가 죽어도 후회하지 않는 자와는 함께하지 않을 거다. 일에 임하여 반드시 두려움을 갖고 좋은 전략을 도모하여 성공하는 자와 함께할 것이다."

하나는 물러날 때와 나아갈 때를 알고 판단을 잘하라는 것이고, 아래는 중요한 임무(전쟁)가 주어졌을 때 돌쇠처럼 용감하기만 하여 두려움 없이 무모하게 직진하다가 패(敗)하는 장수보다는 주도면밀한 계획을 세워 승리하는 장수와 함께하겠다는 것이다. 자로(子路)는 내심 스승이 용감무쌍한 자기와 함께하겠다는 말을 듣고 싶었던 모양인데, 스승은 무모한 사람과는 같이 할 수 없다고 한다. 이것은 자기를 배제하겠다는

---

63) 폭호(暴虎): 사나운 호랑이.

64) 빙하(馮河): 맨몸으로 강을 건넘.

의도여서 적잖이 당황했을 것이다. 공자는 평소 자로를 보건데 용감하기는 한데 무모하고 직선적이어서 늘 걱정을 많이 했다. 결국 자로는 위나라의 공씨 가신이 되었으나 왕실 계승 분쟁에 휘말려 괴외의 난 때 전사를 한다.

공자는 자로가 깨닫기를 희망하면서 한편으론 같이 있던 안연을 자기와 등치시키며 드높이 칭찬하고 자로에겐 충고를 빗대어 지적한 것이다.

공자의 속마음을 들여다보자. "자로야 너는 맨손으로 호랑이를 때려잡고 맨몸으로 강을 건너는 매우 용감한 사람이다. 그러나 매우 위험하다. 그러다 죽기 십상이다. 큰일을 도모하려면 철저하게 계획을 세우고 전략적으로 판단하여 신중하게 접근하여야 승리할 수 있는 것이니, 앞으로 용감함은 그대로 간직하되 주도면밀한 계획과 전략을 세우는 것에 모든 역량을 집중해야 하느니라."

공자는 자로에게 이성적이고 합리적인 사고를 강하게 주문한 것이다.

앞에서 공자가 제기한 두 가지 주안점에 대하여 한 발짝 더 나가 보자.

먼저 용즉행, 사즉장(用卽行, 舍卽藏)이다.

이는 임무를 맡기 전과 맡은 후로 나누어 생각할 수 있다.

임무를 맡기 전 제의가 들어왔을 때 수락 여부를 결정해야 하는데, 자리가 탐이나 자기 능력은 생각지 않고 덜컥 맡은 후에 일 처리를 제대로 하지 못하여 불가피하게 물러날 수밖에 없는 상황에 직면하는 경우다. 이는 자기도 죽고 자신을 천거한 상사도 난처하게 만드는 꼴이다. 우리는 고위직 공무원 임명 과정에서 이런 장면을 자주 목격하였다. 나라의 중대사를 다루는 일뿐 아니라 크고 작은 모든 조직에서 임무 제안이 들어왔을 때, 여러 가지 사항을 고려하여 수락 여부를 결정해야 한다. 부족하다고 판단되면 잠시 미루었다가 준비를 더 한 후에 맡는 것이 지혜로운 자의 처신이다.

크고 작은 단체에서 대표나 조합장을 하겠다고 이전투구하는 모습을 얼마나 많이 보아왔던가? 일을 맡겨 놓았더니 일은 소홀히 하고 사리사욕에 눈이 멀어 집단을 망치는 결과를 가져오는 일을 너무도 많이 보아왔다.

판단 기준이 자리와 위치에 대한 욕망이 아니라, 그 자리에서 자신의 역할이 충분한지여야 한다. 아울러 사명감과 책임 의식이 분명해야 한다.

다음으로, 맡은 후 물러날 때를 잘 판단해야 한다.

물러날 때를 잘 구분하기 위해선 자기만의 기준과 철학이 있어야 한다.

일을 맡기 전과 마찬가지로 자리와 권력에 대한 사사로운 욕심이 앞서면 판단은 흐려질 수밖에 없다. 조직의 발전과 몸담은 단체에 대한 이로움의 유무가 우선되어야 한다. 이 또한 철저하게 객관적이고 냉철한 인식의 바탕 위에서 판단하지 않으면 아전인수 격으로 되어 물러날 시기를 놓치게 된다.

자기가 없으면 조직이 무너지고 세상이 안 돌아갈 것 같은 착각에 빠지면 끝끝내 물러나지 못하다가 쫓겨나는 불행을 맞는다. 자신이 물러나도 자신과 걸맞은 대체 가능한 사람이 나타나게 되어 있다. 드러내지 않으니 보이지 않을 뿐이다.

다음으로 폭호빙하 호모이성(暴虎馮河 好謨而成)이다.

맨손으로 호랑이를 잡으려다 물려 죽을 수도 있고 맨몸으로 강을 건너다 중간에 익사할 수도 있다. 자신감이 충만해도 이는 매우 무모한 만용이다.

실제로 만용이 부른 참사의 예는 많다. 무모한 곡예 운전으로 인한 교통사고, 학교 동아리에서 회장으로 당선된 친구를 만용을 부리며 연못으로 던져 익사한 사고, 등.

호랑이가 토끼를 사냥할 때도 전략을 짜며 최선을 다한다고 한다. 아무리 쉬운 일 같아도 만만히 보아선 낭패를 당할 확률이 높다. 용맹이 지나치면 만용이 되며, 만용을 부리면 실패할 확률이 높다. 큰 싸움에선 한 번의 실패가 영원한 실패가 될 수도 있다. 이런 용기 충만한 사람들은 이성적이며 합리적 사고를 하는 습관을 기르지 않으면 무모한 도전을 하게 된다. 그래서 급하고 용기백배한 사람일수록 한 번 크게 숨을 들이쉬고 내쉬면서 전략적 사고를 하는 시간을 가져야 한다.

회사 대 회사의 비즈니스라던가, 국가 대 국가의 외교 전략은 철저한 계획과 준비, 그리고 상대방의 능력에 따른 최적의 전략 수립이 중요하다.

두려움 없는 용감함도 일을 추진하는 데 꼭 필요한 덕목이지만, 여기에 계획과 준비성 등 치밀함과 조화를 이루는 것이 일을 성공적으로 마무리하는 최선의 방법이 될 것이다.

적당한 용기는 모두에게 이롭지만, 만용은 모두에게 해로울 뿐이다.

리더의 인간관계와 원칙 (人間關係)

인간관계

인간은 사회적 동물이기에 수많은 종류의 사람들과 관계를 맺으며 살아간다.

직장 동료, 동호인 모임, 친구, 거래처, 동창 모임, 각종 사회단체 등 사람들과 교류를 얼마나 잘하느냐에 따라 평탄하고 발전적인 삶이 되기도 하며 반대의 상황이 되기도 한다. 거래 관계로 만나서 깊은 우정을 나누는 친구 사이로 발전하기도 하고 오랜 동창이지만 관계가 단절되거나 보고 싶지 않은 사람도 있다. 누구를 깊이 있게 사귀고 누구는 아는 정도에서 머무를 것인지, 또 어떤 사람은 단절할 것인지의 복잡한 인간관계의 지혜를 논어에서 빌려 보자.

자장편 3장을 보자.

子夏之門人 問交於子張曰, "子夏云何."
자하지문인 문교어자장왈, "자하운하."
對曰, 子夏曰, "可者與之 其不可者 拒之."

대왈, 자하왈, "가자여지 기불가자 거지"
子張曰, "異乎吾所聞 君子尊賢而容衆 嘉善而矜不能 我之大賢與"
자장왈, "이호오소문 군자존현이용중 가선이긍불능 아지대현여"
"於人何所不容 我之不賢與 人將拒我 如之何其拒人也."
"어인하소불용 아지불현여인 장거아 여지하기거인야."

자하의 문인이 사람과의 교류에 관하여 묻자 자장이 말하길, "자하께서는 뭐라고 하시던가?" 대답하길, "저희 자하 선생님께서는 올바른 자는 교류하고 올바르지 못한 자는 거절하라고 하셨습니다."

자장이 말하길, "내가 들던 바와는 다르구나. 군자는 현명한 사람은 존중하고 뭇사람을 포용하며 잘하는 사람을 좋게 여기고, 능력이 모자란 사람은 불쌍히 여긴다. 내가 크게 어질다면 다른 사람에게 어찌 포용하지 않겠으며 내가 어질지 못하다면 다른 사람이 나를 거절할 것이다. 내가 어찌 다른 사람을 거절할 수 있겠나?"

자하와 자장의 인간관계 교류에 대한 견해가 다소 다르다.

자하는 아니다 싶은 사람과는 멀리하고 올바르고 도움이 될 수 있는 사람과는 교류하라고 했다. 뜻이 맞고 도움이 되는 사람과 교류하기에도 바쁜 세상인데 반대되는 사람과 고통을 감수하면서까지 교류할 이유는 없다. 기왕 관계를 이어 온 사람과도 뜻이 맞지 않는다거나 도움이 되지 않는 사이라면 굳이 힘든 관계를 이어 갈 필요는 없을 것이다. 예전에 친구였는지는 모르겠으나 현재의 관점으로 판단해서 아니다 싶으면 안 만나면 된다. 관계에 얽매이지 말고 과단성 있게 정리하거나 그러할 가능성이 많은 사람과는 아는 정도에서 머무르면 될 것이다. 자하의 견해는 자신에게 도움되는 쪽으로 지혜로운 선택을 하라 한 것이다.

자장은 좀 더 폭넓은 관계를 말하고 있다. 정치 지도자의 관점으로 덕이 부족한 사람은 그에 맞게 포용을 하고 현명하고 어진 사람은 존중하고 되도록 모든 사람을 자신의 품 안으로 들어올 수 있도록 관계를 맺으라는 조언이다.

자하와 자장의 견해는 자신의 위치와 가치관에 따른 선택을 요하는 문제지, 무엇이 옳고 그른 것은 없다고 보인다. 상황과 처지에 따라 조금씩 교류의 융통성이 필요한 문제다.

자하가 말하는, 가(可)한 사람 즉 괜찮은 사람은 일반론으로 어떤 사람일까?

이 답변 역시 각자가 바라보는 관점과 가치관에 따라 조금씩 다를 것이다.

필자의 견해를 말해 본다.

첫째, 나와 지향점이 비슷한 사람이다. 방향이 비슷하므로 함께 무엇을 하든 충돌이 적고 속도가 빠르며 재미가 있다.

둘째, 나의 단점까지도 이해할 줄 알며 서로 적당한 충고를 수용할 수 있어야 한다.

셋째, 타인을 배려하고 존중할 줄 알아야 한다.

이 정도면 만나면 즐겁고 서로에게 도움이 되지 않을까?

관계의 원칙

아무리 이해하려 해도 이해 안 되는 사람들은 아니다 싶은 사람의 범주에 들어간다.

고통을 겪고 있는 사람들 옆에서 아무 이해 관계없는 유튜버들이 매우 이기적이고 가학적인 시청자들의 입맛을 맞춰 주기 위해서 패륜 행위를 서슴지 않는 자들이다. 이들은 오직 자신의 돈벌이 수단으로 폭력적 언동을 저지른다. 자신들의 이익을 위해서 부정한 행동을 하는 사람들도 아니다 싶은 사람들이다.

위령공편 16장에 관계해선 안 될 사람들이 나온다.

> 子曰, "群居終日 言不及義 好行小慧 難矣哉"
> 자왈, "군거종일 언불급의 호행소혜 난의재"

공자께서 말씀하시길, "여러 사람이 온종일 같이 있으면서 의로운 것이 언급되지 않고 자그마한 지혜 찾는 행동만을 좋아한다면 앞날이 어둡다."

여러 사람이 함께 어울려 의로운 논의는 없고 잡담만 하며 작은 지혜만 찾는다면 앞날이 어둡다는 것이다. 이런 사람들과 교류하면 할수록 발전은커녕 퇴보만 할 뿐이라고 경고한다. 의(義)가 없고 작은 지혜만 쫓는다는 것은 이득만 된다면 부정(不正)을 저질러도 상관없다는 의미에 가깝다. 작은 지혜(잔머리)라는 표현은 일종의 꼼수다.

의를 쫓는 사람은 대를 위해 소를 희생할 줄 아는 사람들이고 소혜(小慧)를 버릴 줄 아는 사람들이다. 편법과 꼼수로 이익을 도모하는 자들은 소인들의 행보다.

최소한 사람들과 교류할 때 위와 같은 의를 도외시하는 사람들과 상식과 거리가 먼 사람들과는 교류하지 않는다는 원칙을 세우라는 말이다.

현대 사회는 거대한 집단이라도, 일종의 공동체 생활의 성격이 가미되어 있다. 모두가 정의를 추구하고 행한다면야 세상이 아름답겠지만, 최소한 의(義)를 논해야 하고 다수가 정의의 편에 서야 사회가 유지되고 사람 사는 사회가 된다.

정의를 논하고 올바름의 편에 서면 당장은 손해가 오기도 하지만 멀리 보면 그것이 모두가 사는 길이다. 정의가 무너지면 사회가 무너지고 나라가 무너지면 나도 무너진다. 동물처럼 원시인으로 살 수는 없지 않은가?

•

자기 역량과 신념 (貞而不諒)

자기 역량

300mL를 담을 수 있는 중접시와 500mL를 담을 수 있는 대접이 있을 때, 300mL 중접시에 500mL 국물을 부으면 200mL 이상이 넘친다. 그릇의 용량을 정확히 파악하여 그에게 맞게 음식을 담아야 낭비되지 않고 쓰임을 100% 발휘한다. 넘쳐도 문제 남아도 낭비 요소다.

위령공편 33장을 보자.

> 子曰, "君子 不可小知而可大受也 小人不可大受而可小知."
> 자왈, "군자 불가소지이가대수야 소인불가대수이가소지."

공자께서 말씀하시길, "군자는 작은 일은 못 할 수는 있어도 큰 임무는 할 수 있다. 그러나 소인은 큰 업무는 수행할 수 없어도 작은 일은 잘 처리할 수 있다."

위 문장은 두 가지 관점에서 현실에 적용해 보자.

하나는 공자와 같이 리더와 보통 사람으로 크게 나누어 리더의 역할과 역량에 대하여 설명하여 적용하는 방법이다.

다른 하나는 서두에서 그릇 크기를 말한 것처럼 현대적 일반론으로 사람의 효율적인 기용법에 대하여 능력과 개성에 따른 안분이다.

먼저 리더와 보통 사람의 역할과 역량론이다.

두세 명을 관리할 때와 수백 명의 큰 조직을 관리할 때는 관리기법이 다르다.

그래서 경험도 중요하고 사람의 능력도 중요하다. 과장 때는 능력을 발휘하는데 부장이 되어서는 능력을 발휘하지 못하고 도태되는 경우가 있고, 반대인 경우도 있다. 한 나라를 책임지는 수장인 대통령이나 수상, 또는 수천수만 명을 관리하는 단체의 책임자는 리더다. 해서 리더가 역할을 잘하느냐 못하느냐에 따라 그 조직과 나라가 붕괴하기도 하고 발전하기도 한다.

리더는 소소한 작은 일은 잘 못해도 큰 임무는 잘해야 함을 강조하고 있다. 작은 일은 그에 적합한 사람을 기용하면 된다.

리더는 세상을 바라보는 안목과 미래를 내다볼 줄 아는 통찰력이 있어야 조직을 발전적이고 희망 있게 이끌고 간다. 작은 단위의 일은 그만한 역량만 있으면 된다. 잘못된다 한들 소단위가 잘못되며, 해당 소단위의 책임자만 바꾸면 된다. 그러나 나라와 같은 큰 단위의 리더가 그르치면 전 국민이 고통 속에 빠진다. 개인이 잘못되면 개인이 책임지면 그만이다. 그래서 임무의 크기와 중요성에 따라 리더의 능력이 요구된다. 소인

즉 보통 사람의 능력은 천차만별이고 각양각색이다. 그래서 그 크기와 능력에 따라 임무가 주어져야 한다. 리더도 경험을 쌓으면 쌓을수록 걸맞게 발휘하는 사람이 있는가 하면 경험이 있어도 감당하지 못하는 사람이 있다.

다음으론 일반론으로 효율적인 사람의 역할론이다.

사람이든 기계든 자기가 할 수 있는 용량과 능력이 한계가 있다. 물론 사람은 지속적이고 피나는 노력으로 능력치를 약간 상향 조정이 가능하나 역시 무한히 올릴 수는 없다. 그래서 적재적소라는 말이 나왔다. 일의 성격이나 특성, 개인의 능력과 성격에 얼마나 잘 맞느냐를 보고 기용해야 효율성이 올라간다. 그릇이나 기계는 용량이 정확하게 주어지지만, 사람은 겉모습과 주장만으론 판단하기 쉽지 않다. 자기 자신도 모르는 경우가 허다하기 때문이다. 그래서 자기 자신을 잘 알아야 하고, 능력도 없으면서 욕심만 내는 경우 일을 그르치기 쉽다.

리더의 역할론이든 일반론이든 이치는 대동소이하다.

사람을 쓸 때는 각기 능력에 알맞게 선택을 잘해야 당사자도 발전하고 조직도 발전한다. 만인만색(萬人萬色)에 정확히 맞는 임무가 주어지는 것이 최상의 인사다. 누가 뭐래도 당사자 본인이 능력을 가장 잘 안다. 욕심을 배제하고 자기 능력을 벗어나면 고사하고, 알맞은 임무를 선택하는 것이 지혜요, 조직과 타인에 대한 배려다.

신념과 소신

위령공편 36장을 보자.

> 子曰, "君子 貞[65]而不諒[66]"
> 자왈 "군자 정이불량"

공자께서 말씀하시길, "군자는 곧고 바른길만 갈 뿐이지 작은 믿음에 연연하지 않는다."

군자는 자기 소신껏 바른길을 선택할 뿐 믿음에 연연하지 않는다. 정확히 판단할 줄 알아야 왔다 갔다 우왕좌왕하지 않는다. 그래서 사리를 정확히 분별할 줄 알아야 사이비 교주나 사이비 언론에 속지 않는다. 자신이 믿는 시사 유튜버가 자기가 지지하는 진영 편이라 해서 맹목적으로 믿으면 소인이 된다. 자신만의 확고한 분별 능력이 있어야 옳은지 그른지 분별할 수 있다. 냉철하게 분석하고 판단해서 자기편이라도 잘못하면 고치도록 조언을 해야 할 것이며 계속해서 고치지 아니하고 고집을 부리면 손절매 해야 한다. 맹목적인 믿음은 바보임을 선언하는 셈이다.

믿음에 연연하지 말라는 또 하나의 해석이 가능하다. 이를테면 한 번

---

65) 정(貞): 곧고 바르다.
66) 량(諒): 믿음에 연연하다, 무조건 믿다.

믿었으면 끝까지 믿는 것도 중요하지만, 믿었던 친구가 언젠가부터 좀 예전 같지 않다는 생각이 들 때가 있다. 젊을 때 노동 운동을 하며 약자를 위해 몸을 다 바쳤던 친구가 언젠가부터 수구 편에 서서 더 악질적으로 자기 동지였던 사람들을 비난하고 배신하는 변절자들이 더러 있다. 한 번 믿음이 영원하면 더할 나위 없이 좋지만, 그가 변했다면 다시 판단해야 한다. 사람뿐만 아니라 학설이나 환경도 시대에 따라 변하고 달라진다. 따라서 믿음보다는 올곧음이 우선이라는 거다. 변치 않는 믿음은 말 그대로 초심이 변치 않았다는 전제가 충족되어야 한다.

인생은 멀리 보고 크게 바라보아야 한다. 작은 믿음과 이익을 좇다가 큰일을 놓친다. 자기가 믿는 바의 소신이 뚜렷하면 어떤 유혹과 거짓된 사탕발림에도 흔들리지 않아야 한다. 위 문장은 여러 가지로 해석이 가능하다. 군자가 가야 할 길이니, 대의를 품었으면 작은 믿음이나 작은 유혹에 흔들리지 말고 꿋꿋이 가야 할 길을 가야 한다는 해석이 가능하다. 20대의 윤봉길 의사가 나라의 독립이라는 숭고한 사명을 위해 아내와 어린 자식과 헤어질 때 이런 대의와 가야 할 길이 분명하지 않았다면 가족과 어찌 헤어질 수 있었겠는가? 한 나라의 수장이 부정부패 척결을 위한 대의 앞에서 친구와의 정을 지키기 위해 원칙을 무시한다면 임무를 완성할 수 있겠는가?

그 어떤 것도 그 누구도 정의와 대의를 넘어설 수 없다.

약자 배려와 인간다움
(相師之道)

상사지도(相師之道)

약강강약(弱强强弱)한 사람과 억강부약(抑强扶弱)인 사람이 있다.

전자는 강자에겐 약하고 약자한테는 강한 사람을 말하는데 비굴한 사람들이다. 억강부약한 사람은 강자에겐 강하고 약자에겐 도움을 주는 약자를 우선시하고 배려하는 사람이다. 공자의 중요한 철학 중 하나가 사회적 약자에 대한 배려와 사랑이다.

위령공편 41장을 보자.

> 師冕見 及階 子曰, "階也" 及席 子曰, "席也" 皆坐 子告之曰, "某在斯 某在斯"
> 사면현 급계자왈, "계야" 급석 자왈, "석야" 개좌 자고지왈, "모재사 모재사"
> 師冕出 子張問曰, "與師言之道與."
> 사면출 자장문왈, "여사언지도여."
> 子曰, "然固相師之道也."

자왈, "연고상사지도야."

악사 면이 공자를 뵈러 왔을 때 공자께서 "계단입니다."라고 알려 주었고, 자리에 이르자, "자리입니다."라고 알려 주었다. 모두 자리에 앉자, 그에게 말하길, "아무개는 여기 있고 아무개는 여기에 있습니다."라고 알려 주었다. 악사 면이 나가자 자장이 묻는다. "그것이 악사와 말씀하실 때의 도리입니까?"

공자께서 말씀하시길, "그렇다. 맹인 악사를 돕는 도리다."

악사 면(冕)은 장님이다. 당시 악사(樂師)는 대체적으로 장님이 담당했다고 한다. 눈이 안 보이니 음악 연주에 온 정신을 집중했나 보다.

악사 시각장애인 면이 오자 공자께서 배려하는 모습을 상세하게 보여 주는 장면이다. 계단이 있다고 말해 주고 자리에 이르렀으니 자리라고 말해 주며 일일이 소개해 주는 장면도 인상적이다. 악사 입장에서는 마치 눈으로 보는 것 같은 느낌이 일 것이다.

악사를 보통 사람보다 훨씬 친절하게 대하는 스승을 보자 제자 자장이 궁금했나 보다. 시각장애인 악사를 대하는 도리가 그렇게 해야 하는 것인지를 물은 거다.

시각장애인은 사회적 약자다. 모든 것이 불편할 터! 역지사지의 관점으로 배려하여 안내를 돕는 것이 도리라고 설명한다. 2500년 전의 장애인에 대한 사회적 대우는 현재와 비교할 때 어땠을까? 공자는 약자를 돕는 일은 지극히 자연스러운 것이라고 말하고 있다.

건물을 들어갈 때나, 도로를 다닐 때 또는 전철을 이용할 때 시각장애인들은 불편함을 겪는다. 장애인 편의시설이 아직도 턱없이 부족하고 장애인에 대한 차별이 심하다. 이러한 장애인 단체의 요구가 이행되지 않자 전철에서 시위하는 모습을 자주 목격하게 된다. 전철을 이용하는 비장애인 승객들이 시위하는 장애인들에게 불평불만을 터트리며 비난을 할 것이 아니라, 먼저 그들이 그렇게밖에 할 수 없는 상황을 이해하려고 해야 한다. 그들의 처지에서 그들을 바라보아야 사회적 약자에 대한 배려가 된다. 그들인들 일반 승객들을 불편하게 만드는 전철 내 시위를 하고 싶겠는가?

일반 승객들은 불편할 뿐이지만, 장애인들은 생존 투쟁이다. 부약(扶弱)은 못 할지언정 강약(强弱) 하는 비굴한 행동은 자제해야 마땅하다.

사회적 약자와 인간다움

자한편 9장을 보자.

"子見齊衰[67]者 冕衣裳者 與瞽[68]者 見之 雖少必作[69] 過之必趨[70]"

"자견자최자 면의상자 여고자 견지 수소필작 과지필추"

---

67) 자최(齊衰)는 제쇠로 읽지 않고 자최로 읽는다. 상복 자, 상복 최의 의미를 담고 있기 때문이다. 자최는 상복을 말한다.

68) 고(瞽): 소경, 시각장애인.

69) 작(作)은 일어남을 뜻한다.

70) 추(趨): 달릴 추, 뒤따라가다.

공자께서는 상복을 입은 자와 모자를 쓰고 정장을 입은 사람, 장님을 만나면 비록 그가 젊을지라도 반드시 일어나고, 그들 옆을 지날 때는 반드시 빠른 걸음으로 지나갔다.

여기서도 사회적 약자인 고자(瞽者: 소경, 장님)가 나온다. 상중에 있는 사람이나 장님을 만나면 슬픔을 같이 하고 위로하는 의미에서 그들이 누구이건 앉아 있지 않고 일어나서 예를 표했다. 면의상자(冕衣裳者)는 정장을 갖춘 관청에 출근하는 사람을 일컫기도 하며 화려한 예복을 입은 사람 즉 결혼식을 앞둔 사람으로 해석하기도 한다. 어쨌든 둘 다 긴장되고 바쁜 사람들이다. 그들(장님, 상중, 예식)을 위해서 예를 표하고 방해가 되지 않도록 종종걸음으로 지나갔다. 관청에서 일하는 사람들은 공무를 수행하는 중이므로 최대한 배려 차원에서 행동한 것이다.

이 문장에서 공자의 사회적 약자에 대한 배려와 상을 당한 사람들에 대한 공감 능력을 배울 수 있다. 항상 역지사지의 자세로 인을 실천한다. 모든 생활 자체가 상대에 대한 배려와 존중으로 일관되고 있다. 아울러 빈천을 막론하고 예의와 존중을 표함으로써 모든 사람에 대한 차별 없는 평등 정신을 일깨운다.

전철 내에서 노약자에게 자리를 양보하는 것이나 무거운 짐을 가진 사람들을 보면 대신 들어 주는 일 모두 인간다움의 실천이다.

•

유항인과 후생인 (有恒人 後生人)

유항인(有恒人)

유항인은 항심이 있는 사람으로 한결같은 사람이다. 20년 전이나 지금이나 변함없이 진실한 사람은 믿음이 가고 같이 있고 싶다. 어느 친구가 한동안 죽고 살기를 함께할 듯하다가 갑자기 변하면 허탈하고 허무하기까지 하다. 사람에 대한 믿음에 금이 간다. 그래서 사람을 사귀거나 교류할 때는 일희일비하지 말고 신중하게 오랜 기간 상호 존중하면서 지내 보아야 한다.

자로편 22장을 보자.

> 子曰, "'南人有言曰, 人而無恒 不可以作巫醫' 善夫[71] 不恒其德 或承之羞"
> 자왈, "'남인유언왈, 인이무항 불가이작무의' 선부 불항기덕 혹승지수"

---

71) 선부(善夫)의 부는 어조사로 쓰였다.

子曰, "不占[72]而已矣."

자왈, "불점이이의."

공자께서 말씀하시길, "남쪽 사람의 말 중에 '사람이 항심이 없으면 무녀나 의사도 될 수 없다.'라고 했는데 좋은 말이다." 주역에서 이르길 '덕이 일정하지 않으면 부끄러움이 이어질 것이다.'라고 하는데 공자께서 말씀하시길, "점을 치지 않아도 되는 일이다."

옛날에는 무당이 신체와 정신적 질병까지도 점괘로 치유를 해 주었다고 한다. 그래서 의원이라고 칭했다. 그래서 의원이라 불리는 의사도 천한 직업으로 여겼던 모양이다.

무녀가 진실한 마음으로 한결같이 점괘가 나오는 대로 말을 해야 하는데, 큰 이익 앞에서 눈이 멀어 점 보는 손님의 마음을 사기 위해 손님이 원하는 답을 하면 얼마 안 가 신뢰를 상실하게 된다. 이랬다저랬다 하는 무녀를 누가 믿을까? 한결같은 무당을 용한 무당이라 했고 이익 앞에서 흔들리고, 서툴고 신념이 부족한 무당을 선무당이라고 했다. 그래서 선무당이 사람 잡는다는 속담도 있지 않은가?

불항기덕 혹승지수는 "덕이 변덕을 하여 한결같지 않으면 치욕을 당한다."는 말로 『역경』의 '호괘'에 나오는 말이다. 『역경』은 길흉화복을 점치는 책으로 공자가 이를 인용하면서 점을 볼 필요도 없다 했다. 항심이 없어 거짓말을 하고 배신을 하는 상황을 목도하고 있는데 점을 칠 필요

---

72) 점(占): 점을 치다.

가 있느냐는 거다. 굳이 점을 안 보고, 눈앞에서 보이는 그 사람의 태도만 보아도 미래를 훤히 내다볼 수 있다는 것이다.

설령 좋은 점괘가 나온다 한들 결과는 좋지 않을 것이고, 좋은 점괘가 나올 리도 없다는 것이다. 어떤 상황이 닥칠지라도 변치 않는 믿음과 진실성으로 삶을 일관한다면 전화위복이 되지 않겠는가? 인생은 한 치 앞도 모른다. 인생길은 수많은 굴곡이 이어지기 때문에 화와 복이 왔다 갔다 하는 새옹지마다. 힘든 일이 닥쳐도 희망을 잃지 말고 한결같은 마음으로 일관한다면 보답으로 돌아올 것이다.

사람들은 평소에 진실하고 작은 이익 앞에서는 겸손하다가도 큰 이익 앞에서 마음이 흔들리는 사람이 있다. 이런 사람은 지도자가 될 수 없다. 군자는 도리를 쫓고 소인은 이익을 쫓는다고 했듯이 항심이 굳건하면 흔들리지 않는다.

후생인(後生人)

선배가 보기에 후배는 환갑을 넘겨도 어려 보이듯이 후배들이나 젊은 사람들을 보면 걱정이 앞선다. 그래서 2500년 전에도 공자와 소크라테스가 "요즘 아이들 보면 버릇이 없고 스승에게도 대든다."라고 하지 않았나? 젊은이들의 행동거지를 보면 한심스럽게 보인다. 그러나 걱정하지 말라. 항상 시대는 끊임없이 발전한다.

후생인인 후배들이 두려운 존재라고 한다. 그들이 선생인(先生人)인

기성세대보다 못하다는 근거가 없기 때문이다.

자한편 22장을 보자.

> 子曰, "後生 可畏 焉知來者之不如今也 四十五十而無聞焉 斯亦不足畏也已"
> 자왈, "후생 가외 언지래자지불여금야 사십오십이무문언 사역부족외야이"

공자께서 말씀하시길, "후생들이 두려운 것이다. 후에 오는 사람들이 지금보다 못하다고 누가 알 수 있으랴? 그러나 그들이 사십이나 오십이 되어도 소문이 나지 않는다면 (우리와 다를 바 없으니) 역시 두려워할 것이 없다."

선생은 먼저 태어난 것을 말한다. 인류 역사 이래로 길게 추산해도 불과 100년 전까지만 해도 먼저 태어난 사람은 지식과 경험 면에서 대체로 후생을 앞섰다. 농경 사회가 주를 이뤘고, 특별한 정보 시대가 아니었기 때문에 먼저 배우고 익혀서 후생들을 가르칠 수 있어서 자연스레 선생님이 될 자격이 되었을 것이다. 그런데도 공자는 후배가 못하다는 근거도 보장도 없어서 후배를 두려워하여 학문과 수양에 정진하라고 했다. 청출어람이 되는 후배들이 나와야 역사는 발전한다.

그러나 지금 시대는 정보화 시대다. 인터넷에 검색만 하면 모든 것을 알려 주고 첨단 자동화 기기나 인터넷을 다루는 솜씨는 어릴수록 빠르게 익히고 능숙하게 다룬다.

그래서 연장자라 해서 지식이 뛰어나다는 근거도 없고 선생님으로 가르칠 것이 매우 제한적으로 되었다. 오히려 컴퓨터를 이용할 때나 신형 핸드폰을 다룰 때는 젊은이들한테 묻고 배워야 한다. 옛날에 비해서 후생들을 더욱 두려워할 시대가 되었다.

그러나 후생들도 점점 나이가 들어가면서 중장년이 되어도 특별히 이룬 것이 없으면 두려워할 대상에서 제외된다는 거다. 그들도 이미 기성세대가 되어 있다.

문(聞)은 명성이나 소문으로 20, 30년 동안 학문이나 한 가지 일에 열중하다 보면 그 분야의 가(家)를 이루기 때문에 문 聞(소문)이 나게 된다.

그러나 정진하지 않으면 두려워하지 않아도 될 장삼이사가 되는 것이다. 그래서 나이가 어리다고 무시해서는 안 된다. 필자의 경험으로 보면 30세가 넘으면 인격적으론 거의 성숙한다. 30세의 철이 없는 사람이 70이 된들 철이 들지 않는다.

노소를 불문하고 죽을 때까지 박학어문 하여 약례하지 않으면 어른 대접을 받기 힘들다. 젊은 후배들로부터 꼰대 소리 듣지 않으려면 시대의 변화에 적응할 줄 알아야 하고 지속적인 인격 수양을 게을리해선 안 된다. 선생이 선생답기 위해서는 후생에 보여 줄 것이 있어야 하지 않겠나!

•

인(仁)이라는 믿음
(仁是大廣)

헌문편 2장을 보자.

> "克[73]伐[74]怨欲 不行焉 可以爲仁矣." 子曰, "可以爲難矣 仁
> 卽吾不知也."
> "극벌원욕 불행언 가이위인의" 자왈, "가이위난의 인즉오부
> 지야."

"이기는 것, 자랑하는 것, 원망하는 것, 욕심을 부리는 것 이들을 하지 않는다면 인을 행한다고 할 수 있겠습니까?" 공자께서 말씀하시길, "어려운 일이다. 하지만 인 한 것인지는 잘 모르겠다."

앞 네 가지를 하지 않는 것이 매우 어려운 일임을 공자도 인정했다. 남을 이기겠다는 것, 자랑하는 것, 원망, 욕심 모두 인과 역행하는 것이다. 배려하고 존중하고 이타적인 것이 인의 기본인데, 이와 배치되니 이기적인 욕심의 발로에서 나오는 것이다.

---

73) 극(克)은 이기는 것.
74) 벌(伐): 자랑.

운동 경기의 승부욕을 버려야 한다. 물론 승부 근성이 있어야 성과와 발전을 가져온다고는 하지만, 그것의 최종 목적이 이기심에서 나온 승부욕이라면 없느니만 못하다. 반드시 이겨야 한다는 마음이 앞서면 이기는 것이 목표가 되어 본질이 사라진다. 승리를 위해서 부정한 방법을 동원하게 되며 이런 방식이면 설령 이긴다 해도 진정으로 이기는 것이 아니다. 정정당당히 이겨야 패한 쪽에서 승복하며 쌍방이 승리하게 된다.

자랑도 이기심에서 나온다. '내가 이렇게 잘하니 알아줘.'라는 심리다. 그러나 사람은 남들이 못 하는 성취를 하면 자랑하고픈 것이 인지상정이다. 지나침이 없는 자랑, 즉 타인이 먼저 칭찬해 주면 겸손의 자세로 대응하는 것이 인의 자세라 할 수 있다. 먼저 나서서 자랑하면 대부분 질투를 느낀다. 그러나 사실을 나열하듯, 자랑인 듯 아닌 듯한 정도의 자랑은 받아 주어도 될 듯싶다.

앞 네 가지를 하지 않기도 쉽지 않은 일이건만 이것만으론 인이라고 하기에는 부족하다는 거다.

앞의 1장에서 공자의 핵심 제자 72인 중의 한 명인 원헌(原憲) 이 질문을 하고 이어서 나온 문장이므로 원헌이 질문한 것으로 이해한다. 원헌이 자신이 위와 같이 인을 실천하므로 스승으로부터 칭찬을 받고 싶었는데, 공자는 그것만으론 부족하다고 한다.

앞 네 가지를 하지 않는 것이 아니라 인의 실천은 타인을 사랑하고 관대하라는 거다. 인의 덕목은 크고도 넓다. 요순임금도 인의 실천이 어렵다고 했을 정도였으니 공자도 인의 경지에 이르렀다고 말하지 못했다. 한마디로 규정지을 수 없을 정도로 넓고 크기 때문에 인의 덕목에 최대한 가까이 다가가려고 노력하면 될 일이다.

6장

성찰(省)

정통과 이단
(正統, 異端)

나만 옳다고 고집하는 것을 독선이라고 하는데, 당사자는 독선이라 하지 않고 소신이요, 굳은 신념이라고 한다. 모든 사람이 자기 입장에서는 그렇게 생각한다.

필자도 그런 경우가 종종 있었다는 사실을 부인할 수 없다. 지나고 보면 "내가 그때는 정말로 나의 주장이 전적으로 옳다고 판단하여 핏대를 올리며 강하게 주장하였는데 지금 와서 곰곰이 생각해 보니 그게 바로 독선이었다."

그렇다. 자신도 모르는 사이에 독선에 빠질 우려가 누구나 있다. 나쁘고, 잘못해서가 아니라 지나치게 신념이 강하거나 자기주장이 강할 경우 독선에 빠진다.

독선이라는 비판에서 벗어나려면 자신의 주장이 옳음을 차분하고도 논리적으로 상대를 설득하면 된다. 이때도 상대의 주장을 존중하는 태도를 유지해야 한다.

타인의 주장을 경청하지도 않은 채 자기주장만 되풀이하면서 공격까지 한다면 일정 부분 자기의 주장이 일리가 있어 귀담아들으려 해도, 설득은커녕 반감만 불러일으켜 손해만 가져오게 된다.

위정편 16장에 보면 이단에 관한 말이 나온다.

孔子曰, "攻乎異端 斯害也已"
공자왈, "공호이단 사해야이"

나와 생각이 다르다고 공격하면 손해만 될 뿐이다.

이단은 주로 종교계에서 널리 사용되어 왔다. 사이비(似而非)와 유사한 말로 나와 다른 맨 끝에 있는 집단으로 그릇된 학문이나 사상으로 대척점에 있다. 정통으로 자처하는 집단이나 구성원들로부터 공격의 대상이 된다. 때로는 정통이라 자처하는 자신들도 객관적으로 바라보면 사이비라 공격받는 집단보다 더 사이비 같은 집단들이 있다. 높은 곳에서 객관적으로 바라보면 둘 다 오십보백보다. 한국 교회에 이런 경우가 자주 발견된다. 이들은 서로 신도를 뺏고 빼앗기지 않으려는 영역 다툼인데, 마치 자신들이 정통인 것처럼 생각한다. 대단한 착각이다.

어쨌든 이단이라고 보기엔 애매한 게 그렇다고 정통이라고 확정할 수도 없는 어정쩡한 경우도 많다. 종교뿐 아니라, 이념 문제, 성적(性的) 갈등, 학문적 갈등까지 다양하다.

어쨌든 공자께서 말씀하신 나와 다르다는 이유만으로 상대를 공격하고 배척하다간 서로 다툼만 발생하고 결국은 공격자만 손해를 보는 것이 아니라 모두가 손해를 보게 된다. 사회적 혼란을 야기하기 때문이다. 공격받는 쪽도 자신들의 이념과 주장들이 옳다고 믿기 때문에 주장을 굽히지 않는다.

이런 각종의 갈등은 누가 나서서 중재하기도 쉽지 않다. 아무리 인품이 뛰어난 중재자도 칼로 무 자르듯 할 수 없다. 각자의 주장이 분명한 경계선이 있는 것도 아니고, 각자 모두 장단점이 있고, 일방의 주장이 터무니없는 것도 아니기 때문이다. 소위 꼴통이라 불리는 극단의 사람들도 나름대로 주장이 있다.

예를 들어 유교, 불교, 기독교, 도교 등에서 갈등으로 인한 분쟁이 벌어질 때 누구 편을 들 수 있으며 누구의 주장이 옳다고 쉽게 결론 내릴 수 있을까? 진보. 보수 갈등도 그렇다. 한쪽이 보기에 분명 진, 보수의 문제가 아닌 상식, 비상식의 문제요, 윤리성이냐, 비윤리성이냐의 문제로 보여도 말이다. 진, 보수로 포장되어 진영 대결로 나타나기 때문이다.

요즈음 시대정신은 다양성이 존중받는 사회다. 타인에게 손해를 끼치거나 범죄 행위가 아니라면 상대를 인정하고 다름을 존중해야 한다.

개인의 취향이 동성을 좋아한다면 역시 존중해야 한다. 타고난 성향이 그런 걸 어쩌란 말인가? 남자로 태어나고 여자로 태어난 것이 죄가 아니듯 말이다.

남성이 남성을 좋아하고, 여성이 여성을 사랑하는 것이 서로가 좋다면 인정을 해야지, 왜 제삼자가 문제 삼고 비난하고 심지어 사회악으로 규정짓고 타도까지 해야 한다고 난리를 피우는가? 기독교계 일부가 그렇다. 그런 부류들은 반성해야 할 지점이 많다. 왜 다름을 인정하지 못할까? 그들이 타인에게 피해를 주는가? 아니면 고통을 주는가! 그들도 평범한 이성주의자처럼 정상적인 행복과 연인을 사랑할 권리를 줘야 한다. 그것은 천부 인권이다. 그대들이 무슨 자격으로 그들의 행복추구권을 박탈하려 하는가? 역으로 그대들의 행복추구권을 침해하려 한다면 어떻겠는가?

제발 거짓된 이론과 설교에 이용당하지 말자. 그런 논리가 바로 이단의 논리다.

기왕에 이단(異端)이란 말이 나왔으니 원론적인 이야기나 해보자. 기독교에서 주장하는 이단의 기준이나 정통성은 논외로 하고 일반인의 상식 기준에서 바라보자. 냉철하고도 객관적인 기준으로 판단하면 문제없다.

여기 A라는 종교가 있다고 하자.

1. 교주 자신이 신이라고 주장한다.
2. 교리가 일반 상식과 너무 다르다. (상식을 벗어난다)
3. 분수에 맞지 않는 헌금을 강요한다.
4. 신앙이 모든 것에 우선하므로 그 어떤 중요한 약속보다도 종교 모임이 1순위다. 결국 다른 약속이 깨지며 그것을 당연한 일로 여긴다.
5. 심약하고 우울한 인간 심리를 이용하여 빠져나올 수 없도록 덫을 놓은 후, 탈퇴를 못 하도록 폭력적 수단으로 강제한다.

6. 개인이나 타인, 가족에게조차 고통을 주거나 사회적 상식에 반하는 행위로 피해를 준다.

위의 어느 하나라도 해당한다면 이단이다.

이는 다름이 아니고 범죄 행위이므로 사회적 합의와 집단지성으로 피해자가 발생하지 않도록 퇴출해야 한다.

그러나 위 같은 경우가 아닌 논쟁거리가 되거나 독특한 개성과 객체의 특성으로 다름이라면 다양성을 인정하고 존중해야 한다.

공자의 선견지명과 합리성은 여기서도 발견된다.

공자가 말하는 정통과 이단은 분명하게 선을 그을 수 있는 것이 아니기에 다름을 인정하는 것이 선진 사회요, 더불어 살아가는 사회다.

종교 간의 갈등, 이념 간의 갈등 이제 우두머리라고 칭하는 사이비 지도자들의 탐욕에 부화뇌동하여 그들만의 이익이 자신들의 이익인 양 불쌍한 시민들끼리 반목하고 갈등하는 어리석음으로부터 깨어나야 한다. 상대의 다름을 인정하고 존중해야 나도 존중받기 때문이다. 가는 말이 고와야 오는 말이 곱다는 속담을 상기해 보자.

•

학(學)과 사(思)는 손바닥과 손등 (學而思)

스님이 되기 위해서는 불경을 공부하고 참선을 한다. 이를 교(敎)와 선(禪)이라 하는데, 교는 경전 수업으로 강사 스님으로부터 강의를 듣고, 경전을 소리 내어 읽거나 묵독을 통해 불교의 교리를 연구하며 부처님의 사상과 진리를 학습한다.

선은 참선수행(參禪修行)으로 짧게는 하루 8시간부터 길게는 18시간 동안 밤을 새우다시피 하며 좌선(坐禪) 정진(精進)한다.

이처럼 불경 공부는 책과 글을 통하여 학습하고 다른 한편으론 학습한 바를 토대로 참선을 통해 사색과 사유하며 공부한다. 교와 선을 병행하며 진행된다.

불교 공부뿐 아니라 어떤 학습도 아무 생각 없이 무비판적으로 읽고, 배우고 외우기만 해서는 발전을 이루기 어렵다. 학습한 것을 연구하고 사유하며 고민하면서 새롭게 진화된 결론을 도출하는 것이다. 그래서 이론 논쟁도 하고 새로운 이론이 다수의 동의를 얻어 정립되기도 한다. 이렇게 학문과 이론이 끊임없는 연구를 통해 발전되어 왔다.

해서 공자님도 다음 대화처럼 한쪽만을 몰두하는 것에 대하여 경고를 한 셈이다.

위령공편 30장을 보자.

子曰, "吾嘗終日不食, 終夜不寢, 以思, 無益, 不如學也"
자왈, "오상종일불식 종야불침 이사 무익 불여학야"

공자님이 말씀하시길 "내가 온종일 먹지도 않고 밤새도록 자지도 않고 생각에 빠져 보았으나 얻은 게 없다. 배우는 것만 못하구나."

위정편 15장을 보자.

子曰, "學而不思則罔[75] 思而不學則殆[76]"
자왈, "학이불사즉망 사이불학즉태"

일단 한자(漢字)를 보자. 모두 쉬운 한자인데 무슨 말일까? 단 망과 태의 해독이 문제다.

"배우기만 하고 사유하지 않으면 없어져 공허할 것이고, 생각만 하고 배우지 않으면 위태로워진다."

앞의 위령공편 15장과 위정편 30장은 유사한 의미로 학과 사를 동시

75) 망(罔)은: 그물, 가두다, 맺다, 없다.
76) 태(殆)는 위태롭다.

에 이행해야 함을 강조하는 문장이다.

종종 어느 걸출한 도사가 지리산에서 10년 동안 도를 닦아 깨달음을 얻어, 앉아서 천 리를 보고 세상의 이치를 터득하여 모르는 게 없다고 하는 이야기를 들은 적이 있다.

오직 도만 닦아서 가능할까? 가능하다면 이야기꾼이 만들어 낸 소문일 뿐이다.

그러니 공자도 배우지 않고 밤낮으로 숙식을 전폐하고 사유를 해 보니 아무것도 남는 게 없다고 탄식하지 않았는가? 사유 없는 배움도 반쪽으로 부족하고, 배움 없는 사색도 반쪽이니, 이 둘을 모두 채워야 완성된 하나가 된다는 거다.

박문약례(博文約禮)의 예처럼 박학다식해도 사유와 성찰이 없으면 허울뿐인 지식이 되므로 완전한 지식인이라 할 수 없다. 새가 양 날개가 있어야 자유로이 날 수 있고, 수레바퀴도 좌우 양쪽이 있어야 제대로 굴러가듯이 학문도 그렇다.

몽테뉴의 『수상록』 5장에 이런 말이 나온다. "지식을 얻되 나의 것으로 만들라."

책 백 권을 읽는 것보다, 한 권을 읽을지라도 깊이 있게 사색하여 나의 것으로 만들어야 한다는 것이다. 무엇을 얼마나 많이 아느냐가 중요한 것이 아니고, 어떻게 이해했고 어떻게 세상에 사용할 것인지가 더욱 중요하다. 진정한 지식인은 세상을 이롭게 하지만, 균형을 잃은 지식인은 세상을 어지럽힌다.

가끔 TV 토론을 보다 보면 어느 학자라는 패널이 "어떤 책에서 보았는데 A는 B라고 한다."라면서 확정된 불변의 법칙이나 되는 양 강변하며 상대 패널의 의견을 무시하고 자신의 의견이 옳다고 끝까지 고집하는 장면을 보게 된다. 자기가 평소 믿고 싶었던 이론을 우연히 어떤 책에서 한 번 발견하고는 아무런 사유 없이 밀어붙이는 모습을 보면서 저 사람이 어떻게 학자가 되었을까? 대학에서 배우는 학생들은 뭐지?라는 의문이 든다. 시청자 게시판에 꽉 막힌 패널이라는 비판 댓글이 도배되는 줄을 알까? 누가 보아도 편향된 지식임을 판단하게 되는 보편적 이론임에도 말이다.

기독교의 목사라는 어떤 분은 자기가 하나님이라는 허무맹랑한 말을 서울 한복판에서 수천 명이 모인 대중들 앞에서 당당하게 소리친다. 이런 편향되고 무도한 종교인의 말 한마디에 수많은 신도가 오염되어 사회가 혼탁해진다. 배움과 사유가 공존하지 않는 종교 지도자가 어디 이 한 사람뿐이랴!

모든 배움과 철학의 목적은 기·승·전, 홍익인간(弘益人間)이다. 세상을 널리 이롭게 하려고 배우는 것이다. 이는 선언적 의미가 되어선 곤란하다. 당위가 되어야 세상이 아름답게 된다. 공자 철학을 통해서 이런 숭고한 정신을 가진 학자가 많아지길 기대한다.

사이비 종교에 빠진 사람들이나, 어느 한쪽의 이념에 빠진 극우파나 극좌파들이 충분한 사유와 성찰의 시간을 갖지 못하여 타인에게 피해를 주는 줄도 모르고 악행을 지속한다.

배움과 사색으로 손바닥과 손등을 건강하게 만들어야겠다.

화이부동과 동이불화 (和而不同 同而不和)

음식 중에 따로국밥이란 메뉴가 있다. 예전에 국밥을 주문하면 처음부터 아예 국에 밥을 말아서 나왔다. 말 그대로 국밥이었다. 그런데 언젠가부터 국 따로 밥 따로 나온다. 여러 가지 이유가 있었을 게다. 손님들 입장에서는 먹다 남은 밥을 국에다 넣어도 알 길이 없고, 밥을 반만 말아서 먹고 나머지는 반찬과 먹고 싶은데 일방적으로 말아서 나오니 선택의 여지없이 싫어도 먹어야만 했다. 손님들의 요구에 밥 따로 국 따로 나와 이젠 이것이 일반화가 된 것 같다.

독자들이라면 예전의 국밥처럼 국물에 밥을 말아 나와 선택의 여지없는 국밥을 선택하겠는가? 아니면 지금처럼 밥 따로 국 따로 나와 식성대로 먹을 자유를 누리겠는가? 주인 관점에서 식당이 자기밖에 없어 선택지가 없으니 손님이 뭐라 하든 귀찮으니 아예 국에 밥을 넣고 끓여서 바로 국그릇에 담아서 손님에게 제공하겠다면 손님을 전혀 배려하지 않는 무뢰배의 행동이다.

그러나 손님을 배려하면 손님들의 각자 다른 취향을 인정하여 밥 따로 국 따로 제공하여 손님에게 선택의 여지를 주면 이것이 취향을 인정하는 화이부동의 의미가 된다. 한마디로 '따로 또 같이'가 된다. 각자 국 따로 밥 따로이면서 둘이 같이 화합하여 하나의 하모니를 이룬다. 처음부터 획일적인 국밥과는 차이가 있다.

『논어』 자로편 23장을 보자.

> 子曰, "君子 和而不同 小人 同而不和"
> 자왈, "군자 화이부동 소인 동이불화"

공자께서 말씀하시길 "군자는, 화합을 이루되 같지는 아니하고, 소인은 같으나 화합하지 않는다."

쉽게 풀이하자면 군자는 부동(不同) 즉 각자 다름을 인정하되 화합할 줄 알며, 소인은 같음만을 강요하지만 화합하지 못한다. 결국 각자의 다름을 인정하지 못하고 획일성과 같음만을 강요한다는 것이다.

군대 문화가 집단 문화이면서 획일성 통일성이 강요되는 동이불화에 가깝다. 요즘엔 화이부동의 문화로 발전해 가는 중이라고 하니 다행이다. 물론 군대라는 특성상 어쩔 수 없는 면은 이해한다. 북한의 김정은 1인 독재국가가 동이불화(同而不和)의 전형적인 예다.

사람은 각자 성격, 취향, 지능, 환경 모두 다르다. 백인백색(百人百色)인데 강제와 압박으로 같은 옷을 입으라 하고 똑같은 음식을 먹으라 하고, 같은 생각으로 하나가 되라면 어쩔 수 없이 하나인 체하는 것이지,

하나가 되어 효율성을 발휘할 수 있겠으며 창조성이 나올 수 있으며 행복감을 느낄 수 있을까? A는 육식을 좋아하고 B는 채식을 좋아하는데 육식만을 제공한다든지 채식만을 제공하면 한쪽은 음식 맛을 느낄 수가 없다. 상대의 특장과 독특한 개성을 알고 인정하는 것이 상대를 배려하는 첫걸음이다.

반면 화이부동(和而不同)의 좋은 예가 합창단과 관현악단인 오케스트라다.

각기 다른 수십 개의 악기가 자기만의 독특한 소리를 내면서도 모두가 조화를 이루어 합주하게 되면 웅장하고 장엄하며 때론 은은한 환상의 음악이 된다. 합창단도 그렇다. 각기 다른 개성을 마음껏 뽐내면서도 수십 명이 하나가 되어 조화를 이룰 때 혼자일 때보다 훨씬 아름답고 멋진 소리로 감동을 준다.

부부지간을 예로 들어 보자.

결혼 전에는 서로 잘 보이려고 애도 쓰고, 연애할 때이니 모든 것이 좋아 보이고 좋은 면이 잘 보이고 보고 싶은 것만 보기 쉽다. 단점은 잘 안 보인다.

그러나 결혼한 후에는 부부가 이젠 내 것이 되었으니 안심도 되고 긴장이 해소된다. 내숭 떨 필요도 없고 있는 그대로의 실상이 표출되면서 냉정한 눈으로 상대를 보게 된다. 그럼 단점이 눈에 들어오기 시작한다. 기실 단점이라기보단 개성이요, 서로 다른 점일 뿐인데 단점으로 보인다. 사랑이 식어서 그럴 수도 있다. 사람은 변하지 않았고 그대로인데

서로의 눈이 제자리를 찾은 것이다. 화이부동 하면 되는데, 즉 서로 다른 그대로의 모습을 인정하고 그 바탕 위에서 둘이 화합을 이루어 나가면 문제가 별로 없는데, 자기주장만을 되풀이하며 인정을 못 하면 불화가 일어난다. 그래서 소인배처럼 동이불화하면 점점 부부지간의 정은 멀어지고 지속되면 갈라서게 된다.

암컷 호랑이와 황소가 결혼 후에 호랑이는 황소를 배려하여 채소를 준비하고, 황소는 아내인 호랑이를 배려하여 육류를 준비하면 둘이 즐거운 식탁에 앉을 수가 있다. '따로 또 같이'의 행복한 화음이 연주된다. 둘이 상대를 모르고 배려를 못 하면 고통 속에 이별만이 기다릴 뿐이다.

여와 야, 그리고 진보와 보수, 또는 남성과 여성이 진영 대결로 가면 집단이기로 변하며 이것이 소인배 무리인 패거리가 된다. 즉 화이부동이 되지 않고 동이불화가 된다. 오직 내 편이 이겨야 하므로 각자 내로남불이 되고 극단으로 대치된다. 상대가 아무리 이성적이며 합리적인 의견이나 정책을 내놓아도 상대를 무너뜨리기 위해서 무조건 반대를 위한 반대를 한다. 소모적이고 파괴적이다.

선진 국가가 되기 위해서는 어느 정도의 반대는 필요악일 수 있겠지만 화이부동의 자세로 나가야 한다. 상대 진영의 특성과 다른 점을 인정하고 같이 화합을 도모해야 희망을 만들고 보다 행복한 나라를 만들어 갈 수 있다.

우리 집 거실에는 '壽珠恩家 和而不同(수주은가 화이부동)'이라는 세상에 유일한 한어(漢語) 액자가 걸려 있다. 무슨 말일까? 답은 유추해 보면 짐작이 갈 것이다.

'수주은가'는 우리 가족 3인의 이름 마지막 글자를 땄다.

즉, 수·주·은 3인 가족은 각기 자기의 개성을 살려 부화뇌동하지 않고 소신껏 살아가되 화합하고 화목을 꾀한다. 어디 가든 다름을 인정하고 화합을 도모하지만, 소신을 잃지 않는다.

부화뇌동하지 않는다는 말은 '원칙과 의를 따르기 때문에 이권이 생겨도 이리저리 이익을 좇아 왔다 갔다 하지 않는다.'라는 말이다. 동이불화한 사람들은 겉으론 화합하는 척하지만, 이권이 생기면 언제든 배신할 수 있는 사람들이다.

화이부동 하는 사람들은 다름을 인정하고 배려하며 화합을 강조하기에 연대와 자유와 평등을 추구하지만, 동이불화 하는 사람들은 다름을 인정할 줄 모르고 획일적, 독단적이기에 패권 다툼과 지배욕이 강하며, 내로남불과 군중 심리에 가깝다.

또한 텃세를 부리며 갑질하는 사람들 모두가 소인배여서 동이불화한 사람들이다.

동이불화로 소인배의 삶을 살 것인가? 군자인 화이부동의 삶을 살 것인가?

•

일일삼성
(一日三省)

잠자기 전 단 5분이라도 하루 일을 돌아보며 반성하는 시간은 중요하다.

증자는 효의 대명사로 불릴 정도로 효심이 지극했다. 공자와는 46년이나 이래로 증자의 부친인 증점도 공자의 제자였다. 증자는 우둔하다고 여길 만큼 머리가 뛰어나지는 못했지만 끊임없는 성찰과 노력으로 공자의 적통을 잇는 제자가 된다.

그의 사상에서 중시되는 것이 반성이다. 그런 이유에서인지 그와 관련된 일화를 보면 반성과 관계가 많다.

학이편 4장을 보자.

> 曾子曰, "吾日三省吾身 爲人謀而不忠乎 與朋友交而不信乎 傳不習乎"
> 증자 왈, "오일삼성오신 위인모이불충호 여붕우교이불신호 전불습호"

증자가 말하길, "나는 매일 세 가지 반성을 한다. 첫째, 다른 사람을 대할 때 불충하지는 않았는지를 반성한다. 두 번째, 친구와 교류하면서 믿음을 주지는 않았는지를 반성하고 전해 들은 학습을 충분히 습득했는지를 반성한다."

잘못에 대한 반성이 아니라 혹시 불찰은 없는지, 부족한 부분은 없는지, 좀 더 바람직하거나 발전시킬 여지는 없었는지 등 성찰을 한다. 반성에서 한 단계 더 나아간 것이다.

첫째, 충(忠)이다.

사람은 깨어나서 잠들 때까지 누군가를 만나고 교류한다. 직장에서 사업적으로 만나고, 단체에서 만난다. 만난 모든 사람과 최선을 다하여 충심을 갖고 대했는지를 살핀다. 혹여 실수한 것이 분명하다면 재발하지 않도록 명확한 처방이 필요하다. 당사자에게 자신이 한 행동 때문에 불편한 점은 없었는지 한 번쯤 문의해야 한다.

언젠가 시민단체모임에서 시급히 처리해야 할 한 안건으로 인하여 구성원들 간에 논쟁이 발발하였다. 찬반양론으로 의견이 갈리더니 모 위원이 A의 감정선을 무너뜨리는 발언을 하였다. 도를 넘어도 한참을 넘는 무례한 발언이라고 생각한 나는 그 위원을 향해 자제를 요청함과 동시에 사과를 요구했고, 다행히도 사과를 받아 내는 것으로 마무리를 지었다. 그 과정에서 그에게 좀 과한 질책성 발언을 한 것 같아 그다음 날 "내가 지나치게 질책한 것 같아 불편하지 않았나? 미안하다. 다음부터 나도 조심하겠다."라고 먼저 다가갔더니 그도 흔쾌히 수용하고 자기가 더 죄송했다. 흥분을 참지 못한 자신의 무례가 더 컸다. 반성하고 있다고 했다.

약간 찜찜하면 상대의 마음도 품어 주는 아량이랄까, 미안함의 표시라도 하는 것이 관계를 풀어 가는 데 도움이 된다. 이 모든 것은 성찰의 결과다.

두 번째는 신(信)이다.

친구와 교류의 근본은 믿음이다.

벗과의 교류에서 친하고 허물없는 사이라서 방심하는 사이에 실언하고도 지각하지 못하거나 무례한 행동으로 믿음에 금이 갈 수가 있다. 막역한 사이라도 예의는 지켜야 한다. 그래야 신뢰가 유지된다. 친구 간에도 상대에 대한 존중심이 없으면 하찮게 대하게 되고 그런 사이가 되면 신뢰를 잃어 친구라 할 수 없다.

세 번째는 습(習)이다.

학습을 했으면 내 것으로 만들어 행동으로 옮겨야 완전한 배움이라고 했다. 배우는 목적은 현실에 적용해 생활에 도움이 되고 나와 가족과 지인들에게 도움을 주기 위해서다. 머리로만 익히면 지식에서 그친다. 아무리 다양한 지식이 쌓인들 실천해서 적용하지 않으면 별 소용이 없다.

모든 사람 관계에서 진심을 갖고 임하며, 믿음을 굳건히 하고 끊임없이 배우고 익혀 내 것으로 만들어 도움을 준다면 최상의 인생이 되지 않을 수 없다.

후회가 적은 삶을 위하여 이렇게 세 가지를 실천함에 부족함이 없었는지 매일 돌아보고 성찰의 시간을 갖는다면 일신우일신(日新又日新) 하게 된다. 좀 느리다면 월신 우월신(月新又月新)이라도 하게 된다.

그래서 증자가 다른 제자들보다 다소 학습의 속도가 느리고 둔한 것처럼 보였지만, 지속적인 성찰로 많은 그의 제자들로부터 존경을 받았으며 공자의 적통을 이어받는 대학자로 발전한 것이다.

•

고난과 역경은 스승 (君子固窮 小人窮濫)

군자고궁(君子固窮)

같은 무게의 고난이 닥칠 때 그것한테 깔려 회복하지 못하고 쓰러지는 사람이 있는가 하면, 그것을 도전의 기회로 삼아 물리치고 당당히 삶을 자기 주도로 끌고 가는 사람이 있다. 전자는 패배자의 길을 가고, 후자는 승리자의 길로 간다.

시인 용혜원도 필자와 같은 생각을 했나 보다. 『성공 노트』에서 아래와 같은 말을 했다.

> "어려움이 닥치면 삼류인생은 울어버린다. 이류인생은 입술을 깨문다. 일류인생은 웃는다. 새로운 도전이 성공의 기회가 되리라는 것을 알기 때문이다. 사람을 강하게 만드는 것은 사람이 하는 일이 아니라 하고자 하는 노력이다. 의지는 고난보다 강하다."

공자도 위령공편 1장에서 이렇게 말했다.

在陳絶糧 從者病 莫能興[77] 子路慍見曰, "君子 亦有窮乎?"

재진절량 종자병 막능흥 자로온견왈 "군자 역유궁호?"

子曰, "君子固窮 小人窮斯濫[78]矣"

자왈, "군자고궁 소인궁사람의"

진나라에서 양식이 떨어져 함께하던 제자들이 병이 들어 일어나지 못하였다.

이에 화가 난 자로가 공자를 만나 말하기를, "군자도 또한 힘들 때가 있습니까?"

공자께서 말씀하시길, "군자는 힘들 때일수록 단단해지고, 소인은 힘들면 바로 넘쳐 버린다."

수양이 된 사람은 가난해도 행복할 수 있고, 어떤 고난이 닥쳐도 태연하게 행동한다. 그런 마음의 자세가 있어서 힘든 상황에 직면하면 그것을 도전 삼아 극복해 보겠다는 의지를 불태운다. 힘들지만 멋진 경기라 여기고 성공의 발판이 될 기회가 왔다고 긍정적으로 해석한다. 그러나 소인은 주저앉아 망연자실해하며 주변인들 원망하고 탓하기에 바쁘다. 만일 한 집안의 가장이 낙담하여 화만 내며 절망한다면 식솔들은 어찌하란 말인가? 가족들이 힘들어하고 절망하면 오히려 "괜찮다. 이까짓 것 갖고 웬 난리들이냐, 도전의 기회가 생기지 않았느냐 더구나 여기 아빠가 있지 않으냐. 이런 때를 대비해서 내가 있고 또 너희들이 있는 거다.

77) 흥(興): 일어나다.

78) 람(濫): 넘치다.

너희도 형식으로 있는 거 아니지? 자! 우리가 힘을 합치면 못할 게 없다. 하늘이 무너져도 솟아날 구멍이 있다 했다. 하물며 하늘이 멀쩡한데 무엇이 걱정이란 말이냐?"라고 담대하고 굳건하게 추슬러야 한다.

공자는 사업 수완이 뛰어난 제자 자공을 사불수명(賜不受命)이라고 칭찬했다.

즉, 자기에게 닥쳐온 불운한 운명조차도 자기가 운명의 고삐를 쥐고 가고자 하는 방향으로 끌어내는 운명의 운전자라는 것이다. 차의 방향과 목표 지점은 운전사에게 달려 있듯이 말이다. 운전사가 좌로 틀면 좌로 가고 우로 바꾸면 우측으로 갈 수밖에 없다. 운명일지라도 자신이 주도해서 운전사가 되라는 말이다.

좌측에서 사고가 터져 좌측으로 가는 운명이라면 무슨 수를 써서라도 우측으로 방향을 틀 수 있는 자세를 가져야 한다. 운명을 창조하지는 못해도 다가온 운명을 내 차에 태우는 힘은 만들어야 되지 않을까?

역경을 스승으로 대할 때 달라지는 것들

누구나 순탄한 인생길은 없다. 장애물의 크기에 차이가 있을 뿐이다. 단 그 장애물을 대하는 주인공의 태도에 달려 있다.

장애물을 도전의 대상으로 삼느냐, 아니면 겁을 먹고 굴복하느냐이다.

스승으로 대한다는 말은 장애물을 한 단계 성숙시키고 발전시키는 계기로 삼는다는 거다. 겁먹고 굴복하면 좌절과 고통만 따른다. 도전하여 극복하면 승리의 경험이 생긴다. 승리의 경험은 향후 더 큰 장애물이 나타나도 이길 수 있다는 자신감을 가져온다.

역경을 스승으로 대하면 극복할 방법이 떠오르고 방법이 생기면 바로 실천을 유도하게 된다. 설령 첫 번째 방법에서 실패한다 해도 두 번째 방법을 연구하게 되고 도전은 극복될 때까지 계속할 힘이 발생한다.

역시 부정적인 마음보다는 긍정적이고 낙관적인 사고가 나를 살리는 기회가 된다는 것은 진리다. 긍정적 사고는 아이디어를 낳고 그것은 고난을 극복하는 힘을 불어넣어 주기 때문이다.

공자의 불륜설 (予所否者 天厭之)

젊고 아름다운 미녀 앞에서 남성 본능이 작동하지 않을 사람이 얼마나 될까? 가슴에 신호가 오는 것이 지극히 정상이다. 반대 상황도 같다.

천하의 공 선생도 젊고 아름다운 미녀를 만나서 제자인 자로로부터 호된 항의를 받은 적이 있었다. 불륜인지 아닌지 사실 여부는 아래에서 따져 보자.

옹야편 26장을 보자.

> 子見南子 子路不說 夫子矢[79]之曰 "予所否者 天厭之 天厭之"
> 자견남자 자로불열 부자시지왈, "여소부자 천염지 천염지"

공자가 남자(南子: 영공의 젊은 왕비)를 만나고 왔다. 이에 자로가 뾰로통해하자 공자가 맹세하며 말했다. "내가 부정한 일을 저질렀다면 하늘이 날 싫어할 것이다. 하늘이 날 버릴 것이다."

자로는 공자보다 9살 연하로 제자 중 가장 나이가 많았다. 직선적이고

79) 시(矢): 화살, 맹세.

용맹스러우며 거칠기는 했지만 소박한 삶의 태도와 효성이 지극하여 공자의 사랑을 받아 공문십철(孔門十哲)로 불린다. 강직한 성격에 스승에게 주저 없이 이의를 제기했던 자로는 꾸지람도 많이 받았다고 한다. 어쨌든 공자와 자로는 스승과 제자로 스스럼없는 친밀한 사이였던 듯하다. 이 대목에서도 자로는 스승인 공자가 나쁜 소문에 휩싸이자 불만 섞인 표정으로 도대체 무슨 일인지를 따져 물었다. 그러자 공자가 강하게 해명하는 장면이다.

南子(남자)는 위나라 영공의 부인으로 영공의 총애를 받고 권력의 중심에 섰으며, 젊고 아름다운 미색으로 송나라 조라는 귀족과 사통하였다고 알려져 있었다.

스승이 젊고 음란한 왕비를 만났다는 사실에 화가 난 것이다.

"군주를 가르치겠다고 떠들고 다니는 사람이 벼슬자리 하나 얻어 보겠다고 왕비전이나 들락거리는 꼴이라니!" 하며 세간에서 조롱하는 소리까지 자로의 귀에 들려왔던 터였다. 세상에서 가장 존경하는 스승이 속인들로부터 불륜의 추문에 오르내리니 자로로서는 견디기 어려웠을 것이다.

『공자세가』에 보면 영공 부인을 만날 수밖에 없었던 해명이 나온다.

"내가 여러 번 사양했으나 자꾸 청을 하니 어쩔 수 없었다. 한 나라에서 벼슬을 하려 할 때 소군(왕비)을 만나는 것은 옛날에도 있던 일이다."

자로가 "아무리 예에 어긋나지 않는 일이라 하더라도 그 여인은 음란하기로 소문이 난 사람입니다. 의심받을 만한 행동을 하셨습니다."라고 의심을 풀지 않자, 공자가 맹세코 그렇지 않노라고 단호하게 답변하는 장면이 재미있기도 하고 사람 냄새나는 풍경이기도 하다. 공자의 치부일 수도 있는 대목을 가감 없이 그대로 실어 놓았기 때문에 공자 사상이 종교로 변질하는 것을 막지 않았나 생각해 본다.

『논어집주』나 『논어』를 풀이한 여러 가지 책들을 보건대, 공자가 남성으로서 흑심을 품고 영공 부인을 만났다는 소문은 사실이 아닌 것 같다.

"내가 왕비를 만난 것은 하늘의 뜻을 실천하기 위함이었지 다른 뜻은 없었다."라고 말한 것으로 볼 때, 도를 세상에 펼쳐 보이고 싶은 평생의 꿈을 실현해 보고 싶었던 욕망 즉, 현실 정치에 대한 집념이 더 컸었던 듯하다.

짧은 기간의 노나라에서 대사구(법무부 장관)의 벼슬로는 성이 차지 않았을 것이다.

더구나 대사구 시절 짧은 기간에도 자신의 정치철학을 펼쳐 높은 성과를 내었으니 말이다.

공자가 영공 부인인 남자(南子)를 이성으로 보고 만나지 않았을 가능성을 가늠할 수 있는 문장이 또 있다.

헌문편 33장을 보자.

子曰, "不逆[80]詐[81], 不億[82]不信 抑[83]亦先覺者是賢乎"
자왈, "불역사 불억불신 억역선각자시현호"

공자께서 말씀하시길, "남이 나를 속일 것이라고 미리 예단하지 말고, 믿을 수 없는 사람이라고 억측하지도 말라. 그러나 또한 먼저 깨닫는 것이 현명한 일이다."

그래서 소문만 듣고 그를 판단하지 않고 그를 직접 만나 보기 전에는 함부로 판단하지 않은 것이다.

공자가 정말 여자 문제로 불륜이 있었다면 어떻게 평가를 받았을까?

물론 불륜의 정도가 평가의 잣대가 되겠지만!

단순한 로맨스냐? 아니면 공자가 평생을 가르침과 실천 의지로 삼았던 인의예지의 정신에서 얼마만큼 벗어났느냐의 거리에 비례했을 것이다. 하지만 없었다고 하니 논쟁거리에선 비켜난 일로 더 이상 왈가왈부하는 것은 공 선생을 욕 먹이는 일이다. 다만 사람들의 이성 심리에 대해서 생각을 하게 하는 대목이다.

80) 역(逆): 거스릴 역.
81) 사(詐): 속일 사.
82) 억(億): 억측 억.
83) 억(抑): 누를 억.

•

어찌 원수를 사랑하리! 곧게 갈 뿐이다 (以直報怨)

이직보원(以直報怨)

성경에 한쪽 뺨을 맞으면 다른 한쪽 뺨을 내주라는 말은 원수를 사랑하라는 말이다. 보통 사람들이 이렇게 하기는 어렵다. 이 말이 상징하는 바는 '이에는 이 귀에는 귀'라는 말과 같이 원한을 원한으로 갚는다면 비극이 끝없이 되풀이되기 때문에 어느 한쪽에서 용서하는 마음으로 상생의 길을 찾는 것이 지혜라는 말이다.

가해자 갑이 잘못한 것은 틀림없는 사실이다. 그러나 그가 그런 상황이 됐음을 가련히 여기고 용서하는 과정을 통해 내가 악순환의 고리를 끊어 내자는 말이다. 그래야 악의 고리가 끊어지고 나의 마음이 편할 수 있기 때문이다. 결국은 나 자신을 위해서다.

이와 관련된 헌문편 36장을 보자.

或曰, "以德報怨何如" 子曰, "何以報德 以直報怨 以德報德."

혹왈, "이덕보원하여" 자왈, "하이보덕 이직보원 이덕보덕."

혹자가 말하길, "덕으로서 상대의 원망을 갚으면 어떻습니까?"

공자께서 말씀하시길, "어찌 덕으로 원망을 갚을 수 있겠는가? 곧음으로 원망을 갚아야 하고 덕은 덕으로 보답해야 한다."

상대의 원망을 덕으로 갚는 것은 어떠냐의 질문에 공자는 현실적인 답변을 한다.

덕에는 덕으로 갚고 원망해도 내가 생각하는 대로 곧게 가면 된다고 한다. 예수나 노자의 말처럼 상대가 아무리 나를 힘들게 해도 사랑으로 감싸 주어 상대의 마음을 돌리도록 해야 한다는 답변이 아니라, 상대가 원망하든 개의치 말고 스스로 옳다고 판단하는 방향으로 소신껏 가라는 말이다.

상대가 나를 괴롭히고 고통스럽게 했지만, 오히려 그를 용서와 덕으로 응대하였다고 하자. 그러면 감동하고 마음이 돌아서 용서를 구할 사람이 몇 명이나 있을까? '거의 없다.'이다.

오히려 적반하장으로 이용해 먹는다. 그들은 '아! 이렇게 괴롭혀도 앙갚음을 안 하네? 이제부터는 마음 놓고 내 이익과 쾌락을 위하여 괴롭혀야지!'라고 생각할 확률이 높다. 사랑으로 응대했을 때 마음이 돌아서 뉘우칠 사람이라면 애당초 괴롭히지 않았을 사람이다. 오해로 인한 괴롭힘이었을지는 몰라도!

그래서 고통을 주고 괴롭힐 때는 정당한 방법으로 따끔하게 혼내 줘야 한다.

세상사의 이치는 주고받는 것이고, 자업자득이란 말도 있다. 뿌린 만큼 거둔다는 말이 모두 같은 맥락이다. 자기가 잘못을 저질렀다면 합당한 대가를 받아야 옳다. 책임지지 않아도 아무 이상이 없다면 악은 더욱 더 기승을 부리기 마련이다. 인과응보가 적용되지 않는 세상은 불공평하다.

그러므로 상대가 나쁜 짓을 저지르면 다시 그런 짓을 하지 못하도록 강하게 제동을 걸어야 한다. 똑같이 나쁜 짓을 해서는 안 되며 부정과 불법을 벗어나지 않는 범주에서 혼을 내 줘야 한다. 정당한 모든 방법을 동원하여 응징하되, 그래도 안 되면 제도를 최대한 활용해야 한다.

부모 자식 관계 같은 특별한 경우를 제외하곤 인간관계에 일방적인 사랑이나 괴롭히는 관계는 오래갈 수 없다. 쌍방향이어야 건강한 관계가 유지된다.

친구가 어려움을 겪을 때 아무 보상이나 대가 없이 순수한 의도와 우정으로 도움을 주는 경우는 또 다른 문제다.

악을 제거하기 위해서는 곧고 군센 의지로(直) 바로잡아야 한다. 가해자나 배신자는 일벌백계하여야 고개를 들려 했던 바퀴벌레들이 자취를 감춘다. 이것이 이직보원(以直報怨)이다.

침윤지참(浸潤之譖)

내가 아는 누군가를 내 앞에서 비난하고 험담할 때 비난 대열에 동참할 것인가?

문제는 그 비난이나 비판이 매우 일리가 있어 보이고 공감의 언어로 사실처럼 증거를 들이대며 비난한다면 같이 휩쓸려 가기 쉽다.

안연편 6장을 보자.

> 子張問明 子曰, "浸[84]潤[85]之譖[86] 膚受之愬 不行焉 可謂明也已矣. 浸潤之譖 膚[87]受之愬[88]不行焉 可謂遠也已矣."
> 자장문명 자왈, "침윤지참 부수지소 불행언 가위명야이의 침윤지참 부수지소 불행언 가위원야이의."

자장이 현명함에 관하여 묻자 공자께서 말씀하시길, "물에 젖어 들듯이 하는 비방과 피부에 와닿을 듯한 하소연을 듣고 행하지 않는다면(동참하지) 가히 현명하다 할 수 있다. 물에 스며들 듯이 하는 비방과 피부에 닿을 듯이 하는 하소연을 듣고도 움직이지 않는다면 아주 멀다고(생각이 깊다) 할 수 있다."

타인이 없는 곳에서 비방하는 일은 살아가면서 자주 일어나는 일이다.

요즘엔 인터넷 기사나 방송을 보고 수많은 험담과 비방을 넘어 인격말살이나 모독 수준의 댓글들로 인해 비참한 결과를 초래하는 경우가

84) 침(浸): 스며들다.
85) 윤(潤): 물에 젖어 불다.
86) 참(譖): 남을 비방하고 헐뜯다.
87) 부(膚): 살갗, 피부.
88) 소(愬): 비방하다.

종종 있다. 정확한 정보를 확인 없이 퍼 나르는 기사만 믿고 비난 대열에 성급히 동참하는 사람들이 너무 많다. 기자의 수준과 부도덕이 가장 큰 문제지만 그것에 부화뇌동하는 대중들도 같은 수준으로 질타해야 마땅하다. 범죄 수준이기 때문이다.

옛날에도 방식은 다르지만, 모함이 많았다. 자기 앞에서 제삼자를 그럴듯한 이유나 근거와 사실을 적시해 가며 비난하면 이끌리기 쉽다. 마치 가랑비 옷 젖듯 슬며시 자기도 모르는 사이에 젖어 드는 것이다. 요즘 말로 가스라이팅에 가깝다. 이럴 때 자기중심이 확고히 서 있지 않으면 흔들리기 십상이어서 비난의 함정에 빠지게 된다. 아무리 그럴듯하고 사실을 적시하며 근거를 들이댄다지만 어디까지나 남의 말일 뿐이며 직접 보고 듣지 않은 한 사실인지는 정확하지 않다. 그래서 자장이 묻자 공자가 어떤 이야기를 들어도 흔들리지 않고 자기중심을 잡을 때 현명하다고 한 것이다.

누가 어떤 비방이나 비난을 할 때, 왜 그러는지 그 목적과 동기를 파악해야 한다.

사리사욕을 위해서인지, 불순한 동기인지를 살펴야 하고 단순한 소문인지도 살펴야 한다. 다수의 사람으로부터 반복해서 들어도 마찬가지다. 지록위마와 삼인성호(三人成虎)에 속아선 안 된다. 어쨌든 사실 확인은 필수다. 정말인 듯하여 동참했다가 사실과 다른 것이 확인되어 화를 입을 수도 있고 비난의 대상자에게 큰 죄를 지을 수도 있다.

유튜브 영상에서 전하는 뉴스나 정보도 마찬가지다.

내가 믿는 유튜버들의 주장에 동의할지라도 무조건적인 맹신은 금물이다. 자신도 모르는 사이에 가스라이팅 당할 수 있다. 항상 비판의 눈과 냉정하고 객관적인 자세를 유지해야 유튜버와 시청자도 건강한 정보를 주고받을 수 있다. 우리는 모두 사회를 건강하게 유지할 책임이 있는 민주 시민들 아닌가!

•

기욕립이립인
(己慾立而立人)

배려와 존중

갑과 정은 50년 지기 죽마고우다. 돈이 궁할 때는 서로 빌리고 갚는 관계가 아닌 그냥 능력만큼 주고받는 관계다. 받을 생각이 없으니 주는 거다. 그만큼 신뢰가 깊다.

둘은 경제적으로 지극히 평범한 서민층에 속해서 시장에서 막걸리에 파전으로 술자리를 즐긴다. 이심전심으로 비싼 식당을 가 봤자 삼겹살에 소주 한잔이다.

그런데 언젠가부터 정(丁)의 사업이 잘되어 대박이 났다. 그때부터 정은 고급 식당으로 친구 갑을 데려가기 시작했다. 예전보다 서너 배 이상 비쌌다. 그러면서 자기가 돈을 잘 버니 당연히 자기가 계산해야 한다며 매번 갑은 내지 못하도록 했다.

친구 정은 갑을 배려하여 자기가 계산했다. 과연 이 배려는 온당한 배려이며 존중일까?

옹야편 28장은 배려와 존중에 관한 이야기다.

子貢曰,“如有博施於民而能濟衆 何如 可爲仁乎”
자공왈,“여유박시어민이능제중 하여 가위인호”
子曰,“何事於仁 必也聖乎 堯舜 其猶病諸 夫仁者 己欲立於立人
己欲達而達人 能近取譬[89] 可謂仁之方也已.”
자왈,“하사어인 필야성호 요순 기유병저 부인자 기욕립어립인
기욕달이달인 능근취비 가위인지방야이”

자공이 말하길,“만일 백성에게 널리 베풀고 대중을 구제한다면 어떻습니까? 인을 행한다고 할 수 있습니까?”

공자께서 말씀하시길,“충분히 인을 행한다고 할 수 있으며 그렇다면 반드시 성스럽다. 요, 순 임금도 오히려 힘들다고 했다. 대저 인을 행하는 사람은 자기가 서고자 한다면 먼저 다른 사람을 서게 해야 하고, 자기가 이루고 싶다면 다른 사람을 먼저 이루게 해야 한다. 가까운 곳에서 취하여 깨달아 인을 행한다면 가히 인을 실행하는 방도라 할 것이다.”

인을 실천하는 일은 인의 실천자라 부르는 요 임금이나 순 임금도 어렵다고 생각할 정도로 힘들다는 거다. ‘자기가 하고 싶고 이르고 싶은 것이 있다면 타인도 그럴 것이다.’라고 깨달아서 타인을 먼저 배려하고 존중하는 것이 인을 실천하는 것이라고 답한 것이다.

89) 비(譬): 깨닫다, 비유하다.

내가 힘들면 상대도 힘들 것이고 내가 먹고 싶은 것은 다른 사람도 먹고 싶을 것이니 상대를 배려하고 공감하는 것이 인의 기본자세라는 것이다.

인의 실행은 먼 곳에 있는 것이 아니라 가까운 데서 찾아 실천할 수 있다는 것이다.

앞 예화에서 말한 친구의 배려는 공감 능력과 상대의 처지까지도 고려해서 판단해야 온전한 배려가 된다. 돈이 많다고 매번 자신이 밥값을 계산하면 상대의 자존심을 거스르게 한다. 또한 비싼 곳을 선택하면 친구와 자주 만날 수 없다. 아무리 돈이 많아도 상대한테 부담 주지 않는 선에서 선택해야 하고 상대에게도 계산할 기회를 주는 것이 올바른 배려라고 할 수 있다.

힘든 대중을 구제하는 것도 대중들의 고통을 같은 수준에서 느끼지 못하면 그들이 원하는 수준만큼의 구제가 이루어지기 쉽지 않다. 술을 마시지 않는 사람은 대체로 옆자리에 앉아도 술을 따라 주는 배려를 실행하지 않는다. 자식을 키워 본 사람이 부모 마음을 안다고 했듯이 말이다. 물론 경험해 봐야 다 아는 것은 아니다. 공감 능력이 뛰어난 사람은 보기만 해도 짐작으로 이해되듯이 분(糞)과 된장은 먹어 보지 않아도 무엇이 장(醬)인지 안다.

공감은 직접 경험하지 않아도 책이나 다른 사람의 경험을 통해서 대리로 경험할 수 있다. 소설 속의 주인공을 통해 온갖 간접 경험을 하면서 삶을 배우게 된다. 이럴 때 공감 능력은 자연스럽게 배양된다.

타인을 존중하는 생각과 공감 능력이 있어야 측은지심이 생겨나고 배려심이 나온다. 존중과 배려는 인을 실천하는 출발점이다.

사랑은 배려다

내가 하기 싫은 일은 남도 하기 싫으니, 남에게 시키지 말라는 말은 상식이 되었다. (己所不欲勿施於人: 기소불욕물시어인)

안연편 2장을 보자.

> 仲弓問仁, 子曰, "出門如見大賓 使民如承大祭 己所不欲
> 勿施於人
> 在邦無怨 在家無怨"
> 중궁문인, 자왈, "출문여견대빈 사민여승대제 기소불욕물시
> 어인
> 재방무원 재가무원"
> 仲弓曰, "雍雖不敏 請事斯語矣."
> 중궁왈 , "옹수불민 청사사어의."

중궁이 인에 대하여 묻자, 공자께서 말씀하시길, "문을 나갈 때는 큰 손님을 맞은 것처럼 모든 사람을 대하고 백성을 섬길 때도 제사를 지낼 때처럼 공경스럽게 대해야 한다. 자기가 하고 싶지 않은 일은 다른 사람에

게 시키지 않는다면 나라에 원성이 없고 집안에도 원망이 없을 것이다.

중궁이 말하길, "제가 비록 불민하지만, 스승님의 이 말씀을 잘 받들겠습니다."

중궁은 제자 염옹의 자다. 『제자약전(弟子略傳)』에 보면 중궁은 천민 출신이었지만 소탈하고 덕이 많아 임금이 될 만한 인재라고 공자가 칭찬하였다고 한다.

차별 없는 평등, 공경과 존중의 태도, 배려와 역지사지의 자세를 갖고 살아간다면 제후들과 백성들로부터 원성을 살 일이 없다고 염옹에게 가르침을 준다.

만나는 모든 사람을 똑같이 귀빈처럼 대하고, 어떤 일을 도모하고 지시할 때도 존중의 태도로 임하며, 항상 상대방의 입장을 배려하는 역지사지의 자세로 임하라고 했다. 쉬운 말이고 상식처럼 들리면서 누구나 아는 진리지만, 이 같은 생활 태도를 어김없이 실천하는 사람이 몇이나 될까?

매번 느끼는 것이지만 인의 철학은 머리로만 아는 것은 하수요, 가슴으로 내려와 공감하고 전달하는 수준은 중수, 가슴으로 느끼고 팔, 다리까지 내려와 손과 발로 실천에 옮겨야 진정 인을 조금이라도 안다고 할 수 있을 것이니 실천하지 않는 지식은 쓸모가 있을까?

부모의 부당한 명령과 효의 본질 (無違以禮)

효도의 근본

부모에게 효도하고 형제간에 우애가 있는 사람들은 나가서도 서로 공경할 줄 알고 함부로 행동하지 않는다. 인륜의 근본은 효라고 할 정도로 효의 실천을 생활화하면 사회 질서는 저절로 잡힐 것이다.

위정편 5장을 보면 효란 무엇인가에 대하여 생각하게 된다.

> 孟懿子 問孝 子曰, "無違"
> 맹의자 문효 자왈, "무위"
> 樊遲[90]御 子告之曰, "孟孫 問孝於[91]我 我對曰 無違"
> 번지어 자고지왈, "맹손 문효어아 아대왈 무위"
> 樊遲曰, "何謂也 子曰, "生事之以禮 死葬之以禮 祭之以禮."
> 번지왈, "하위야 자왈, "생사지이례 사장지이례 제지이례."

90) 번지(樊遲): 공자의 제자.
91) 어(御): 말을 모는 것.

맹의자가 효도에 관하여 묻자 공자께서 말씀하시길, "어긋남이 없는 것이다."

번지가 수레를 몰고 있었는데, 공자께서 그에게 고하여 말씀하시길, "맹손이 효에 대하여 나에게 묻기에 어긋남이 없어야 한다고 답했다."

번지가 다시 "무엇을 말씀하시는 겁니까?"라고 묻자 공자께서 말씀하시길, "살아 계실 때는 예로써 섬기고 돌아가신 후에는 장례 모시기를 예로 하고 제사 지내는 것을 예로써 하는 것이다."

맹의자의 질문에 부모님의 뜻을 어기지 않는 것이라고 답을 했는데, 수레를 모는 제자 번지와 맹손이 제대로 알아듣지 못한 것 같자, 재차 설명한다. 어긋남이 없다는 것은 예에 어긋나지 않게 부모님을 모시고 돌아가신 후에는 장례를 잘 치르고 제사를 지내면서 추모하는 마음이라고 설명한다.

공자가 생각하는 효도는 무위이례(無違以禮)다. 즉, 예의를 다하되 어긋남이 없어야 한다는 것이다. 정확한 해득을 위하여 성균관대 이기동 전 교수의 해석을 들어 보자.

> "부모의 뜻을 어기지 않는 것으로 알아들었으면 크게 잘못된 것이다. 부모의 뜻에는 본마음에서 나온 것도 있지만, 순간적인 욕구나 충동에서 나온 것도 있어서 전자를 따르는 것은 효지만, 후자를 따르는 것은 불효가 된다. 순임금의 아버지는 계모의 말을 듣고 두 차례나 순을 죽이려 하였는데, 그 아

버지 뜻에 따라 죽음을 택하였더라면 큰 불효가 되는 것이다. 아버지가 본마음을 회복하였을 때 느끼는 슬픔이 어떠하겠는가를 생각해 보면 쉽게 이해가 된다."

부모라고 항상 합리적이고 이성적일 수 없다. 때로는 화가 나서 본마음이 아닌 엉뚱한 말이 튀어나오기도 하며 실언을 하기도 한다. 때로는 부모 스스로 잘못 배웠거나 오판을 하여 잘못된 판단을 하기도 한다. 그러므로 무조건 부모의 뜻을 따라서 행동하면 결과적으로 불효를 범할 수 있다. 최종적으로 자기 스스로 이성적이고 합리적인 결론을 내려서 마지막으로 부모한테 해가 되지 않고 부모의 마음이 상하지 않도록 행동을 하는 것이 효도의 본질이다.

현대판 효도에 대하여 생각해 보자.

부모는 자녀들을 존중하고 배려하며 독립된 인격체로 키우고 대우해야 한다. 올바른 부모 밑에 불효자는 드물다고 하지 않던가? 자녀는 부모의 말을 무조건 순종하는 것이 아니고 참고만 하되 옳다고 판단되면 따르고, 옳지 않다고 판단되면 자기 방식과 의지로 하되 부모한테는 "알겠습니다만 제 생각은 이렇습니다."라고 역으로 설득을 하던가, 설득이 불가하다면 알겠다고 답변하고 자기 방식대로 하면 된다.

부모를 대하는 지혜가 필요하다.

법륜 스님이 부모에게 항상 강조하는 말이 있다. 부모가 자식 효자 만드는 방법을 말하는 데 매우 합리적이고 설득력이 있다.

즉 자식이 성인이 되면 독립된 인격체로 대하고 간섭을 최소화하라는 말이다. 마치 타인을 대하듯 대등한 관계로 객관적 입장에서 조언하라는 방식이어야지 자녀라고 어린아이 대하듯 하면 어긋나기 쉽다는 거다.

더욱 중요한 핵심은 타인처럼 모든 기대와 요구를 버리라는 거다. 집에 자주 오라는 요구와 기대, 용돈을 받으려는 기대, 기타 모든 바람을 깨끗하게 지워 버리는 거다. 길을 지나가는 젊은이에게 아무런 기대와 바람이 없듯이 말이다. 자식인데 어떻게 그럴 수 있느냐고 항변하며 말이 안 된다고 할지 모른다.

그렇지 않다. 필자는 그렇게 하고 있다. 오면 좋고 전화라도 한 통 오면 고맙고, 안 오면 잘 사나 보다 하고 무심하게 흘려버린다. 기대가 아예 없으니 혹여 한 번이라도 선물을 사서 오면 운이 좋은 날이다. 기대가 없으니 실망이나 서운함도 전혀 없다. 그래야 자녀들도 마음이 편하니 앙금이 서로 발생할 여지가 없다. 일종의 거리 두기와 각자 사는 방식이다.

결론은 쌍방 모두 자기 삶을 최대한 편안하고 재미있게 살도록 내버려두는 거다.

배려하는 자세다. 자식은 어떻게 하면 부모님의 마음이 편할까만을 생각하면 된다.

70대 홀아버지가 외로워 여성을 사귀면 응원하는 것이 도리다. 여성에 대하여 아버지의 재산을 노린 흑심 아니냐고 근거도 없이 의심하고 아버지의 인생에 훼방을 놓는다면 불효자다. 아버지는 아버지를 중심에 놓고 응원만 하면 된다. 물론 자식으로서 부모가 잘못된 판단을 하는 것 같으면 사심 없이 균형된 입장에서 아버지의 마음이 상하지 않도록 설득 과정이 필요하다.

자녀도 성인이 되었으면 부모에게 기대려 하지 말고, 부모도 자녀에게 간섭도 하지 말고 기대도 놓아 버리면 된다. 쌍방이 좀 냉정하게 각자 즐겁게 사는 방법만을 연구하자.

부모가 범법 행위를 했을 때

자로편 18장을 보자.

> 葉公語孔子曰, "吾黨 有直躬[92]者 其父攘[93]羊 而子證之."
> 섭공어 공자왈, "오당 유직궁자 기부양양 이자증지."
> 孔子曰, "吾黨之直者 異於是 父爲子隱 子爲父隱 直在其中矣."
> 공자왈, "오당지직자 이어시 부위자은 자위부은 직재기중의."

섭공이 공자에게 말했다. "우리 지역에 정직을 몸으로 실천하는 자가 있는데, 그 아버지가 양을 훔친 것을 아들이 증언했습니다."

그러자 공자께서 말씀하시길, "우리 지역에도 정직한 사람이 있는데

92) 궁(躬): 몸, 몸소 행하다.
93) 양(攘): 제거할 양, 훔칠 양.

이와는 다릅니다. 아버지는 아들을 위해서 죄를 숨겨 주고 아들도 아버지를 위해서 죄를 숨겨 줍니다. 정직은 그 안에 있습니다."

섭공은 아무리 부자지간이라도 범법 행위를 했다면 솔직하게 증언을 하는 것이 정직이라고 한다. 그러나 공자는 법보다 우선하는 것이 천륜이라고 반박하며 부모 자식 관계는 서로서로 감싸 주는 것이 정직이라고 말한다. 공자가 살던 춘추시대 말기에는 법치 제도를 만들어 가던 시기다. 곧이곧대로 가족이 굶어 죽는 상황에서 양을 훔쳤다고 증언을 하는 것보다는 인륜을 중시해서 숨겨 주는 것이 도리요 정직이라고 한 것이다. 비유가 적절한지는 모르겠지만 예를 들어 민주화 운동을 하던 70년대 말 10월 유신반대 투쟁을 하던 아들을 아비가 곧이곧대로 신고해서 감옥에 보내는 것이 정직은 아니라는 것이다. 공자는 이런 상황을 염두에 둔 발언이 아니었나 해석해 본다.

위 상황을 오늘날에 가져와서 아들이 사회를 혼탁에 빠트리는 중범죄를 저질렀는데도 신고하지 않고 숨겨 주어야 정직이라고 말하는 것은 아전인수식 해석이다.

사회에 해악을 끼치지 않는 정상참작의 불가피한 상황에서의 경범죄 정도는 부자지간의 천륜을 생각해서 선의의 거짓말을 하는 것이 정직한 효의 근본이라는 거다.

상황의 불가피성에 대한 범죄 행위에 대하여 아버지도 알고 아들도 아는 상황에서의 범죄는 감싸 주는 것이 도리라는 거다.

여기에서는 상황에 따른 적절한 부자지간의 처신이 정직이요, 효라는 의미로 해석해야 마땅하다. 살인이나 사회 파괴적인 연쇄적이고도 고의의 중범죄는 당연히 해당 사항이 아니다. 인륜이 우선이지 법적인 처벌만이 능사가 아니라는 것을 강조한 것으로 이해함이 옳다.

•

반성과 잘못에 대한 사유 (小人之過 必文)

용기 있는 시인과 치졸한 변명

자장편 8장을 보자.

> 子夏曰, "小人之過也 必文."
> 자하왈, "소인지과야 필문."

자하가 말하길, "소인은 잘못하면 반드시 꾸민다."

문(文)은 꾸민다는 뜻으로 그럴듯하게 둘러댄다는 말이다. 잘못을 인정하기 싫어서 마치 어쩔 수 없었다는 듯 장황하게 이유를 설명한다. 그런데 설명이 구차스럽고 앞뒤가 맞지 않는다. 억지로 변명하려다 보니 논리도 안 맞고 자연스럽지 못하다, 솔직하게 시인하고 사과하면 쉽게 끝날 일을 잘못을 더 키운다.

변명하려 꾸미다 보니 거짓말이 되어 버려 잘못이 또 다른 잘못을 낳은 것이다.

이런 소인배들이 자랑할 일이 생기면 부풀리기 위해 더 크게 꾸민다. 자랑이 자랑답지 못 하고 부자연스러우면 본래의 자랑이 오히려 줄어든다. 바보 같은 짓이다.

비록 실수하고 잘못했으나 솔직하게 시인하면 신뢰도 얻고 신속하게 매듭이 지어진다. 사람은 누구나 실수와 잘못을 하므로 인정하면 바로 용서해 준다.

사과하는 방법을 간단하게 서술해 본다.

첫째, 사과는 즉시 해야 한다. 시간을 끌면 사과의 의미가 퇴색되어 진정성을 의심받게 된다. 시간을 끈다는 것은 손익과 유·불리를 따지기 때문이다. 진솔한 사과는 유·불리를 따지지 않는다.

둘째, 조건과 단서 없이 사과해야 한다.

예를 들어 "마음이 상했다면 죄송합니다.", "도로에 차가 막혀서 늦었습니다."

조건을 달면 사과하는 형식만 있는 빈 반쪽짜리 사과가 된다. 깨끗하게 "죄송합니다. 드릴 말씀 없습니다."라고 해야 한다.

차가 막혔다고 하는 것도 변명에 불과하다. 실제로 차가 막힌 것은 사실이라 할지라도 그 말을 하는 순간 변명으로 들릴 뿐이다. 그것을 예상하고 좀 일찍 나왔어야 한다. 설령 예상치 못했어도 조건 없이 "늦어서 죄송합니다."로 끝내야 한다.

나중에 설명할 기회가 있으면 좋고, 없으면 그만이다. 본인이 나서서 이유를 설명하기보단, 다른 사람이 물어보았을 때를 기다렸다가 설명하면 자연스럽다.

셋째, 주어가 분명해야 하며 두루뭉술한 표현이 아닌 구체적이고 명확한 사과의 표현을 담아야 한다. 기관장이나 공적 지위에 있는 사람들이 사과할 때 "유감이다."라는 표현을 종종 사용하는데, 이는 사과라고 하기에는 애매하다. 억지 사과에 불과하다.

예를 들면 1984년 9월 6일, 전두환 대통령의 방일을 환영하는 궁중 만찬회에서 히로히토 일왕이 이렇게 말했다.

"금세기의 한 시기에 있어 양국 간 불행한 역사가 있었던 것은 진심으로 유감이다."

공자는 위령공편 29장에서 "과이불개(過而不改) 시위과의(是謂過矣)"라고 했다. 잘못하고도 고치지 않는 것 이것이 바로 진짜 잘못이라는 거다.

사람이 살아가면서 고의가 아닐지라도 실수와 잘못은 수없이 저지르게 된다. 사람이기에 그렇다. 그래서 반성하고 같은 잘못은 하지 말라고 한 것이다. 다만 자기 잘못으로 인하여 타인이 손해를 입었을 때는 변명하지 말고 솔직히 인정하고 사과하면 된다. 잘못을 진솔하게 시인하는 것이 문제 해결의 열쇠다.

잘못했으면 인정하고 책임을 지는 자세야말로 리더의 처신이다.

사과할 줄 안다면 정직한 사람이다

옹야편 17장을 보자.

> 子曰, "人之生也直 罔[94]之生也 幸而免."
> 자왈, "인지생야직 망지생야 행이면."

공자께서 말씀하시길, "사람이 살아 있다는 것은 정직하기 때문이다. 삶이 속이는 것이었다면 요행히 죽음을 면한 것뿐이다."

풀이가 쉽지 않다. 두 가지 해석이 가능하다.

첫째는, "사람의 인생은 정직한 것이다. 속이고도 살아 있다면 요행히 죽음을 면한 것뿐이다."

두 번째는, 망(罔)을 어리석다고 풀이하여 "대부분 사람의 삶이 곧다면 어리석은 사람의 삶도 요행이 (죽음이나 재앙) 면할 수 있다."

중요한 것은 정직한 삶을 강조한 것으로 이해하면 될 일이다.

필자가 이해하기는 첫 번째 풀이가 좀 더 자연스럽다.

공자는 정직하지 않고 속이는 사람은 살아야 할 가치조차 없다는 것으로 강하게 표현한다. 그만큼 정직은 사람이 살아가는데 필수 요소라는 것을 강조한다. 사람을 속이는 사람은 죽어도 억울해할 필요가 없다는

---

94) 망(罔): 속이다, 거짓, 어리석다.

말이다. 정직한 사람이 잘못하면 속이지 않기 때문에 솔직히 시인한다.

태곳적 원래의 인간은 누구나 정직했다고 한다. 속인 것이 발각되면 죽음을 면치 못했으니 살아 있다면 거짓이 들통나지 않은 것이다. 그런데 문명사회로 오면서 생존과 이익을 위해서 한 번 한 거짓말이 달콤한 유혹으로 자리잡아 인간의 마음속으로 침투한 것이다. 시간이 흐르면서 모든 인간이 속이고 거짓말하는 현상이 대중화되어 무감각해졌다.

그런데도 정직하지 못하면 신뢰를 상실하고 결국 낙오되고 도태하여 인생의 실패자가 된다.

인생은 길게 보아야 한다. 거짓은 언젠가 드러나게 마련이다. 정직은 당장은 손해날 듯싶지만 길게 보면 힘의 상징이 되며 마음의 평온을 가져온다.

내가 혹시 거짓을 했다면 요행히 죽음을 면한 것뿐이니 이제부터라도 제명에 죽지 않으려면 정직을 삶의 요체로 알고 실천해야겠다.

가장 중요한 것 (萬物之靈長)

사람보다 더 중요한 것은 없다

가사도우미가 청소하다가 천여 만 원 하는 고가의 도자기를 깨트렸다. 바닥에 떨어져 깨진 파편이 이리저리 튀어서 도우미가 다칠 뻔했다. 도우미는 혼비백산 걱정이 태산이다. 도자기 값이 비싸다는 것을 알기 때문이다. 전 도우미로부터 2천만 원 가까이 한다는 소리를 들은 기억이 떠올랐다. 정신없이 깨진 도자기를 치우고 있는데, 주인집 김 여사가 2층에서 내려와 정신이 반쯤 나간 도우미에게 묻는다.

“다치신 데는 없어요?”, “네. 그런데 이 비싼 도자기를 깨트렸어요. 어쩐대요? 제가 물어 드려야죠. 하지만 시간이 걸릴 것 같아서요….” 난감하고 죄송스러운 표정으로 안절부절못한다. 김 여사가 태연하게 농담하듯이 웃으며 말을 건넨다.

“아주머니! 다친 데가 없다니 다행이네요. 이 도자기 1억 원인데? 갚을 수 있겠어요? 호호호! 이거 없어도 괜찮아요. 사 달라고 안 할 테니 걱정 붙들어 매시고 놀라신 것 같은데 편안하게 생각하시고 좀 쉬세요~.” 도우미는 안도와 감격의 눈물이 나면서도 꿈인지 생시인지 분간이 안 된다.

향당편 12장을 보자.

> 廐[95]焚 子退朝[96]曰, "傷人乎 不問馬."
>
> 구분 자퇴조왈, "상인호 불문마."

마구간에 불이 났다. 공자가 조정에서 퇴근하여 이 광경을 보고 말씀하시길, "사람이 다쳤는가?" 묻고는 말에 대해서는 묻지 않았다.

공자는 위 예문의 주인집 김 여사처럼 재산 손실에 대해서는 괘념치 않는 듯 아예 묻지도 않고 사람이 다쳤는지만 묻는 인자(仁者)의 도리를 보여 준다. 그만큼 사람이 얼마나 소중한지를 보여 주는 문장이다. 그 당시 말 한 필은 지금의 고급 승용차 이상으로 비싼 재산 가치가 있었다. 노비 몇 사람의 재산 가치였다. 그런데 말의 생사에 대해서는 묻지도 않았다. 사람이 다쳤는지 물은 다음에는 말의 상태에 대해서도 물어야 정상 아닌가? 말은 다치거나 죽어도 상관없다는 것은 아니었을 것이다. 아마도 편집자인 제자들이 사람의 중요성을 강조하기 위해서 말(馬)에 대해서는 기록에서 빼지 않았을까 짐작해 본다.

여기서 다친 사람이 없는가의 사람은 마구간을 치우는 천민이나 평민이었을 가능성이 크다. 재산 가치로 따지면 사람보다 말이 훨씬 크다. 그런데도 공자의 사람을 중시하는 애민 정신이 확연히 드러나는 대목이

95) 구(廐)는 마구간 구.

96) 조(朝): 조정 조.

다. 지금의 시대와 수천 년 전의 시대 상황을 비교하면 뉴스에 나올 법한 이야기다.

사람을 잃지 않는 법

위령공편 7장을 보자.

> 子曰, "可與言而不與之言 失人 不可與言而與之言 失言 知者不失人 亦不失言."
> 자왈, "가여언이불여지언 실인 불가여언이 여지언 실언 지자 불실인 역불실언."

공자께서 말씀하시길, "말을 해야 하는데 말을 하지 않으면 사람을 잃을 것이고, 말을 하지 말아야 하는데 말을 하면 실언이 될 것이다. 지혜로운 자는 사람을 잃지 않고 말도 잃지 않는다."

말을 해야 하는 상황에서 말을 하지 않는다면 기분이 나쁘다. 기분이 상하니 사람이 떠나간다는 것인가? 애매하다. 말을 해야 하는 상황과 말을 하면 안 되는 상황을 구분해야 한다는 말이다.

다른 각도에서 바라보자. 말이 통하는 사람과 통하지 않는 사람으로 구분해서 보자.

말이 통하는 사람은 타인의 충고나 의견에 귀를 기울일 줄 아는 사람이다. 그래서 그런 사람한테는 말을 해서 옳은 방향으로 나갈 수 있도록 하면 고마워한다. 그러나 소통이 불가한 사람에게 말해 보았자 입만 아프다고 하지 않는가? 말(言)이 없어지는 거다. 그래서 소통이 가능한 사람에게는 적극적으로 의견 개진을 통해 선한 방향과 긍정적인 방향으로 나가도록 도와주니 사람도 잃지 않는다는 것이고, 소통 불가한 사람과는 말을 안 하니 실언하지도 않는다는 것이다. 중요한 것은 소통 가능한 사람과 불가한 사람을 구분하는 것이다. 그러나 이 구분은 어렵지 않아 보인다. 몇 번 상대해 보면 말이 통하는 사람인지, 그렇지 않은지 구분이 되기 때문이다. 문제는 말이 통하는 사람한테 말을 하지 않으면 "나를 멀리하거나 아예 관심이 없으니 나도 다시 생각해 봐야겠다."라고 판단한다면 사람을 잃게 된다는 거다.

놓치고 싶지 않은 사람은 말을 해야 할 때 관심 두고 말을 해 주어야 성인지미(成人之美)[97]로 이끌게 되니 꼭 의견 제시를 해야 한다는 말이다.

97) 성인지미: 다른 사람을 도와 더욱 키워 주거나 나쁜 점은 못 하도록 충고하여 막아 주는 일.

나만 위한 기도는 잘못된 기도 (子路請禱)

공자의 기도(祈禱)

술이편 34장을 보자.

子疾病 子路請禱 子曰, "有諸[98]?" 子路對曰, "有之誄[99]曰, '禱爾于上下神祈'"
자질병 자로청도 자왈, "유저?" 자로대왈, "유지뢰왈, '도이우상하신기'"
子曰, "丘之禱久矣."
자왈, "구지도구의."

공자께서 질병에 걸리자 자로가 기도하기를 청했다. 공자께서 말씀하시길, "그런 전례가 있느냐."라고 묻자, 자로가 대답하여 말하길, "뢰(제문)에 따르면 '너를 위해 상하의 신에게 기도한다.'라고 되어 있습니다."

공자께서 말씀하시길, "그런 기도를 내가 한 지 오래되었다."

98) 유저(有諸): 그런 것들, 근거, 전례.
99) 뢰(誄): 제문.

제자인 자로가 중병에 걸린 자신을 위해 기도하겠다고 청하자, 근거가 있느냐 묻고 자로는 제문에 하늘과 땅의 신에게 기도하는 근거가 있다고 답한다. 그러자 공자는 단호하게 그런 기도는 내가 이미 한 지 오래되었으니 필요 없다고 거절한 것이다.

왜 거절했을까? 자기 몸이 노쇠하여 병에 걸린 것은 기도한다고 나을 리 없고, 자신만을 위해서 기도하는 것 자체가 도리에 맞지 않는다고 판단을 한 것이다.

공자는 하늘의 뜻 즉 자연의 섭리에 순응해야 한다고 했다. 죽음이 임박했으면 자연의 뜻에 따라 자연으로 돌아가라는 말이다. 살려고 발버둥 친다고 살 수도 없을 뿐더러 자연의 이치에 맞지 않는다는 거다.

다만 기도한다면 타인이 고통과 어려움을 겪을 때 덜어 주기 위한 기도가 필요하다고 했다. 공자 인(仁)의 기도란, 타인이 건강하기를 기도하고 즐겁고 행복하기를 기도하고, 나라가 환난을 겪지 않고 평화롭기를 기도하는 것이다.

예를 들어 고시 준비에 최선을 다했으면 진인사대천명의 자세로 "내가 노력한 만큼 성적이 나올 수 있기를 기도합니다."라고 하는 것이 이치에 맞는다는 것이다.

만약 "이번 고시에 합격하게 해 주세요."라고 기도하는 것은 잘못된 기도라는 것이다. (유학자 이기동 교수) 왜냐면 내가 합격하면 다른 한 사람이 불합격하게 해 달라는 기도가 될 수도 있기 때문이다. 그래서 오직 내가 노력한 만큼 합격할 준비를 충분히 했으면 하늘의 뜻에 따라 합격할 것이고, 그렇지 못하면 불합격할 것이니 하늘의 처분에 맡기라는 거다. 그래서 진인사대천명의 자세를 가지고 기도해야 한다.

기도해도 나만 유리하게 하는 기도는 하지 말아야 한다. 나와 동시에 타인도 고려한 기도 방식으로 해야 바람직한 기도 방법이다.

불능학야(不能學也)

술이편 33장을 보자.

> 子曰, "若聖與仁 卽吾豈敢 抑[100]爲之不厭[101] 誨人不倦 卽可謂云爾已矣[102]."
> 자왈, "약성여인 즉오기감 억위지불염 회인불권 즉가위운이이의."
> 公西華曰, "正唯弟子 不能學也."
> 공서화왈, "정유제자 불능학야."

공자께서 말씀하시길, "성(聖)과 인(仁)의 경지에 이른다고 내가 어찌 감히 말할 수 있겠는가? 그러나 배움을 실천하면서 싫어하지 않고 가르치는 것을 게을리하지 않는 것은 한다고 할 수 있을 뿐이다."

---

100) 억(抑): 그러나.
101) 염(厭): 싫어하다.
102) 운이이의(云爾已矣): '~할 뿐이다'의 조사.

공서화가 말하길, “바로 그것을 저희 제자들이 배울 수 없는 것입니다.”

술이편 2장에 나오는 묵이식지(默而識之) 학이불염(學而不厭) 회인불권(誨人不倦)과 맥을 같이 한다. 즉 묵묵히 익히고 배움을 싫증 내지 않는다고 하면서 제자들에게 자신은 아직도 많이 부족하다고 겸손의 자세를 취한다. 그러나 배우는 것을 싫증 내지 않고 남을 가르치는 것을 게을리하지 않는 것은 결코 쉬운 일이 아니다. 제자 공서화의 말처럼 보통 사람들은 따라갈 수 없는 어떤 경지에 이른 사람만이 할 수 있는 일이다.

회인(誨人)은 가르쳐서 깨우친다는 의미다. 지식의 전달자에 그치는 것이 아니고 가르친 것을 스스로 터득하고 깨우치게 만드는 것이다. 의미 파악을 한 후에 속에 담겨 있는 철학적 해석을 하고 삶에 적용해 살아 있는 지식이 될 수 있도록 인도하는 것이다. 그래서 고난도의 작업이다. 그러나 한 사람이 깨우침을 얻어 실천하는 모습을 보면 즐거움과 보람을 느낀다. 이런 즐거움으로 게을리하지 않을 수 없었을 게다. 하지만 공자는 즐거움보다도 세상을 구제하겠다는 사명감이 앞서지 않았을까 싶다. 왜냐면 자신이 직접 제도권으로 들어가 배우고 익힌 것을 실천해 보려고 얼마나 노력하였던가? 그러나 손을 잡아 주는 군주가 없자 제자들에게 대신하게 하고자 했으니 말이다.

공자는 제자들과 대화하면서 겸양의 자세를 취하지만 은근히 자긍심이 깃든 말처럼 들리기도 한다. 그러자 제자들이 맞장구를 쳐 준다. 그러나 그 스승에 대한 칭찬이 어색하지 않고 자연스럽다. 있는 현실을 그대로 표현했음에도 결과적으로 극찬이 되었다. 이런 제자들과 대화를 나누는 공자는 얼마나 즐거움을 느꼈을지 짐작이 간다. 스승은 이런 맛으로 제자들을 가르치는 것이 아닐까?

7장

배움(學)

•

왕 역할의 어려움을 알다 (知爲君之難)

자리를 탐낼 것인가? 역할에 충실할 것인가?

자로편 15장에 보면 노나라 정공이 공자에게 국정에 관하여 자문을 구하는 장면이 나온다.

> 定公 "問一言而可以興邦 有諸."
> 정공 "문일언이 가이흥방 유저."
> 孔子對曰 "言不可以若是其幾也 人之言
> 曰爲君難 爲臣不易 如知爲君之難也
> 不幾乎 一言而興邦也"
> 공자대왈 "언불가이약시기기야 인지언
> 왈위군난 위신불이 여지위군지난야
> 불기호 일언이흥방야"
>
> 曰 "一言而喪邦 有諸."
> 왈 "일언이상방 유저."
> 孔子對曰 "言不可以若是其幾也 人之言

曰予無樂乎爲君 唯其言而莫予違也

如其善而莫之違也 不亦善乎"

공자대왈 "언불가이약시기기야 인지언

왈여무락호위군 유기언이막여위야

여기선이막지위야 불역선호"

"如不善而莫之違也 不幾乎一言而喪邦乎"

여불선이막지위야 불기호일언이상방호

정공이 묻기를 "한마디 말로 나라를 흥하게 한다는 말이 있습니까?"

공자가 답하여 말한다. "말 한마디로 그렇게 할 수는 없지만, 사람들의 말 중에 '임금 노릇 하기 어렵고 신하 노릇 하기도 쉽지 않다'라고 합니다. 만일 임금 노릇 하기 어렵다는 것을 안다면, 한마디 말로 나라를 흥하게 한다는 말에 가깝지 않겠습니까?"

그러자 정공이 또 묻기를 "말 한마디로 나라를 망하게 한다는 말도 있다는데 그럴 수도 있습니까?"

공자가 대답하길, "말 한마디로 그렇게 할 수는 없지만, 사람들의 말에 '나는 임금 노릇을 하는 것을 즐기는 것이 아니라, 오직 내가 하는 말을 거역하지 않는 것을 즐긴다.'라고 했으니 만약 임금의 말이 옳은 말이어서 거스르지 않는다면 좋은 일이 아니겠습니까? 그런데 만약 옳지 않은데도 아무도 임금의 말을 거역하지 않는다면, 말 한마디가 나라를 망하게 하는 말에 가깝지 않을까요?"

공자가 하려는 말의 핵심이 무엇일까?

임금이 임금 노릇 하기 어렵다는 것을 알고, 신하가 신하 노릇 하기 쉽지 않다고 했다.

사람들의 말에 임금이 임금 노릇을 하는 것을 즐기는 것이 아니고, 그 누구도 자기 말을 거역하지 않는 달콤함을 즐긴다고 했다. 책임 완수에는 관심이 없고 오로지 권력의 맛을 즐긴다는 거다.

임금은 임금대로 신하는 신하대로 자신의 위치에 따라 어떤 역할을 충실히 할 것인지 만을 고민하고 연구하여야 옳은 방향인데, 권력을 탐하여 부하나 주변인들이 거역하지 않고 아부나 하고 시키는 대로 하다 보면 권력의 달콤함에 빠지게 된다. 그렇게 되면 자리의 본질인 무엇을 어떻게 할 것인지의 역할은 사라지고, 권력의 달콤함에만 길들여지면서 나라는 망하게 된다는 거다.

임금은 실패한 지도자로 남고 신하는 부패와 무능으로 나라를 망치는데 일조하는 것이다.

현재의 임금과 신하들을 살펴보자.

선출직 공무원인 대통령, 국회의원, 시도지사, 시·군 구의원을 선출할 때 자리를 탐내는 후보인지, 역할이 필요해서 출마했는지 그 출마 동기를 묻고 파악해야 한다.

대통령에 출마했었고 유력 정치인인 A 씨의 출마 동기가 매우 고무적이었다. 그의 말을 들어 보자.

"대통령이란 자리가 중요한 것이 아니다. 내가 시장도 해 보았지만 내가 이루려는 꿈(사회적 약자가 사람답게 살 수 있는 나라, 모든 국민이 공정하고 공평하게 대접받는 사회, 등)을 실현하기 위해서는 시장은 한계가 많다. 대통령은 합법적으로 그 꿈을 실현하기에 가능한 권한이 주어지기 때문에 출마했다."

이와 비슷한 뉘앙스로 기억한다.

난 A 씨의 이 말을 신뢰한다. 입에 발린 말이 아님을 삶의 궤적과 행동을 통해서 보았기 때문이다.

모든 후보는 나라를 위하는 사명감에서, 오로지 올바른 역할을 하기 위해서 출마했다고 열변을 토한다. 그러나 조금만 깊이 찾아보고 그의 발언록과 살아온 길을 보면 사적(私的)인 출세욕, 권력을 이용한 사리사욕과 패거리 이익을 위해서인지? 올바른 역할을 하기 위해서인지, 어렵지 않게 파악할 수 있다. 패거리 이익은 공적 이익, 국가 이익보다는 진영 이익 혹은 사적 이익에 초점을 둔다. 그러면서 진영 이익을 공익으로 포장한다.

이 원리를 나의 회사에 대입시켜 보고 내 가정에 적용해 보자.

일의 본질에 충실히 하려고 노력하지는 않고, 휴식 시간은 언제며 얼마인지, 승진과 월급 인상에만 관심을 두는 직원들이 있다. 그야말로 잿밥에만 관심이 있는 사람들이다.

가장이 자녀들과 배우자가 자기 말 안 듣는다고 불평할 것이 아니라, 가장(家長)과 부모로서 어떻게 역할을 해야 스스로 따를 것인지를 고민해야 한다. 그것이 공자가 말하는 지위군(知爲君), 지위부모(知爲父母)다.

자리에 연연할수록 구차함만 더해진다.

양화편 15장을 보자.

> "其未得之也 患得之 其得之 患失之 苟患失之 無所不至矣"
> "기미득지야 환득지 기실지 환실지 구환실지 무소불지의"

"자리를 얻기 전에는 어떻게 하면 그 자리에 오를까만을 걱정하다가, 어쩌다가 그 자리를 얻으면 그때부터는 오직 잃을까만을 근심한다. 그 자리를 잃지 않기 위해서, 해서는 안 되는 일까지 저지른다."

이런 자들은 오로지 자나 깨나 자리 걱정뿐이다. 어떤 역할을 어떻게 효율적으로 하여 자기 위치에 걸맞은 임무 수행을 할 것인지 고민하지 않고 자리를 이용 사적인 욕심만 채우려 한다. 그러니 일이 제대로 될 리가 있는가?

자리에 연연할수록 위태롭게 된다. 그렇게 되면 그렇게 행동하게 되고 주변인들에게 그렇게 보인다. 자리를 지키기 위해서 남을 모함하고 편법을 동원한다. 아전인수 격으로 대처하고 권력을 동원하며 패거리를 이용한다.

자리에 연연하면 비굴해지고 구차스럽다. 상사의 눈치를 보게 된다. 근심과 걱정으로 초조해진다. 반면 오로지 역할에 초점을 두고 어떻게 할 것인지 만을 연구하고 고민하면 누구의 눈치를 볼 필요도 없다. 당당해진다. 일에만 중점을 두면 성과가 나고 즐겁다.

까짓것 승진 못 하면 어떤가? 라고 초연해지자. 그러나 말처럼 쉽지는 않다. 나만 손해 볼 수도 있기 때문이다. 다만 최대한 역할에 충실하다 보면 당당하게 살 수 있고 보람 있게 일을 추진할 수 있다. 이렇게 하면 오히려 더 빨리 승진할 수도 있다.

무엇이든 내려놓으면 편안하다. 그 바탕 위에서 역할에만 충실해지자.

걱정과 초조해하며 구차하게 승진할 것인가?

승진을 못 하여도 즐겁고 당당하게 내 할 일 하며 살 것인가?

무엇이 보람 있고 행복한 삶일까?

•

박문약례
(博文約禮)

가끔 사장 사무실이나 집 안 거실 벽에 박문약례(博文約禮)라는 사자성어로 된 한자 액자를 볼 때가 있다.

옹야편 25장을 보자.

"博學於文 約之以禮 亦可以弗畔矣夫."
"박학어문 약지이례 역가이불 반의부."

박학어문 약지이례를 줄여서 박문약례가 되었다. 많이 들어본 성어(成語)다.

글자 그대로 직역하면 '널리 글을 배우고 예의를 갖추어 행동하면 어긋남이 없다.'이다. 대략은 알 것 같긴 한데, 여기엔 어떤 깊은 의미가 숨겨져 있는 걸까?

결론부터 말하자면 '다양한 인문학을 널리 배우고 익혔으면 몸 일부로 체화시켜 삶에 반영시키고 만나는 사람들과의 관계에 적용하면 인간의 도리에 어긋남이 없다.'라는 말이다.

좀 더 구체적으로 들어가 보자. 중국 남송 유학의 대가 주자(朱熹: 주자학 집대성)의 해석을 들어 보자.

박문은 단순히 지식을 채우는 것뿐 아니라 사물의 도리를 이해하여 자신의 어떤 행동이나 결정에 앞서 도리와 정의에 부합되는지를 따져 분별하는 능력까지를 포함하고 있다.

약례는 성의(誠意), 정심(正心), 수신(修身)으로 수렴된다. 따라서 이 세 가지를 충족했을 때 비로소 예의를 갖추었다고 할 수 있다. 결국은 박학으로 도리를 정확히 파악하고 인식하여 성의와 올바른 마음으로 실천한다면 살아감에 있어 인간의 도리에 잘못될 일이 없다고 하겠다.

이렇게 살기 위한 조건들을 살펴보자.

첫째, 세상의 온갖 인문 고전들을 습득하여야 하고

둘째, 습득한 지식으로 사물의 도리를 이해하고 깨우쳐야 하며,

셋째, 이해를 바탕으로 도리에 부합되는 판단을 할 줄 알아야 하고,

넷째, 판단이 섰으면 성의를 갖고 지속적인 실천을 해야 한다.

여기서 가장 중요한 핵심은 익힌 바를 행동으로 옮겨야 한다.

그러나 첫째 조건에 대해서는 이견이 있을 수 있다. 반드시 지식을 습득해야 인간의 도리를 다할 수 있느냐?이다. 무학자라도 인간의 도리를 지키며 올바른 삶을 살아가는 분들을 종종 봐왔기 때문이다. 하지만 공자의 박문약례는 범인(凡人)이 아니고 군자(君子)라면 그러해야 한다는 말이다. 군자라고 불릴 수 있는 조건이다. 군자는 오늘날로 해석하면 사

회적 리더로 존경을 받을 자격이 있는 사람이다. 첫째 조건이 부실하다면 나머지 조건들을 이행하는 데 많은 제약이 따르기 때문에 잘못된 판단으로 그릇된 행동이 나올 위험이 있다. 그래서 사회적 리더로서 선한 영향력을 행사하려면 첫 번째 조건도 충족되어야 한다. 그래서 필자는 군자가 되기 위해서 부단히 노력하고 싶다. 존경받기 위해서가 아니라 군자다운 삶이라야 눈감을 때 후회가 적은 삶이 되고 그런 삶이 자연스레 이어진다면 행복하지 않을까?

보통 사람들의 경우 공자와 주자의 말처럼 박문약례의 삶을 살기는 쉽지 않다. 매일 작심하고 밥 먹듯이 명심하고 실천에 실천을 거듭하지 않는 한 가까이 다가가기 어렵다.

그런데 혹시 아래와 같은 의문은 들지 않던가?

수많은 박학다식한 대학 교수 집단이나 다양한 분야의 지식을 자랑하는 식자층 즉, 정계, 관계, 학계, 법조계, 예술계 등 내로라하는 이런 분들이 왜 국민에게 범인(凡人)보다 못한 그릇된 도리를 하고 욕을 먹고 있는지? 도저히 이해 못 할 파렴치한 행동들을 하는지? 박문의 일부인 지식만 축적했을 뿐 약례를 망각했기 때문이다. 축적된 지식으로 높은 자리에만 올랐지 박문(博文)을 삶에 반영시키지 못하고 각종 세속적 욕심으로 약례를 버렸기 때문이다. 그리고 한국 교회의 저명한 목사나 불교계의 스님들 중 지도층에 계신 분들이 사회적으로 물의를 빚고 지탄받는 일이 자주 목격된다.

성경이나 불경 말씀들은 어느 것 하나 문제 될 말들이 없다. 모두가 훌륭한 꼭 실천해야 될 귀한 덕행들뿐이다. 마찬가지로 입으로는 선과 인, 의를 외치면서 자신들은 행동에 옮기지 않고 세속적 욕망으로 약례를 버렸기 때문이다.

학습한 지식과 인문적 교양을 순간순간 머릿속에 간직하고 몸에도 익숙하게 하여 언제 어디서나 관성으로 발현될 때 진정한 리더가 될 수 있다.

어떤 불손한 욕구가 솟구쳐도 약례의 힘이 강하다면 저절로 자정 작용이 일어나 욕망을 물리칠 수 있으리다.

박문약례는 현대 사회를 관통하는 행동 양식이자 수신의 방법이다.

박문약례를 항상 숙지하고 실천하는 삶으로 군자에 버금가는 인격을 만들어 갈 수 있도록 늘 신경을 써야겠다.

누구를 위한 배움인가?
(爲人之學과 爲己之學)

자기의 삶은 자기가 주체적으로 이끌어 가는 것이지 타인에 의해 끌려가는 삶이라면 아무리 화려하고 풍요로운 삶일지라도 만족할 수 있을까? 여기에 대하여 공자는 다음과 같이 경고한다.

헌문편 25장을 보자.

> 子曰, "古之學者爲己, 今之學者爲人"
> 자왈, "고지학자위기, 금지학자위인"

공자께서 말씀하시길 "옛날 사람들은 자기를 위해서 배웠는데, 요즘 사람들은 남에게 보여 주기 위해서 학습을 한다."

2500년 전에도 이렇게 말을 하다니 놀랍다. 요즘 2020년대 내가 보기에도 많은 사람이 자기를 위한 공부가 아니고 남에게 보여 주기 위해서 학습을 하는 사람들이 많은 것 같다. 어쩌면 나도 그렇게 살아온 날이 대부분이 아니었나 반성해 본다.

위인지학(爲人之學)은 다른 사람에게 보여 주기 위한 학문이다. 즉 타인을 위한 학습(성공을 위한, 출세)은 남에게 인정받지 못하면 허탈하고, 심지어 우울증을 겪기도 한다.

도대체 언제까지 인정받으려 하나? 인정받고 나면 또 더 높은 단계의 인정자(認定者)가 기다리고 있다. 이런 식이면 죽는 날까지 인정받기 위해서 발버둥 치다 끝이 난다. 왜? 인정은 끝도 한도 없기 때문이다. 이런 식이면 나는 내가 주인이 아니고 주인에게 끌려다니는 피동체가 된다. 아무리 성취를 이루어도 즐거울 수가 없다. 또 다른 과제가 자동으로 내 앞을 가로막고 있기 때문이다. 위인지학(爲人之學)의 바보 같은 삶은 무의미하다는 것을 깨닫는 것 그것이 공자 철학이다.

오늘날의 진학 공부, 각종 경연대회, 등급화 교육, 서열화 교육 모두가 위인지학에 해당한다. 물론 무조건 모두가 나쁘다고만 할 수는 없다. 불가불 필요로 하는 경우도 많이 있다. 경쟁이다 보니 장점도 있다. 비교적 빨리 성적이 오르고 실력이 향상되는 효과도 있다. 각종 채용 시험에선 불가피하기도 하다. 그러나 불가피한 것 빼고, 아니 불가피하다고 하더라도 거기에 매몰되진 말자는 거다. 거기에서 탈락한다고 괴로워하거나 우울증까지 겪는 어리석은 자는 되지 말자. 거기에 매달리고 연연하면 할수록 자신은 비참해지고, 노예화되어 갈 뿐이다.

사회생활을 하기 위해선 불가피하게 만날 수밖에 없는 사회구조니 어쩔 수는 없다. 모든 것을 초월해선 살 수 없으니 말이다. 현실인 만큼 인정할 건 인정하되 대수롭지 않게 흘려버리란 말이다.

왜? 내가 주체자가 되기 위해서요, 내가 즐거운 삶을 유지하기 위해서다.

사회라는 괴상한 물건이 자기들 편해지자고 만들어 놓은 울타리에 들어가지는 말자. 언제부터 그런 것들이 있었다고 자기들이 감히 나를 가두려 든단 말인가! 과감하게 기존의 틀을 부수고 새롭게 내게 맞는 새 틀을 짜자. 그러면 내가 주체자요 사회 통념의 기준이 된다. 극단적으로 말해서 구성원이 없으면 어떤가? 타인에게 피해 안 주고 나 홀로 주인장으로 즐거운 삶을 영위하면 그만 아닌가?

내가 살 집은 나의 편의대로 짓자.

자기 나름의 발전과 기쁨을 위해서 학습하고, 오늘보다 나은 내일을 위해 배우고 익히는 것이 위기지학(爲己之學)이다. 내 집을 내 맘대로 짓는 것, 이것이 내가 주체이자 주인인 공부요, 수련이다.

나를 위한 배움이란, 학습을 통해 기쁨을 느끼고, 성찰하여, 세상을 보는 눈이 밝아지고, 당당한 삶을 위해서다. 경쟁에서 벗어나면 이렇게 후련하고 편하다. 내가 그린 그림은 남 보기에 발전이 더디고 보잘것없어 보일지 몰라도 나의 기술과 혼이 숨 쉬고 있는 작품이다. 물질과 안락을 조금만 양보하면 훨씬 큰 정신적 안식처와 행복이 기다리고 있다. 둘 다 가지려고 하면 죽을 때까지 불행에서 벗어나지 못한다. 그것은 욕심 덩어리 자체다. 전원생활을 하기 위해선 도심 속의 안락한 환경과 여러 가지 편의를 버려야 전원의 맛과 향기를 만끽할 수 있듯이 말이다.

다행히 언젠가부터 자기 주도 학습법이 확산하고 있다. 아이들 교육도 위인지학이 아닌 위기지학으로 즉 자기 주도 학습법으로 옮겨 가야 한다. 그래야 아이들이 덜 고통스럽고 행복하다. 아이들은 아이들 나이대에 걸맞은 즐거움과 행복감을 느낄 자격과 권리가 있다. 그 기회를 제공해 줄 책임과 의무는 부모와 사회에게 있다.

자기 주도 학습법 자체는 나무랄 수 없이 좋다. 그러나 혹시 자기 주도 학습법이란 미명 아래 수단으로 들어가서는 기존의 경쟁 위주 내지는 입시 위주로 방향을 잡는다면 크게 달라질 것은 없다.

각자 부모들의 가치관과 철학이 중요하다. 진학이 전부가 아닌 미래를 내다보는 안목과 인간이 왜 존재하는가의 질문과 성찰, 무엇이 가장 중요한 인간의 존재 가치인가를 고민하지 않는다면 세속적 욕망에서 벗어나지 못한 채 위인지학의 삶에서 맴도는 삶이 될 것이다. 거기서 벗어나지 못하면 부모의 실질적인 욕망이 자칫 아이들을 그르칠 수 있다. 왜 석·박사 학위까지 받은 성년 자녀들이 취직 시험 때 부모에게 의존하는 일이 발생하는가? 결혼할 때도 자기가 결정을 못 하여 부모에게 결정권을 넘겨주는 기막힌 일이 생기는가? 평생을 피동적이고 끌려다니는 공부만 했기 때문이다. 주인이 자신이 아니고 아버지, 어머니며 타인이다. 그래서 마마걸, 마마보이가 위험한 거다.

자식 농사가 농사 중 가장 중요하고 큰 농사라고 하지 않던가? 자식 농사를 잘 짓는다는 것은 무엇을 기준으로 삼을까? 공자의 머리를 빌려 말해 보자. 성년이 넘으면 자기 스스로 자립하여 당당하게 자기 삶을 개척

해 나가고 이웃과 타인에게 피해를 주지 않고 조금이라도 도움을 주며 즐겁고 행복하게 살아가는 것이 최고 아닐까? 그것이 바로 위기지학의 삶, 자기 주체적 삶이다.

정리해 보자. 위인지학은 과시와 인정 욕구, 출세를 위한 도구로 하는 배움이기 때문에 이기적이고 편협하다. 반면에 위기지학은 경쟁에서 이기기 위한 배움이 아니고 자아 성숙과 성찰적 배움이다. 따라서 세상을 개선하여 이웃과 함께 잘사는 공동체 이익을 먼저 생각한다. 위기지학은 이타적이고 공존 공생을 도모한다.

이기적이며 종속적인 삶을 살 것인가, 아니면 주체적이며 이웃과 공생하며 여유로운 삶을 살 것인가?

어리석음 (上知와 下愚)

상지와 하우는 양화편 3장에 나오는 말이다.

> 子曰, "唯上知與下愚 不移"
> 자왈, "유상지여하우 불이"

공자께서 말씀하시길 "오로지 가장 지혜로운 사람과 가장 어리석은 사람만이 변하지 않는다."

무슨 말일까?

두 갈래의 해석이 가능하다.

첫째, 상지(上知)는 선(善)하며 최상의 지혜로운 사람으로 선(善)과 지(智)가 견고하게 정립되어 악한 자와 어울려도 흔들리지 않으니 악에 물들지 않고 선함과 지혜를 유지한다. 그래서 변함이 없다. 하우(下愚)는 지적 능력이 떨어지고 질이 나쁜 사람으로 아무리 알려 주어도 배우려 하지 않고 선한 사람과 어울려도 선함을 닮으려 하지 않는다. 그래서 변하지 않는다.

둘째, 가장 지혜롭다고 여기는 사람들은(上知) 더 이상 향상을 위해 노력할 이유가 없다고 생각한다. 현 상태를 유지만 해도 최상이기 때문이다. 그러니 변화할 필요를 못 느낀다. 아니 그들 입장에서는 귀찮게 변화할 이유가 없다. 이들을 구체적으로 파고들지 않고는 전혀 문제없어 보인다. 하지만 여기서 공자가 칭하는 최상의 지혜라고 하는 기준이 무엇일까? 최상이란 기준은 없다. 자칭 타칭 잘났다고 평이 나거나 똑똑하다고 일컬어지는 부류다. 세상에 최상의 기준은 무한대다. 다만 현재 상태에서 그럴 뿐이다.

그러니 이들의 콧대가 너무 높다. 지식과 학력, 시험을 봤다고 하면 1등을 독차지했으니 일견 그럴 만도 하다. 자신들이 최고의 덕목을 갖추고 있고 이 세상에서 가장 똑똑하며 그래서 만능이라고 판단한다. 모든 분야를 잘 알고 있다고 착각한다.

그러니 누구의 말도 들으려 하지 않는다. 소통 불가의 신성(神聖) 지대다. 일반 국민은 교화의 대상일 뿐이다. 좀 과장하면 백성들은 시키면 시키는 대로 하는, 아니 해야만 되는 개, 돼지들이다. 자신들이 잘못을 범해도 사과할 줄 모른다. 개, 돼지들에게 사과란 없다. '어디 감히 상전들한테 사과받으려 해?' 이런 사고다.

자신들의 지위와 주변 사람들의 아부에 힘입어 그들의 건방은 하늘을 찌른다. 물론 최상의 잘난 사람들 모두가 그런 것은 아니다. 그러나 분명 그 부류는 그럴 확률이 매우 높고 실제로도 그렇다고 한다. 나는 이런 부류 중 일부 겪어 보았는데 정말 공감이 갔다. 그래서 이런 사람들일수록 대중의 말에 귀 기울일 줄 알고 소통과 공감 등 일반인들의 살아가는 방식과 방법에 대하여 더 많이 배워야 한다. 이들이야말로『논어』백독하고 몸과 마음으로 익히고 실천하여 체화해야 한다. 그래야 비로소 인성이 있는 인간이 된다. 그러기 전까진 최상의 지혜란 탈을 쓴 괴물일 뿐이다.

다음으로 가장 어리석은(下愚) 사람들이다. 이들도 소수이긴 하나 세상에 끼치는 해악은 크지는 않다. 상대하기 답답할 뿐이요, 자기들 스스로 세상살이가 힘들 뿐이니 어찌할 것인가? 스스로 깨우쳐야 하는데, 배움도 없고, 너무 무지하여 아무리 설명해도 알아듣지도 못할 뿐더러 알려고도 하지 않으니 공자도 어쩔 도리가 없다고 하였다.

이들 역시 소통 불가, 공감 능력 제로에 가까운 사람들이다.

공자 시대의 이야기를 접하면서 매번 드는 생각은 아득한 2500년 전이나 지금이나 사람 사는 세상의 상황이 어쩜 그렇게 같은지 신기하기만 하다.

이제 남은 것은 대다수 우리네와 같은 보통 사람들이다. 그럼 보통 사람들은 상지와 하우에 해당하지 않으니 걱정 안 해도 무방할까? '아니올시다.'이다.

자칫하면 상지(上知) 바로 아래에 위치에 있는 사람들과 하우(下愚) 바로 위에 처해 있는 사람들이 정도는 좀 약할지라도 상지와 하우를 닮아 갈 개연성이 높다.

호랑이가 죽으면 고양이가 왕 노릇 한다고 하듯이 단계 단계별로 정도가 약한 상지 하우가 나타난다. 물론 아래 단계의 상지 해악은 내려갈수록 적게 나타난다. 그러나 하우(下愚) 해악은 크게 나타날 수밖에 없다. 자신이 힘들 뿐 아니라 근처에 있는 사람까지 힘들게 한다.

필자는 다음과 같이 결론을 내리고 싶다.

첫째 해석으로 한다면 상지와 하우로 태어난 사람은 극히 소수다. 대개는 선한 사람과 어울리면 조금씩 선자(善者)를 닮아갈 수 있으며 배우고 노력하면 발전적으로 변할 수 있다.

중요한 것은 현실에 안주하여 변하지 않아 하우(下愚)로 살 것이냐, 아니면 노력으로 발전하여 상지로 올라갈 것이냐의 문제다.

두 번째 해석은 겸양지덕과 끊임없는 성찰로 진정한 상지를 유지해야 하고, 중간에 있는 보통의 다수도 늘 자신을 경계하며 심신의 수양을 게을리해서는 안 됨을 강조하고 싶다.

•

호학
(好學)

공자의 인생삼락(樂)과 맹자의 인생삼락이 있다.

학이편 1-1장에 보면 공자의 인생삼락이 나온다.

첫째, 學而時習之 不亦說乎! 배우고 때때로 익히는 것.

둘째, 有朋 自遠方來 不亦樂乎! 벗이 있어 멀리서 찾아오는 것.

셋째, 人不知而不慍 不亦君子乎! 사람들이 알아주지 않아도 화내지 않으니 군자가 아닌가!

맹자의 3락은,

첫째, 父母俱存 兄弟無故 부모가 모두 살아 계시고 형제들이 아무런 일 없이 건강한 것.

둘째, 仰不愧於天 俯不怍於人 하늘을 우러러 한 점 부끄럽지 않고 땅을 내려 보아 남에게 부끄럽지 않게 사는 것.

셋째, 得天下英才而教育之 천하의 똑똑한 영재들을 얻어 그들을 가르치는 것이다.

공자의 첫 번째 즐거움이 바로 배우고 수시로 익히는 것이라고 했다.

우리의 머릿속에는 학습은 공부요, 공부는 싫증나고 고통스럽고 때로는 짜증 나는 일로 각인되어 있다. 그런데 학습이 인생의 제일 큰 즐거움이라니! 공자님과 나는 차원이 다른 사람인가? 그렇지 않다. 입시 공부, 취직 공부, 승진 시험공부, 자격증 공부 등등은 그럴 수 있다.

오로지 일류 대학을 목표로 지식만 축적하고 출세하여 권력만을 위한 일신 영달을 목표로 학습하다 보니 학습이 즐거울 리 있겠는가? 이렇게 공부하여 소위 출세하다 보니 국민을 무시하고 권력만 탐하게 된다. 세상을 널리 이롭게 하려고 학습하는 것인데 반대로 세상을 어지럽히고 해악만 끼치게 되는 부작용만 남게 된다.

그러나 공자가 말한 학습은 자신이 꼭 필요해서 스스로 익히는 공부, 실용적인 학문, 배워서 내 삶에 적용하고 반영하는 배움을 의미한다. 동시에 배워서 남 주는 일을 하는 것, 자신뿐 아니라 세상을 널리 이롭게 하려고 배우는 것이다. 그럴 때 살아 있는 지식이 되고 기쁨이 된다.

습득하고 터득하면 기쁨이 충만하니 학습이란 인생에서 가슴 떨리는 일이다. 그래서 언제 어디서건 배움의 자세를 견지하면 곳곳에서 배울 게 있다.

가령 온라인에서 구매한 신형 첨단 청소기가 왔는데, 설명서를 보고 조립하고 작동을 시켜 보니 작동이 안 된다. 무려 한나절을 이리저리 씨름해도 작동이 안 되니 오후에 손님은 온다 해서 빨리 청소해야 하는데 마음은 급하고 기계는 안 돌아간다. 첨단 만능 청소기가 무슨 소용이란 말인가? 그러다가 마지막으로 한 번 더 시도해 본다. 자세히 보니 밑에 스위치가 하나 있어 좌측으로 돌려 보니 작동이 된다. 이때 기쁨이 밀려온다. 이것이 바로 학습의 희열이다. 학문뿐 아니라 모든 삶의 방식에 적용되는 배워서 아는 것은 모두가 공자께서 말씀하신 인생의 첫 번째 즐거움인 거다. 학문과 책이란 게 특별한 것이 아니다. 실생활에서 얻은 것을 책으로 엮고 학문이란 이름으로 고상하게 표현한 것뿐이다.

그래서 자녀를 교육할 때 유치원 때부터 모든 학습할 거리를 공부가 아닌 놀이로 치환시켜 마음껏 놀이란 식으로 방법을 연구하여 놀게 한다면 학습에 대한 관념이 바뀐다.

나는 딸아이 한글을 배울 때 놀이식으로 스스로 터득하게 했다.

학습(공부)할 때 놀이와 아울러 호기심을 유발해서 해 보고 싶은 욕망을 불러일으켜 주는 거다. 거기에 동기 부여와 맞닿으면 금상첨화다.

학습을 놀이화하여 호기심으로 연결이 되면 호학(好學)으로 가는 시작이다. 여기에 아래 행동을 유지한다면 호학자(배움을 즐기는 사람)라 할 수 있다.

학이편 14장을 보자.

> 子曰, "君子 食無求飽 居無求安 敏於事而愼於言 就有道而正焉 可謂好學也已."
> 자왈, "군자 식무구포 거무구안 민어사이신어언 취유도이정

언 가위호학야이."

공자께서 말씀하시길, "군자는 배불리 먹지 말고, 편안함을 추구하지 않으며 일을 할 때는 민첩하게 하되 말은 신중하게 하여야 한다. 연후에 인격을 갖춘 분에게 나아가 자신을 바로 잡고 기본적인 인성까지 갖추면 호학이라 이를 수 있다."

공자는 책을 많이 읽어 지식이 충만하다고 하여 호학자라고 하지는 않았다. 인성이 가장 중요한 호학의 덕목이었다.

공자에게 있어 모든 일상 즉 먹는 것, 출근하여 업무를 보는 것, 친구들과 어울려 노는 것, 가족과 함께하는 것 등 모든 것이 배움이니 몸 공부요, 현실 적용 공부였다. 공자의 철학은 실용 학문이요, 살아가는 처세술이며 심신을 편안하게 할 수 있는 힐링 공부였다.

호학자라 할 수 있는 또 하나의 덕목이 추가된다. 항상 배운 지식을 염두에 두고 실천함을 잊지 말라는 거다.

자장편 5장을 보자.

子曰, "日知其所亡 月無忘其所能 可謂好學也已矣."

자왈, "일지기소망 월무망기소능 가위호학야이의."

공자께서 말씀하시길, "매일 무엇을 잃었는지를 살피고 달마다 내가 닦은 능력을 잊지 않는다면 호학자라 할 수 있다."

항상 실천을 염두에 두고 기억하고 습득하라는 것이다. 언제 어디서나, 자나 깨나 익히고 나면 실천을 강조한다. 실천하지 않으면 죽은 지식이요, 세상에 이롭지 않다는 의미다. 일거수일투족 실천과 지행합일을 수백 번 아니 수천 번 강조했음을 알 수 있다.

인간이기에 배우면 잊고 스승께 반납하고,
실천은 어디 갔는지 찾아볼 수 없다는 것을 간파한 공자의 우려 때문이었을 것이다. 나도 진정한 호학자가 되기 위해 일상을 한 번 더 되돌아봐야겠다. 그리고 나의 인생삼락은 무엇일까?

학이지지 곤이학지
(學而知之 困而學之)

사람은 일상을 살아가면서 배우겠다는 의지만 갖고 있다면 언제 어디서든 배울 수 있다.

봄이 되니 만물이 소생한다. 산과 들에 개나리, 진달래, 벚꽃, 동백 등 다양한 꽃들이 자신들의 독특한 아름다움을 뽐내며 자랑한다. 그들은 서로 다투지 아니하고, 질투도 없으며, 오로지 자신들의 특기만을 자랑할 뿐이다. 나는 그들로부터 순수함을 배운다. 그들은 서로가 서로에게 향기와 꽃가루를 주고받으며 상부상조한다. 자연의 법칙을 따르되 욕심을 부리지 않는다.

이런 일상적인 자연의 이치를 배우기도 하지만, 필요 때문에 어쩔 수 없이 배우는 것이 있다. 승진하기 위해서 배우고, 자동기계를 샀으니 사용하기 위해서 작동법을 배운다. 또는 컴퓨터를 못 하면 옛날의 문맹보다도 생활하기 더 불편을 겪는다. 곤경을 치르고 불편해서 배우지 않을 수 없다. 알고 나면 쉽다. 그런데 어떤 사람들은 곤경을 치르고도 게을러서 안 배우고, 또는 어렵다고 지레 겁먹고 안 배운다. 안 배우면 평생 고생길이다.

계씨편 9장을 보자.

孔子曰 "生而知之者 上也
學而知之者 次也
困而學之 又其 次也
困而不學 民斯爲下矣"
공자왈 "생이지지자 상야
학이지지자 차야
곤이학지 우기 차야
곤이불학 민사위하의"

공자가 말씀하시길, "태어나면서 자동으로 아는 자는 최상이고, 배워서 아는 자는 다음이고 곤경을 겪고 배우는 자는 다다음이고, 곤란을 겪고도 배우지 않는 자는 최하의 사람이다."

이 문장은 직역하면 그대로 해석이 되는 쉬운 문장이다.

하지만 우리에게 시사하는 바는 크다. 대부분 두 번째와 세 번째에 해당할 것이다.

태어나면서 아는 사람은 천재라고 불리기도 하고, 예능이나 예술 부문에서는 타고났다고 하는 사람들이다. 천부적 재능이라고 한다. 복 받은 사람들이다. 하지만 이런 사람들이 몇 명이나 되랴! 극히 소수. 그러니 부러워하지 말자. 그 사람들은 그들 나름대로 또 다른 어려움이 있다.

대부분인 두 번째는 사람으로서 먹고살아야 하는 근본적인 문제와 인간의 본능적 욕구인 부와 권력 기타 여러 요인의 욕망 실현을 위해서 배운다.

세 번째도 살아가다 보니 이런저런 문제들에 봉착해서 곤란을 겪는다. 문제 해결을 위해 배우다 보니 알게 된다. 이것도 필요하고 저것도 꼭 필요해서 배우게 된다.

결국 살려고 배우고 부족해서 배우고, 꼭 필요해서 깨우치기도 하고 익히면서 앞으로의 역량을 키워 나간다.

문제는 네 번째 최하인 사람들이다.

곤경에 처하고 곤란을 겪어도 배우지 않는 사람들이다. 왜 그럴까? 나도 혹시 그런 부류는 아닐까?

문득 떠오르는 게 있다.

컴맹이라 불리는 분들이다. 지금은 핸드폰과 개인 PC로 대부분의 민원을 처리하며 모든 절차나 신청서 접수, 기차표 예약, 비행기 표 예약은 물론이요, 유튜브에 이르기까지 컴퓨터를 사용하지 않고는 거의 움직일 수 없는 온라인 세계다.

어렵다고 지레 겁먹지 말고 아직도 모르는 분들은 묻고 배우면 된다. 자녀한테, 손자한테, 그것도 여의찮다면 관공서에 문의하면 친절히 안내해 준다.

모르는 것보다 묻고 배워서 알면 된다. 모르는 것이 창피한 것이지, 묻는 것이 부끄러운 것이 아니다. 누구나 만물박사가 아니다. 더구나 하루가 다르게 변하는 세상에서 모르는 게 천지(天地)다. 모르면 물어서 배우면 된다. 알 때까지 묻고 또 물어서 배우자.

오늘 안 배우면 내일은 없다고 생각하자. 그것만이 노년 세대가 덜 설움 받고 살 수 있다. 모르면 고생길이 열릴 뿐이다. 100세 시대라 평생 배워야 산다. 배워서 친구들한테도 주고 나도 써먹자.

또 하나가 생각난다. 정말 곤경을 넘어 파산 지경에 이르고 이혼의 위기를 겪고도 배우지 않는 경우가 도박과 외도다.

곤이불학(困而不學)의 확대 해석이지만 꼭 필요한 경우라 경각심을 갖고 실천에 옮겨야 한다. 경험을 통해서 해선 안 된다는 것을 뼈아프게 배웠으면, 안 하면 된다.

그런데 결단을 내리기가 어려운가 보다. 곤이불학(困而不學)이 아니고 곤이불단(困而不斷)이라서? 실천만 하면 되는데, 안타깝다.

아무튼, 모르면 묻고, 곤란을 대비해서 배우자! 좀 더 편안하게 살기 위해서!

미래에 대한 성찰 (遠慮近憂)

유비무환(有備無患) 즉, 준비가 되어 있다면 근심이 없다는 누구나 다 아는 사자성어가 있다. 임진왜란 때 율곡은 일본 침략에 대비하여 10만 양병설을 주장하였으나 동인과 서인으로 나뉘어 당파 싸움에 혈안이 되어 있던 반대당인 서인들의 강한 반대로 좌절되어 온 백성이 고통을 겪었다.

어떤 일을 시작하기 전에 그에 대한 준비를 철저히 하면 걱정이 많지 않다. 준비했으니 자신감이 생기고 근심하기 전에 대비하면 걱정이 줄어든다.

유비무환과 비슷한 성어가 원려근우다. 멀리 바라보는 자세가 없으면 가까운 곳에서 근심이 다가온다는 말이다. 유비무환과 차원은 조금 다르지만, 먼 장래를 바라보고 미리미리 준비를 철저히 하면 어떤 어려움도 견뎌 낼 수 있고, 미래에 대한 불안감도 없어진다는 말이다.

『논어』 위령공편 11장을 보자.

子曰, "人無遠慮 必有近憂"

자왈, "인무원려 필유근우"

공자께서 말씀하시길, "사람이 멀리 내다보는 헤아림이 없으면 반드시 가까운 곳에 근심이 있다."

원려는 멀리 내다보는 헤아림 즉 천리안(千里眼)과도 같다. 10년, 20년 후의 목표와 계획을 세워 준비를 차근차근하면 눈앞의 작은 근심들은 보이지 않는다는 거다.

반대로 이런 먼 미래에 대한 혜안이 없으면 눈앞에 근심과 걱정이 생긴다.

조금은 쉽게 이해되지 않을 수도 있다. 사람이 살아간다는 것은 걱정과 근심의 연속이다. 모든 일정 하나하나에서부터 크고 작은 문제의 연속이 인생이다. 그렇다 보니 멀리 내다보는 능력이 클수록 그에 비례하여 눈앞에서 벌어지는 근심은 줄어든다는 거다.

사실 매일매일 발생되는 문제의 위험도(危險度)와 크기는 같다. 그러나 멀리 보는 안목이 생기면 웬만한 걱정거리는 보이지 않는다. 그러한 안목이 없으면 작은 걱정거리가 끊이지 않고 보이는 거다. 없던 근심이 생기는 것이 아니고 느낌이 크게 다가온다. 장래에 대한 안목을 키우고 계획을 세워 준비하니까 같은 걱정인데도 걱정으로 여기지 않게 된다. 근심에 대한 근육이 커지고 내성이 생겨 웬만한 사고에는 걱정하지 않고 의연히 대처할 수 있다.

원려근우의 원리를 자식 교육에 대입시켜 보자.

자식 교육을 4, 5세 유치원부터 시작한다고 하면 20년 후가 지나서야 대학을 졸업하고 사회에 진출하게 된다. 남성은 군 생활하고 나면 22년이 걸린다.

고등학교 졸업하고 사회 진출한다고 가정해도 15년 후다. 그래서 15년 내지는 20년 이상의 장기적 관점에서 바라보고 교육에 대한 목표나 계획을 세워야 한다.

그렇지 않고 당장 1년 아니 며칠 혹은 한 달을 보고 아이의 성장이 느리니, 빠르니 노심초사해 봐야 주야장천 걱정만 늘어간다. 부모에게나 자녀 모두에게 스트레스만 늘어나고 정작 자녀의 성장에는 큰 도움이 안 된다. 계획을 세워도 단기만 볼 뿐이니 단기에 머무르고 계획을 세워 실천하기도 전에 또 다른 과제가 놓인다.

30, 40대 초의 어머니들이 자녀를 교육한다고 유치원이나 초등학교 저학년의 아이들에게 하루에 학원을 4~5군데 보낸다는 소식을 자주 접하게 되는데 이는 부모 본의와는 다르게 자녀 학대라는 결과를 낳게 된다. 당장은 많이 배우고 익혀 또래 아이들보다 빨리 성장하는 것 같은 착각을 불러오지만 먼 미래를 보면 그렇지 않다.

여러 가지로 부작용을 초래할 위험이 있다. 사람 교육이라는 것은 다양한 관점에서 바라보아야 한다. 그래서 먼 미래의 안목을 갖고 바라보아야 근심이 적다고 한 것이다. 단지 영어, 수학, 예술 등 지식과 기술 능력을 키우는 것뿐 아니라 인성 교육, 주체성, 창조력, 독립심 함양 등 전인 능력을 키우는 문제로 보아야 제대로 된 인재로 성장시킬 수 있다. 어쩌면 방목하듯이, 남들이 보기엔 무관심한 것처럼 키운 자녀가 자존감도 있고 사회인으로 우뚝 서서 사회에 공헌하는 인재로 자리 잡는 경우도 자주 보게 된다. 방송인 겸 작가 이동형 씨가 그렇고 가수 이적이 그런 경우다. 너무 눈앞의 성적에 연연하면 걱정만 많아지고 아이의 성장에 방해가 될지도 모른다는 반성을 해 보아야 한다.

특히 자녀 교육은 먼 미래를 바라보고 큰 틀에서 부모와 자녀가 계획을 세우되 자녀의 특장(特長)을 살펴 자녀에게 맞는 맞춤식 교육이 필요하다. 만인은 만 가지 특징을 갖고 태어난다고 한다. 누구라도 아이만이 가진 독특한 장점과 천재성이 있다고 한다. 그것을 찾아 주는 역할이 부모가 해야 할 일 중 하나다. 세계 수십억 인구 가운데 오직 하나인 나의 자녀에게만 맞는 개성 있는 교육이 먼 미래를 바라보는 교육의 시작점이다.

한 어부가 있다. 자기가 관리하는 강가의 어장에서 10년, 20년 일정하게 어획량을 거두기 위해선 10년 이상의 중장기 계획으로 물고기를 관리해야 한다.

『맹자』 양혜왕 편에 보면 "촘촘한 그물을 연못에 넣지 않으면 물고기와 자라를 넉넉히 먹을 수 있다."라는 말이 나온다.

당장 눈앞의 이익에 급급해 촘촘한 그물로 싹쓸이하면 어린 새끼까지 잡힌다.

2023년 대한민국의 최고위직 임기제 공무원이 원려근우를 깊이 새겨야 할 상황이다. 멀리 내다볼 줄 모르고 눈앞의 사익에만 급급하니 걱정과 근심이 끊이지 않는다. 원려(遠慮)는 국가 전략이요, 어젠다다. 10년은커녕 1년도 내다보지 못하는 눈으로 국가를 운영하니 글로벌 호구로 전락하고 있는 거다. 주변 최대 강국인 중국과 미국에 한 발자국씩 담그고 양국을 저울질하는 등(等) 거리 외교는 국익을 위하는 상식적 외교의 기초다. 어찌 한쪽에만 모든 걸 올인하고 미국의 손발이 되려 하는지 이해 불가다.

개인이든 국가든 멀리 내다보고 큰 그림을 그린다는 자세로 임해야 한다. 그러나 그것이 저절로 되는 것이 아니다. 안목과 혜안을 가지려면 논어 한 권만이라도 백독하여 일이관지(一以貫之)할 수 있는 능력이라도 키우면 근접할 수 있다. 생각은 깊고 멀리하되(원려) 실천은 발밑부터 차근차근해야 한다. 어차피 천 리 길도 한 걸음부터 나가야 다다르듯이!

멀리 보고 일보, 일보(一步, 一步) 내딛다 보면 저 멀리 가 있고, 근심은 사라졌으리다.

•

지명분과 문제의식 (席不正 不坐)

명분을 안다는 것

'낄끼빠빠'라는 신조어가 있다. 낄 때는 끼고 빠질 때는 빠져라를 줄여서 이르는 말이다. 모임이나 대화 중에 분위기 파악 못 하고 아무 때나 끼어들고 눈치 없이 참견하는 사람들한테 낄끼빠빠 하라고 말한다. 분위기 파악을 하고 행동하며 말하라는 의미다.

예를 들어 신입 사원끼리 회식하는 자리에 부장이 장시간 자리를 지키고 있다든가, 자식들과 며느리들이 놀고 있는 자리에 아버지가 오랫동안 자리를 뜨지 않는 것이 그런 경우다. 적당히 인사하고 조금 앉아서 근황 파악만 하고 자리를 비켜 주는 것이 신입 사원들에 대한 예의다. 또한 시아버지가 아들, 며느리들이 자유롭게 이야기하는 자리에서 너무 오래 앉아 있으면 눈치 없는 행동이다. 이럴 때 눈치 있는 행동이 요구된다.

이와 유사한 내용이 『논어』 향당편 9장에 나온다.

席不正 不坐

석부정 부좌

우리말로 해석하면 "자리가 바르지 않으면 앉지 않았다."인데 공자께서 자리가 정돈되지 않아 삐딱하거나 바르지 않으면 앉지 않았다는 말로 바른 자세를 유지하였다는 의미로 해석이 된다. 학창 시절에 선생님들로부터 수도 없이 들은 말 중의 하나가 "자세를 바르게 해야 공부도 잘할 수 있고 건강도 지킬 수 있다."라는 말과 상통된다. 올바른 자세를 강조한 것으로 보이며 꼬장꼬장한 선생님이 연상된다.

하지만 필자는 또 다른 해석에 주목하고 싶다.

바로 위 낄끼빠빠와 유사한 해석이다.

"내가 앉아야 할 자리가 아니라면 앉지 않았다." 이는 민족문화콘텐츠연구원 박재희 원장의 해석이기도 하고 『논어집주』에 나오는 사양좌(射良佐, 중국 북송의 유학자)의 해석이기도 하다. 이 해석에 주목하는 이유는 확대, 유추 해석인 듯하지만, 이 문장에서 내가 더 배워야 할 것이 무엇인가에 대해 찾아내어 나의 것으로 만들고 싶기 때문이다.

내가 가야 할 자리가 아니라면 가지 않았다는 말로, 낄 자리가 아닌데 잘못 끼어 구설에 오르기도 하고 심지어는 자리에서 물러나는 일도 생긴다. 분위기 파악을 잘못해서 그냥 눈치 없는 양반이라는 비아냥 수준이 아니라 자리에서 물러나야 하는 큰 화를 당하는 일이라면 낭패도 그런 낭패가 없다.

누군가 욕심나고 탐나는 자리에 앉으라는 제안이 들어왔을 때도 그 자리가 정말로 내가 앉아도 되는 자리인지, 내가 감당할 충분한 능력이 되는 자리인지 파악을 하고 수락해야 한다. 명분이 있어야 그 자리에 앉을 수 있다.

50대 중반을 넘긴 변변한 재산도 매력도 보통인 늙은 총각한테 재색을 겸비한 30대 중반의 여인이 프러포즈하면 “아이고 황송해라 나에게 이 웬 젊은 미녀인고?” 하며 덥석 받을 것인가, “노 땡큐.” 할 것인가?

받아들인다면 쥐약일 가능성 90%다. 자기 분수를 알고 대처해야 한다. 자기가 앉을 자리인가 말이다.

어쨌든 바른 자세에서 바른 생각과 정신이 나온다고 하니 똑바른 자세도 자기 수양에 나쁜 것은 없고 낄끼빠빠와 같이 모임이나 대화에서 분위기 파악하는 센스 있는 행동도 교양인의 자세다. 거기에 명분 있는 자리 여부를 구분할 줄 아는 판단력은 더더욱 중요한 덕인(德人)의 자세라 하겠다.

문제의식

『논어』 위령공편 15장을 보자.

子曰, “不曰如之何 如之何者 吾末如之何也已矣.”

자왈, “불왈여지하 여지하자 오말여지하야이의.”

공자께서 말씀하시길, "어찌해야 좋을까? 어떻게 해야 좋겠냐고 말하지 않는 사람은 나도 어찌할 방법이 없다."

질문이 없는 이유는 두 가지 중 하나다. 하나는 학습에 집중을 안 하거나 몰라서 질문을 못 하는 경우다. 나머지 하나는 무비판적, 무조건적으로 받아들이기 때문에 질문할 필요성을 못 느낀다. 어쨌든 둘 다 문제가 있다.

집중해서 공부하다 보면 의문이 생길 수밖에 없고, 특히나 철학 문제나 인생 문제에 대하여는 정해진 답이 없다. 많은 부분에서 정답이 없으므로 질문은 필수적으로 따라온다. 질문을 하지 않으니 문제가 무엇인지 도와줄 길이 없는 것이다.

그래서 질문조차도 하지 않는 학생은 어쩔 방법이 없다 한 것이다.

또 다른 문제 제기는 문제의식이나 비판 의식을 가지고 사물이나 사안을 바라보라는 거다.

책을 통하거나 어떤 교수의 강의를 듣거나, 저명한 누군가로부터 정보나 지식을 습득할 때 저명하고 권위를 인정받는 교수라고 하여 의문과 비판 없이 받아들이면 자칫 곤란한 문제가 발생한다. 특히 목사나 신부 등 종교인들로부터 무비판적, 맹목적으로 받아들이면 그의 정신적 노예가 된다. 잘못 이용하면 사기로 변질이 되며, 더 확대하면 사이비 교주가 되고, 신도들은 피해자가 된다.

요즘엔 유튜브 전성시대라 유튜버의 말에 신뢰가 형성되어 그의 말을 무조건 신봉해도 간접적인 죄를 짓게 될 수 있다. 일종의 교주와 신도 같은 이상한 관계가 형성된다. 청취자나 시청자의 맹목적 신뢰가 덕이 부족하거나 성찰하지 않는 유튜버에게 사기의 유혹이 고개를 쳐들게 만든다. 그래서 사기를 친 당사자뿐 아니라 맹목적으로 신뢰를 보내는 결과적 피해자도 일정 부분 책임을 벗어날 수 없는 것이다.

그래서 한국의 교회에서 맹목적으로 신뢰를 보내는 광신도들도 사이비 목사에 비견되는 죄를 짓는 것이다. 그래서 비판적 태도를 보여야 속지 않고 속이지 않는다.

일반 시민들도 문제의식을 느끼고 비판적 사고로 임해야 건강하고 발전적이며 호혜·평등 관계가 성립된다. 맹목적일수록 그 틈을 사특(邪慝)이 파고들어 사회를 좀먹고 피해가 발생한다.

견현사제와 타인의 평가
(見賢思齊)

견현사제(見賢思齊)

필자가 전원 마을로 이사 온 지 채 2년이 안 되었지만, 우리 마을에는 내 마음속의 스승님이 여러 분 계신다.

그중의 한 사람(B 씨)에 관하여 이야기를 해 보고자 한다. 나보다 연배가 약간 아래지만 내 마음속의 스승님이다. 한 가지 에피소드를 말해 보자. 나와 같은 일을 10개월여 동안 도모했던 사람과(A 씨) 기억력의 한계와 소통 문제로 쌍방이 오해가 증폭되어 언쟁이 발발하고 불편한 관계를 유지하고 있던 어느 토요일 아침 나의 스승인 주인공(B 씨)과 A 씨가 마주치게 되었다. B는 A에게 정중히 인사를 했다. 일행 중 한 분이 B에게 A와 아는 사이냐고 묻자, 처음 본다고 했다. 그런데 왜 인사를 정중히 했냐고 묻자, B 왈, “형님(필자)과 최근 다툼이 있어 인사를 했습니다.” 하는 것이다. B의 덕분에 필자와 A는 자연스럽게 화해가 되었다.

B는 평소 인사성 밝기로 최고다. 그래서인지 연장선상에서 A에게 공자가 강조하는 인(仁)의 정신을 실천한 것이다. 저녁에 곰곰이 생각해

보니 B가 성자(聖者)처럼 보였다. 견현사제의 표본이 바로 B라는 생각이 들었다. 그러니 필자가 스승으로 생각하지 않을 수 없는 거다.

『논어』 이인편 17장을 보자.

> 子曰, "見賢思齊焉 見不賢而內自省也"
> 자왈, "견현사제언 견불현이내자성야"

공자께서 말씀하시길, "어진 이를 보면 그와 같아지려고 생각하고 어질지 못한 사람을 만나면 스스로 반성하는 기회로 삼아라."

뛰어난 현인을 보면 그와 어깨를 나란히 하고 싶다고 생각한다면 그가 하는 행동, 태도, 자세를 모방하려 애쓰면 그와 비슷하게 될 것이다. 배우고 싶고 닮고 싶은 롤 모델이 있다면 그가 하는 대로 그가 걷는 길을 따라서 걸으면 된다. 연후에 자신만의 그림을 그려 나가면 자기의 고유한 그림이 된다. 물론 롤 모델처럼 그대로 따라 한다는 것 자체가 매우 어려운 일이다. 반면 허물 있는 사람을 보면 비난하고 욕할 시간에 자기를 돌아보는 시간을 갖고 '나라면 이 상황에서 어떻게 처신하고 행동했을까.'를 곰곰이 생각해 보면 나를 다듬는 시간이 될 것이다.

술이편 21장에도 비슷한 내용이 나온다. 20세 성인 이상이라면 누구나 한 번쯤은 들어 본 유명한 말이다.

子曰, "三人行 必有我師焉 擇其善者而從之, 其不善者而改之."
자왈, "삼인행 필유아사언 택기선자이종지 기불선자이개지."

공자께서 말씀하시길, "세 사람이 길을 가면 반드시 나의 스승이 있으니, 그 선한 것은 따를 것이며 선하지 못한 것은 고쳐야 한다."

3인 이상이 모이면 그중에는 반드시 배울 점이 있는 스승이 있다는 말인데, 사실 나를 제외한 모두가 스승이다. 덕이 있는 현인한테선 직접적으로 그의 장점을 배워야지 하게 되고, 어질지 못한 사람으로부터는 저렇게 행동하지 말아야지 하면서 그의 단점을 보고 스스로 성찰의 기회로 삼아 배우는 것이다. 다른 산의 하찮은 돌일지라도 옥을 가는 데는 요긴하게 써먹을 수 있다.

배우겠다는 자세만 항시 갖추어져 있다면 모두가 나의 스승이 된다. 상대방의 잘못을 탓하기보단 반면교사로 삼는다면 내 발전의 계기가 될 수 있다.

타인의 평가

위에서 타인이 잘나면 잘난 대로 보고 배우며 못나면 못난 대로 보고 배운다고 했다.

타인을 보면 평가를 하는 경향이 있다. 그러나 평가는 신중해야 한다. 평가라기보단 자연스레 사람을 알아가는 과정이라고 표현하는 것이 적절할 것 같다.

공자의 제자 중 자공은 능력이 출중하여 당시 대부들 사이에서 "중니(공자)보다 자공이 더 낫다."라는 말이 돌 정도로 높은 평가를 받기도 했다. 사마천의『사기』에 보면 사업 수완도 뛰어나 돈을 많이 번 부자로 공자에게 경제적 도움도 많이 주었다고 한다. 그러나 자공은 타인의 단점을 발견하면 너그럽게 덮어 주지 않고 꽤 날카롭게 비판하고 타인의 평가를 자주 했다고 하여 공자로부터 꾸지람을 종종 받았다.

헌문편 31장을 보자.

> 子貢方人 子曰, "賜也 賢乎哉 夫我卽不暇."
> 자공방인 자왈, "사야 현호재 부아즉불가."

자공이 사람들을 비교 평가하니 공자께서 말씀하시길, "사는 훌륭하구나! 나는 바빠서 남을 평가할 겨를이 없더구나."

사(賜)는 자공을 말함인데, 얼핏 칭찬 같기도 한데 뒷부분을 보면 꾸짖는 성격이 짙게 보인다. 공자로 빙의해 보자.

"자공아 네가 똑똑하기는 하다만 그렇다고 남의 평가를 쉽게 하는 것은 경솔한 거다. 나는 내 학습하기도 바빠서 남 평가할 시간도 없더구나. 벼는 여물수록 고개를 숙인다. 타인에 대하여 평가하고 비판할 시간이 있으면 너 스스로 돌아보고 항상 반성하는 겸허한 자세로 임해야 하느니라."

타인에 대한 평가는 당사자가 없을 때 칭찬하는 것이 최상이다. 그러나 대부분 비난이나 욕을 하기가 십상이다. 칭찬보다는 주로 비난이 많다. 남 욕하는 것을 듣고 동참하면서 카타르시스를 느낀다고 하나 애교 수준에서 그쳐야지 선을 넘는 비난은 관계를 해친다. 타인에 대한 평가가 부정적이라면 내가 부재중일 때 나에게도 험담할 것이 아닌가 하고 의심하게 된다.

자신이 타인을 부정적으로 평가하면 바로 타인이 자신을 부정적으로 평가하게 된다는 사실을 명심해야 한다. 즉 타인에 대한 평가는 곧 자신에 대한 평가다.

남에 대한 평가는 신중하거나 안 하는 것이 좋다. 대신 자기 자신에 대한 평가는 성찰이기 때문에 문제없다. 심사위원이나 면접관으로 어쩔 수 없는 경우가 아니라면 평가를 자제해야 한다. 남을 평가한다는 것이 비교하게 되어 타인에게 상처를 주게 되며 건방지게 된다. 평가 대신 상황에 적절한 칭찬을 하자.

•

가정 교육 (孝弟好犯上鮮)

집에서 새는 바가지 밖에서도 샌다

가정 교육의 중요성은 더 이상 강조할 필요가 없다. 옛날에는 학교에서 어느 정도 보완을 했는데 요즈음은 의문이다. 인성교육의 중요도에 비춰 보면 입시 제도의 개혁과 교과 과정의 혁명적인 개편이 인성 교육에 초점을 맞춰 이루어져야 하는데, 현재 관점으로 요원하기만 하다. 어쨌든, 집에서 새는 바가지가 밖에 나가서 새지 않을 수 없다는 속담은 변할 수 없는 사실이다. 가정 교육의 문제를 빗댄 속담이다.

습관은 무섭다. 집에서 몸에 밴 습관은 밖에 나가서 조심한다고 갑자기 뚝 없어지는 게 아니다. 자신도 모르게 나온다. 그래서 좋은 습관이 중요하기에 집에 혼자 있을 때도 남에게 불쾌감을 주는 습관은 하지 않아야 한다.

학이편 2-1장을 보자.

> 有子曰 "其爲人也 孝弟 而好犯上者 鮮矣 不好犯上 而好作亂者 未之有也."

유자왈 "기위인야 효재 이호범상자 선의 불호범상 이호작란 자 미지유야."

유자가 말하길, "그 사람됨이 효성스럽고 공손하면서 윗사람에게 대들기 좋아하는 사람은 드물다. 윗사람에게 대들기를 좋아하지 않는 사람은 혼란을 일으키는 것을 좋아하지 않는다."

인간의 근본은 효라고 했듯이 효도할 줄 알고 공손한 사람은 근본이 서 있으므로 윗사람에게 함부로 대들지 않는다. 그런 사람들은 사회에 나가 혼란을 유발하지도 않는다는 말이다.

인성 교육은 학문과 큰 관계가 없다. 에티켓으로 불리는 교양도 마찬가지다.

아이들은 부모의 거울이다. 부모가 하는 언어와 행동을 보며 아이들은 그대로 따라 한다. 가정의 독특한 문화라는 게 있다. 바로 그 집안의 공통적인 행동 습관이며 양식이다. 그래서 자녀들을 키울 때 아이들 앞에서 언행을 유의하여야 하고 아이들이 나쁜 습관을 하면 알려 주어 고치도록 해야 한다. 특히 타인에게 불쾌감을 준다거나 피해를 주는 행동은 엄금을 시켜야 한다. 하지 말라고 혼을 내는 것이 아니라 왜 해서는 안 되는지 그 이유를 알아듣기 쉽게 설명해 주어야 다음부터 안 한다. 부모에게 효도하는 것이 인간 기본의 기본이라고 했다. 예나 지금이나 효는 사회 질서를 유지하는 핵심이다. 패륜 행위를 서슴없이 하는 자들이 가정 교육이 제대로 되었겠는가? 효는 책임과 의무를 수반한다. 책임을 질

줄 알며 윗사람을 공경할 줄 아는 것이 효를 다하는 사람들의 특성이다.

범죄 행위도 효가 실종되었기에 빈번한 것이다. 이 모든 것은 가정 교육의 부재에서 나온다. 가정 교육의 범위는 넓고도 깊다. 태어나면서 모든 일거수일투족이 가정 교육의 하나다. 자립심 함양, 효와 예절, 창조성, 정직성, 타인에 대한 배려와 존중, 공중도덕 등이 확실하게 갖춰진 아이들이 범죄를 일으킬 확률이 있을까?

위에서 자립심과 창조성을 제외한 나머지 기초적인 교육은 부모가 하는 언행에서 자연스럽게 나타난다. 굳이 가르칠 필요도 크지 않다. 부모가 평소 매일 하는 말과 행동은 자녀들에게 그대로 전수된다, 그래서 가정 환경을 보면 아이들을 대략 판단할 수가 있다고 했다. 물론 완전히 일치하는 것은 아니다,

부모와 아이들 간의 동선이 많이 다르거나 바쁜 일상으로 인하여 부모의 행동거지를 자주 보지 못하면 따로 가르쳐야 한다. 그래서 부모와 자녀들이 함께하는 시간을 자주 가져야 한다. 여행도 다니고 체험도 다니고 기회를 만들면 일석 3조다. 부모 자녀 간 추억을 만들고 돈독해지며 자연스레 소중한 교육이 이루어진다.

아이들은 부모 언행의 거울이라고 했듯이 부모들이 먼저 바른 언어와 행동을 해야 하는데 부모가 인성과 예의가 없다면 문제다. 그래서 국가에서 결혼을 앞둔 예비부부들로 하여금 부모 되기 학교 프로그램을 제작하여 이수의 의무화를 시행한다면 어떨까 생각해 본다. 교육은 온라

인 80%에 오프라인 20%의 비율로 정한다든지 방법은 얼마든지 가능하다. 온라인 교육도 숙지하지 않으면 안 되도록 만들면 된다.

인성 교육의 중요도로 말한다면, 학교에서 이루어지는 학과 교육은 위에서 언급한 가정 교육에 비하면 조족지혈이다. 무엇이 중요한지를 생각해야 한다. 공부를 잘해서 일류 대학을 나오고 일류 기업에 취직했으나, 독불장군에다, 배려는커녕 남을 무시할 줄 만 알고 도덕과 예의라곤 찾아볼 수 없는 인성이라면 그의 앞날은 캄캄한 암흑이다.

그래서 가정 교육이 중요하다. 가정 교육의 요체인 효도와 공손은 인(仁)을 행하는 근본이기 때문이다.

고생은 성장의 자양분

헌문편 8장을 보자.

> 子曰, "*愛之 能勿勞乎 忠焉 能勿誨乎*."
> 자왈, "애지 능물로호 충언 능물회호."

공자께서 말씀하시길, "사랑한다면 고생시키지 않을 수 있겠는가? 진심으로 대한다면 깨우쳐 주지 않을 수 있겠는가?"

사랑하는 자식이라면 오냐오냐 온실 속에서 고생 없이 키우면 안 된다, 어릴 적 고생은 사서도 한다고 했다. 사람은 고생을 해봐야 깊은 사고를 할 기회를 얻는다. 인생의 쓴맛을 알아야 새로운 전기를 맞기도 한다. 공자, 석가 등 성인이 아니라도 위대한 사상가나 위인들은 하나같이 고통과 고난을 감내했다. 편안하고 안락한 상황에서는 노력할 이유를 찾기 어렵다. 자녀를 편안하게 키우면 독립심과 자생력을 갖추기 어렵다.

인생길에는 어떤 일이 벌어질지 아무도 모른다. 무슨 일이 불시에 생기더라도 혼자 힘으로 살아갈 수 있도록 훈련을 시켜야 한다. 온실 속의 화초는 밖에 나오는 순간 오래 견디지 못한다. 사람도 이렇게 약하고 편안하게 키우면 오히려 자녀에게 독이 된다. 사랑하는 방식이 잘못되어 과보호하고 자유롭게 키운다고 버릇없이 구는 것조차 방치하는 것은 아이를 망치는 길이다.

진심으로 대하는 친구가 오판을 하거나 잘못되는 행동을 할 때도 충고로서 깨우칠 기회를 주어야 한다. 그 기회를 수용하여 자기의 것으로 만드는 것은 당사자 책임이다. 그러나 최소한 진심이 있는 친구라면 비판을 함으로써 기회를 주어야 한다.

충성된 신하는 간언을 서슴지 않는다고 했고 간신은 아부만 떤다고 했다.

귀가 즐겁고 달콤한 말은 자기 눈과 귀를 멀게 할 뿐이다.

•

진퇴의 시기와 자리 도둑 (其竊位者)

진퇴의 시기

어떤 자리에서든, 본인의 쓰임이 다 되었다고 판단되거나 조직의 발전을 위해서 용퇴하여야 할 시기가 있다. 그 적절한 시기를 판단하기가 쉽지 않다. 시기가 지났음에도 자리를 지키고 있는 것은 본인 스스로 능력이 남아 있다고 착각하거나 사욕이 작용하기 때문이다. 공조직에서는 특히나 판단을 잘해야 하는데, 두 가지 요건이 전제되어야 판단을 하는데 도움이 된다.

첫째는 공익 우선의 원칙이 서 있어야 한다. 즉 사욕을 깨끗하게 버리는 자세다. 자기 이익을 따지다 보면 공익보다 사욕이 앞서게 되며 자기 능력을 과대평가하여 자리를 효용 하는 것이 아니라, 탐하게 되어 조직 발전의 저해 요소로 작용한다.

둘째는 자기 능력을 진단할 줄 알아야 하며 물러나겠다는 용기가 있어야 한다.

그래서 용퇴라는 말이 나온다. 조직을 움직이는 것은 사람이다. 혈액이 정체되어 순환이 안 되면 경화 현상이 일어나 인체에 심각한 위험이 발생하듯이 조직도 마찬가지다. 그 막힘을 풀어주는 역할이 용되다.

조직뿐 아니라 어떤 일을 추진할 때도 진퇴의 시기가 중요하다.

위령공편 6장을 보자.

子曰, "直哉 史魚 邦有道 如矢 邦無道 如矢[103] 君子哉 蘧伯玉 邦有道卽仕[104] 邦無道
卽 可卷而懷之"
자왈, "직재 사어 방유도 여시 방무도 여시 군자재 거백옥 방유도즉사 방무도
즉 가권이회지"

공자께서 말씀하시길, "곧도다. 사관 어여! 나라에 도가 있을 때는 화살 같고, 나라에 도가 없을 때도 화살 같구나. 군자로다 거백여옥이여! 나라에 도가 있으면 바로 벼슬에 나가고, 나라에 도가 없으면 그것을 거두어 품을 줄 아는구나."

우선 사어(史魚)의 의미를 알아야 이해가 쉽다.

사관 어를 말하는데, 『한시외전』에 보면 위나라의 대부(大夫)사어(史

103) 시(矢): 화살.
104) 사(仕): 벼슬 사.

魚)가 병으로 죽게 되자 그 아들에게 유언을 남겼는데, "나는 가끔 거백옥의 현명함을 말했으나 등용시키지를 못했고 미자하는 부족하였으나 등용을 막지 못했으므로 신하의 자격이 없다. 그래서 나의 장례식을 정당(正堂)에서 하지 말고 실내(室內)에서 하게 하라." 그래서 아들이 그렇게 하였다. 임금이 이를 알고 뉘우쳐 거백옥을 불러 기용하고 미자하는 물러나게 했다는 기록이 있다. 『공자가어』에 나오는 일화에는 빈소를 꾸미지 말고 시신을 창가에 두라고 유언하여 자신의 책임을 다하지 못한 죄를 죽어서 물었다는 이야기가 있다.

사관인 어의 정직함을 칭찬하면서 거백옥의 군자다움을 찬미하고 있다. 역사를 기록하는 사관은 사실 그대로 기록하는 것이 생명이다. 그래서 죽음도 불사하고 있는 그대로 기록해야 하는데 사어가 그랬나 보다. 그러면서 신음이 두터운 사어의 마지막 유언을 왕이 받들어 거백옥을 기용했는데 거백옥이야말로 진퇴를 잘 아는 선비였다. 나라가 무도하여 폭정과 독재를 일삼을 때 벼슬을 하는 것은 공범이라는 거다. 결과적으로 폭군을 돕는 일이기 때문이다.

자신의 권력과 녹봉을 위하여 무도한 권력자 아래에서 벼슬하는 행위만으로도 도리를 위반하는 행위다. 그래서 물러나야 할 때, 물러날 줄 아는 용기와 지혜가 필요한 것이다. 예를 들어 총리가 총리 역할을 전혀 하지 못하는 바지 총리에 머문다거나, 자신의 신념과 소신에 반하는 일을 지시받고도 자리를 유지하기 위하여 그대로 행한다면 도리에 어긋나는 행위다. 이럴 때는 물러나야 한다.

중앙 부처 국장급 이상의 고위 공무원과 정무직 공무원의 경우와, 늘공(직업 공무원)인 하위직 공무원의 경우는 달리 판단해야 할까 아니면 같은 잣대로 평가해야 할까?

직업 공무원 중 적어도 국장급 이상의 고위 공무원은 사회와 국가에 미치는 영향력을 고려한다면 영혼 없는 공무원이라는 굴욕적인 명칭에서 탈피해야 하지 않을까?

자리 도둑

위령공편 13장을 보자.

> 子曰, "藏文仲 其竊[105]位者與 知柳下惠之賢而不與立也."
> 자왈, "장문중 기절위자여 지류하혜지현이불여립야."

공자께서 말씀하시길, "장문중은 자리를 훔친 자다. 류하혜의 현명함을 알고도 그와 함께 서지 않았다."

장문중은 공자보다 약 150년 전에 태어난 사람으로 공자는 현자인 유하혜를 기용할 위치에 있었음에도 기용하지 않은 것에 대하여 비판한다. 『좌전』을 보면 삼불후(三不朽)로 세 가지 썩지 않는 공을 세웠다고 할 정도로 높이 평가받는 인물이다.

즉, 덕(德), 공적(功積), 언(言)인데, 그럼에도 공자는 삼불인(三不仁)

---

105) 절(竊): 절도, 훔치다.

과 삼불지(三不知)를 행한 것에 대하여 비판한다. 미신을 신봉하고 사치를 부리며 권력을 등에 업고 월권행위에 대하여 비판했다.

중요한 것은 장문공은 자리의 역할을 제대로 하지 못했기에 그 자리의 적임자가 될 수 없다는 것이다. 절위(竊位)했다는 것 즉 자리를 훔친 사람이라는 것이다. 역할을 하지도 못하여 나라의 발전을 가로막았다면 자리를 도둑질한 것과 다름없다는 비판이다. 총리나, 청와대 인사 수석비서관의 임무는 각부 장관이나 인재를 제대로 검증해서 적재적소에 추천하는 것이 자리의 역할인데 마땅히 추천해야 할 1순위 인사를 천거하지 않고 부적절한 사람이 추천 기용되었다면 인사수석은 책임을 지고 물러나야 한다는 거다.

정권이 바뀌면 논공행상으로 공공기관에 자리 도둑이 많다는 비판이 난무한다.

단지 반대 파당의 정략적 비난이 아닌 중립적인 눈으로 평가할 때 정당한 비판이라면 겸허히 반성해야 한다. 어느 정도는 불가피한 상황이지만 도를 넘어갈 때는 국가의 질서가 무너지고 그 피해는 국민에게 돌아오기 때문에 자기 정파를 등용하는 것은 좋으나, 최대한 적재적소에 걸맞은 인사를 등용해야 한다. 자리 도둑이라는 오명에서는 벗어나는 인사를 해야 할 것이다.

공조직이 아닌 사조직에서도 자신이 역할을 제대로 하지 않는 것, 즉 직무 유기, 태만, 무능 등도 자리 도둑에 다름 아니다. 나는 과연 자리만 탐내고 월급이나 축내는 자리 도둑은 아닌지 되돌아보아야 한다.

공자의 겸손과 회인불권 (學而不厭 誨人不倦)

공자의 겸손

술이편 1장을 보자.

子曰, "術而不作 信而好古 竊[106]比於我老彭."
자왈, "술이부작 신이호고 절비어아노팽."

공자께서 말씀하시길, "옛것을 기술하되 창작하지 않고 옛것을 믿고 좋아하여 남몰래 나를 노팽에게 견주고 싶다."

노팽은 은나라 대부로 옛것의 전술(傳術)을 좋아했다. 『대대례기(大戴禮記)』에 따르면 노팽은 대부에게 정치를 가르치고 사에게 관직을 가르치고, 서인에게 기술을 가르쳤다고 나온다.

공자는 기존의 것을 정확하게 전달하는 것이 중요하지, 새롭게 창작하지 않았다고 했다. 그래서 옛날 은나라의 현자 노팽의 전술자처럼 비유

106) 절(竊): 훔치다, 몰래.

하고 싶다 한 것이다.

자기만의 독특한 이론과 사상을 만든다는 명예욕이 앞서면 자칫 그릇된 이론과 학설이 난무하여 세상을 어지럽힐 수 있다는 염려에서 나온 말이다.

창조는 모방의 어머니라고 하지 않는가? 『논어』에 나오는 공자의 어록을 보면 과거를 가져와 새롭게 자기만의 해석과 지론을 펼친다. 이것은 달리 보면 새로운 창조다.

새롭게 창작하지 않는다는 것은 겸손성 표현인 듯싶다. 온고지신이란 유명한 어록도 있지 않은가? 이 문장과 맥락상 크게 다르지 않다. 옛것을 익혀 새로운 것을 안다고 했다. 과거 없이 현재가 있을 수 없듯이 현재 없이 미래도 없다. 그래서 현재는 과거의 연속이며 미래도 현재의 확장일 수밖에 없다. 과거에 멈춘 것이 아니고 현재로 가져와 재해석하여 발전시켜 나가는 것이다.

공자는 『시 · 서경』과 『예기』를 편집했고 『주역』을 시대에 맞게 재조명하여 해석하였다.

창조는 모방을 발전시킨 것이다. 술이부작은 공자의 겸손한 표현이지 옛것을 전달만 하고 창작을 하지 않았다는 말을 그대로 이해하면 곤란하다. 옛 진리와 도리를 확실하게 믿되 현실에 맞게 재해석한 것이다.

필자도 2500년 전의 공자 어록을 학자들의 견해와 해석을 바탕으로 현실에 적용할 수 있도록 재해석하는 것이다.

회인불권(誨人不倦)

공자는 배우고 익히는 것을 세상에서 가장 큰 즐거움이라고 했고, 관직에 나가서도 남는 시간이 있으면 학습에 정진하라고 했다. 끊임없이 자기 수양에 힘쓰지 않는 사람은 호학자(好學者)라 할 수 없다고 했다. 호학은 배우는 것뿐 아니라 인격 수양을 전제로 했기에 올바른 도리를 실천하는 사람이 되어야 호학자다.

이처럼 호학은 공자 철학에서 빼놓을 수 없는 실천 과제였다.

술이편 2장에서도 호학에 대하여 언급한다.

> 子曰, "默而識之 學而不厭 誨人不倦 何有於我哉."
> 자왈, "묵이식지 학이불염 회인불권 하유어아재."

공자께서 말씀하시길, "묵묵히 배워 익히고 배움에 싫증 내지 않고 타인 가르침에 게을리하지 않으니 그 외에 나에게 무엇이 있을까?"

공자는 15살에 지학이라고 했다. 중학생 정도 되는 나이에 학문에 뜻을 두었다니 과연 공자답다. 평생을 호학자로 삶을 살았다.

묵이식지(默而識之)는 단순하게 머릿속에 넣고 아는 것만이 아니라 그것을 생각하며, 곰곰이 따져 보고 연구하는 것이다. 전통적인 방법으로 큰 소리로 읽어 가며 공부하는 것이 아니라, 고기를 씹고, 맛보고, 즐기듯이 학습도 조용히 머릿속에 넣고 음미하고 생각한 것이다. 남들이 배우는 모습을 알도록 떠벌리는 자세가 아니라 조용히 겸손의 자세로 배우며 실천하는 태도가 묵이식지다.

학이불염(學而不厭)에 대해서 알아본다.

배움의 영역은 무한대다. 아무리 학습하고 익혀도 부족하다. 그러니 만족할 수 없으니 염증이 날 리 없다. 배우고 배워도 부족하여 만족을 못하니 싫증 날 틈이 없는 거다.

회인불권(誨人不倦)도 타인을 가르침에 게으를 수가 없다는 거다.

남을 가르치는 일은 매우 힘든 일이다. 자신이 해박해야 하며 학생이 제대로 따라오지 못하면 괴롭기도 하다. 그러나 공자는 배우고 가르침을 즐거운 일로 여겼으니 게으르지 않았다고 했다. 가르치는 일은 힘도 들지만, 보람과 즐거움도 느낄 수 있는 일이다. 맹자도 영재를 얻어 가르치는 일이야말로 인생의 즐거움이라고 하지 않았나?

스스로가 지속해서 학습하여 진리를 깨달았으면 남을 깨우쳐야 할 의무감도 생겼을 것이다. 그래서 제자들을 가르치기 시작하여 죽는 날까지 가르침을 멈추지 않았다.

성인지미(成人之美)라 했다. 타인을 잘 가르쳐 선한 삶과 도(道)의 길로 나아가도록 이끌면 타인을 아름다운 삶으로 만드는 것이니 책임감 때문에 게으를 수가 없다.

그러니 공자의 삶 자체가 배우고 익히며 실천하며 전파하는 호학의 삶이었다.

인(仁)의 배움과 실천 (君子惡名)

인(仁)을 버리면 군자가 아니다

공자는 기도를 한다 해도 자신만을 위한 기도는 자칫 남에게 피해를 줄 수 있기에 나를 위한 기도를 하되 남도 고려한 배려의 기도를 잊지 말아야 한다고 했다.

즉 삶 자체가 인을 체질화해야 함을 강조한다.

이인편 5-2를 보면 극명하게 인의 생활화를 보여 준다.

"君子 去仁 惡[107]乎成名[108]"
"군자 거인 오호성명"
"君子 無終食之間 違仁 造次[109] 必於是 顚沛[110] 必於是."
"군자 무종식지간 위인 조차 필어시 전패 필어시."

---

107) 오(惡): 미워할 오.
108) 성명(成名): 이름을 이루다, 이름값을 하다.
109) 조차(造次): 황급한 시간.
110) 전패(顚沛): 넘어지는 순간.

"군자가 인을 버리면 오명이 된다."

"군자는 밥을 먹는 동안이라도 인에 위배되어선 안 된다. 급한 시간일지라도 반드시 이와 같아야 하며 넘어지는 순간이라도 이를 어겨선 안 된다."

인의 실천은 군자가 반드시 지켜야 할 핵심이다. 타인을 배려하고 존중하고 이타적이어야 한다. 이를 버리는 순간 군자를 버리는 거다. 오명을 벗어날 수 없으니 인의 실천을 강조한다. 밥을 먹는 짧은 시간일지라도, 황급한 시간이나 넘어지는 순간이라도 인을 어기면 군자가 아니라고 했다. 어떤 위급한 상황에서도 인의 위배는 합리화나 정당화될 수 없다. 급하고 위험한 상황이라고 남을 해치거나 남에게 피해를 주는 것은 있을 수 없는 일이다. 밥을 먹는 짧은 시간일지언정 밥알을 튕겨가며 말을 많이 하는 행위는 인에서 어긋난 행위다. 내가 손해 볼지언정 남에게 나로 인한 피해를 주어선 안 된다는 것을 강조하고 또 강조한다.

인자(仁者)는 속아 줄 뿐이다

옹야편 24장을 보자.

宰我 問曰, "仁者雖告之曰, 井[111]有人焉 其從之也."

재아 문왈, "인자수고지왈, 정유인언 기종지야."

子曰, "何爲其然也 君子 可逝也 不可陷也 可欺也 不可

111) 정(井): 우물.

罔[112]也."

군자, "하위기연야 군자 가서야 불가함야 가기야 불가망야."

재아가 물어 말하길, "인자는 누가 우물에 빠졌다고 하면 그를 쫓아가 보겠네요?"

공자께서 말씀하시길, "어찌 그럴 수 있겠느냐? 군자를 가게 할 수는 있으나 빠트릴 수는 없다. 속일 수는 있어도 그럴듯하게 기망할 수는 없다."

어진 사람은 누가 곤경에 처했다고 하면 도와주기 위해 발 빠르게 나선다. 그래서 우물에 누가 빠졌다고 하면 일단 그곳으로 간다. 그래서 일시적으로 속을 수 있다.

그래서 어진 사람을 속일 수는 있으나 끝까지 속일 수는 없다는 것이다. 바보도 아니요, 멍청하지도 않기 때문이다. 처음엔 인을 행하는 것이 우선이기 때문에 속을 수는 있다.

요행이나 부당하게 이익을 취하거나 도리에 합당하지 않은 터무니없는 이익이 있다고 하면 일단 정말 그러한지 실체 파악에 들어가야 한다. 사기꾼도 죄인이지만 속는 사람도 문제가 있다. 몇 곱절의 이자 혹은 이익을 안겨 줄 테니 투자를 하라고 하는 사기꾼들의 놀음에 투자하는 피해자들의 심리는 무엇일까? 불로소득 내지는 요행을 바라거나 높은 이익에 쉽게 흔들리는 사람들의 심리를 이용한 것이다.

투명한 정보의 시대에 한두 번 검색만 해 보아도 알 수 있는 시대다.

---

112) 망(罔): 멍청한, 바보 같은.

은행 금리가 1~2%의 저 이자 시대에 단기간에 몇십%의 이자나, 몇 배의 이익을 안겨 준다면 나까지 행운이 올 리 있을까?를 의심해 봐야 한다. 만에 하나 있다면 자기 가족들끼리만 쉬쉬하며 취할 것이다. 왜 생면부지의 나에게까지 홍보하고 장황하게 설명하는지 의심해야 정상이다.

터무니없는 이익에 혹하는 것은 거저 얻어먹으려는 도적의 심보다. 내가 그만큼 이익을 보면 나의 이익만큼 손해 보는 사람이 있기 마련이다. 세상에 공짜 없다는 말은 진리다.

글을 마치며

고전 공부를 할 때마다 특히 이번 『논어』 해설 작업을 하면서 좀 더 젊을 때 깊이 사색하며 읽어 내 것으로 만들어 삶에 적용했다면 하는 아쉬움이 남는다.

30대 이후에 내용을 터득하여 실천에 옮길 수만 있다면 천운이요, 행운이라고 말씀드리고 싶다. 빠르면 빠를수록 행운이다. 그만큼 알차고 유익한 인생을 펼칠 수 있기 때문이다. 하지만 배움과 수양에 늦는 때란 없다. 50이든, 80이든 생을 마감하는 전날까지도 배움과 수양을 지속하면 그만큼 유종의 미를 거두는 것이다.

독자 여러분께 다시 한번 강조하고 또 강조하고 싶다.

한 문장 한 문장을 음미하고 사유하고 이면의 숨은 의미를 파악한 후 실생활에 반드시 적용해야겠다는 의지와 소명 의식으로 무장하여 밥 먹듯이 생활화시켜 보시라! 진리는 멀리 있지 않다. 느끼지 못하고 발견하지 못할 뿐이다. 당연한 말, 쉽게 다가오는 문장이 진리요, 나의 생명체다. 거창하고 난해한 말이 아니라고 그냥 넘기지 말아야 한다. 누구도 밥을 떠먹여 주지 않는다. 밥상의 밥은 내가 직접 먹어야 내 것이 된다.

제목처럼 논어에서 인생길을 찾아 당당하고 즐거운 삶을 영위할 수 있다는 믿음을 가지고 꾸준히 소양을 쌓는다면 확연한 변화를 맛보게 될 것이다. 책 한 권으로 인생이 바뀌었음을 증명해 내기를 바란다.

참고 문헌

『1일1강 논어강독』, 박재희, 김영사, 2020.

『논어 인문학』, 장주식, 내일을 여는 책, 2016.

『논어백책』, 윤재근, 산천재, 2015.

『논어강설』, 이기동, 성균관대학교 출판부, 2014.

『좌전』, 정태현, 전통문화연구회, 2011.

『공자가어』, 이민수, 을유문화사, 2015.

어떻게 살아갈 것인가

초판 1쇄 발행 2023년 9월 11일

지은이 한인수
펴낸이 이기봉
편집 좋은땅 편집팀
펴낸곳 도서출판 좋은땅
주소 서울특별시 마포구 양화로12길 26 지월드빌딩 (서교동 395-7)
전화 02)374-8616~7
팩스 02)374-8614
이메일 gworldbook@naver.com
홈페이지 www.g-world.co.kr

ISBN 979-11-388-2270-1 (03140)